ИГО

как убивали
СПАРТАК

СЕНСАЦИОННЫЕ
ПОДРОБНОСТИ
ПАДЕНИЯ
ВЕЛИКОГО КЛУБА

Москва
Издательский дом
«Секрет фирмы»
2006

УДК 796.332
ББК 75.578
Р12

Р12   **Рабинер И.**
        Как убивали «Спартак»: сенсационные подробности па-
        дения великого клуба.
        М. : ИД «Секрет фирмы», 2006.— 464 с.
        ISBN 5—98888—027—4

Эта книга — о самом тяжелом и страшном времени популярнейшего футбольного клуба. Это и крик души истинного болельщика, и результат тяжелого труда журналиста. Труда, который был тем горше, чем
непригляднее становилась правда о легендарной команде. Правда, от которой настоящий журналист не имеет права отворачиваться.

Эта книга о том, как молодой наследник духа и мысли великих
братьев Старостиных, тренер-демократ постепенно стал диктатором и в
конце концов заблудился в мире собственных иллюзий. О том, как народная команда стала товаром, была куплена и продана, о том, как недавний
флагман российского футбола едва не сгинул в пучине финансовых махинаций и организационного хаоса, на несколько лет превратившись из ФК
«Спартак» в ФК «Скандал».

УДК 796.332
ББК 75.578

Фото на обложке: «Спорт-экспресс»
Фото И. Рабинера: Александр Федоров

В книге использованы материалы, опубликованные в газете
«Спорт-экспресс».

СОДЕРЖАНИЕ

МОЙ
«СПАРТАК»

СЛОВО «СПАРТАК» я выговорил, конечно же, позже, чем «папа» и «мама». Но, клянусь, ненамного позже.

Впрочем, в моей помешанной на футболе семье и не могло быть иначе. Озорная и яркая Одесса, где появились на свет мои родители, никогда по-настоящему не подчинялась власти украинской столицы — Киева. Во все времена она гордо называла себя «вольным городом». Массовое «боление» за московский «Спартак» в противовес его главному конкуренту, киевскому «Динамо», было одним из признаков этой внутренней свободы.

За свой «Черноморец», конечно, болели тоже — вот только серьезными успехами он баловал редко. Значит, надо было выбрать кого-то на большой орбите. Недаром и лучшие одесские игроки, если им предоставлялась свобода выбора, уезжали в основном не в Киев, а в «Спартак»...

Еще до того как я родился, уехала и вся моя семья. Не в «Спартак», конечно, а в Москву. Но, по сути, это было одно и то же.

Около 40 лет назад мой дядя, знаменитый поэт-песенник Игорь Шаферан («Ромашки спрятались...», «Мы желаем счастья вам» — эти популярнейшие произведения принадлежат его перу), выходил из московского роддома, где только что появилась на свет его дочь. Гарик, как его называли в семье, в глубине души был чуть-чуть опечален — он-то хотел сына. Который смог бы продолжить болельщицкий род.

Возможности долго находиться в роддоме у Шаферана не было — его ждала важная встреча. И вдруг родители поэта — мои бабушка с дедом — увидели в окно, как он остановился в саду около роддома и страстно, размахивая руками, принялся что-то обсуждать с незнакомыми людьми.

Встревоженные, они решили спуститься вниз и узнать, в чем дело. И едва услышали первые звуки разговора, все стало ясно. Ярый спартаковец Шаферан встретил на своем пути поклонника московского «Динамо». Слово за слово — и вокруг спорщиков тут же образовалась толпа. Рождение дочки и предстоящая деловая встреча тут же отошли на второй план...

Вот и посудите сами после этой истории — имел ли я хоть один шанс не начать болеть за «Спартак»?

«Спартачами» у нас в семье были все: два деда, отец, дядя... Даже бабушка — и та не осталась в стороне. По ее рассказам, когда вся семья собиралась вместе у телевизора и красно-белые забивали гол, от нашего дружного вопля были готовы рухнуть стены соседних домов. И вот в 1981-м меня, восьмилетнего, решили первый раз взять на стадион. Момент подбирали долго — «телевизионным» болельщиком я уже был года два, но первый живой футбол не должен был закончиться для ребенка разочарованием. А ну как щелкнет что-то в детском сознании — и потеряет он интерес к футболу и к «Спартаку»? Или, что еще хуже, начнет болеть за кого-то другого?

Но тут ситуация казалась беспроигрышной. В финале Кубка СССР «Спартак» встречался с СКА из Ростова-на-Дону. Ростовчане особой опасности не представляли — в чемпионате плелись чуть ли не на последнем месте. Спартаковцы же, всегда считавшиеся самой «кубковой» командой, не выигрывали этот турнир 11 долгих лет — и зверски по этому самому Кубку проголодались. К тому же финал проходил в День Победы. И вот два деда—ветерана Великой Отечественной при всех орденах, дядя, отец и я медленно, растягивая удовольствие, идем в Лужники...

...«Спартак» проиграл. Защитник красно-белых Мирзоян первый раз в жизни не забил пенальти, а ростовский нападающий Андреев в конце матча использовал чуть ли не единственный голевой момент у СКА. В противоборстве тестя и зятя — тренировавшего «Спартак» Константина Бескова и возглавлявшего ростовчан Владимира Федотова — победителем вышел младший. Я рыдал горючими слезами и уж никак не мог себе представить, что лет через 20—25 смогу обсудить ту сенсацию со всеми ее героями, а ранивший тогда меня в самое сердце Федотов станет главным тренером «Спартака»...

За «Спартак», вопреки опасениям взрослых, я после того матча болеть не перестал. Наоборот — пережитая драма притянула меня к команде еще крепче. В том же году отец где-то раздобыл самодельную спартаковскую эмблему из какой-то грубой ткани и нашил ее на обычную красную футболку. О настоящей атрибутике мы тогда и не мечтали, так что эта майка стала для меня реликвией, я гонял в ней в футбол, ходил в теннисную секцию... Жалко, что тогда была единая школьная форма,— будь у меня такая возможность, на уроках появлялся бы тоже в ней.

В 14 лет я стал ходить на стадион постоянно. Одна из коллег отца по НИИ связала для меня спартаковские шарф и лыжную шапочку. Дядя написал песню о «Спартаке», которую группа «Бим-Бом» под рев болельщиков исполнила на чествовании команды по случаю ее золотых медалей в 1987 году. Все ее слова — от «Создали на Трехгорке команду наши деды, и многим полюбился задор ее атак...» до «...болеют сотни тысяч, болеют миллионы — но большинство болеет за „Спартак"» — я готов был пропеть и сыграть на гитаре, даже если бы меня разбудили посреди ночи.

В 16, когда на последней минуте решающего матча против киевского «Динамо» Валерий Шмаров забил победный гол со штрафного удара, я сорвал себе голос на целую неделю. А тот миг, когда еще в середине полета мяча меня озарило, что он окажется в сетке, отчетливо помню до сих пор. И готов сейчас, 17 лет спустя, повторить фразу, написанную мною в дневнике: «До сих пор иногда кажется, что это — счастливый сон».

Буду помнить и то, как через год, осенью 1990-го, Владимир Маслаченко взял меня, начинающего репортера, только что сделавшего с ним интервью, в комментаторскую кабину на матч «Спартака» с ЦСКА. Я чувствовал себя наверху блаженства, помогая знаменитому телекомментатору со статистикой. Но иногда мне казалось, что я готов взорваться изнутри,— ведь не то что кричать, а шептать было запрещено. Прямой эфир на весь Советский Союз! А эмоции клокотали и рвались наружу.

Но я выдержал. И ко второму тайму, немного успокоившись, начал понимать, что такое смотреть на футбол взглядом не болельщика, а журналиста. Тогда жизнь заставила — и лишь много позже я начну получать от этого удовольствие.

Любить «Спартак» ведь можно по-разному. Это можно делать где-то глубоко внутри себя, не оглушая соседа истошным воплем: «Гол!», не обвиняя судью на весь стадион в нетрадиционной сексуальной ориентации и не проклиная «грубиянов»-противников. Любить «Спартак» можно и ценя тех, кто играет против него. И спокойно признавая, что соперник сегодня был сильнее.

Летом 1990 года я поехал в путешествие на теплоходе по Волге. И познакомился там со своим ровесником, киевлянином. Две недели мы срывали голоса (точно как я в момент гола Шмарова) в многочасовых спорах о том, что в футболе важнее и лучше — процесс или результат, изящные «стеночки» или мощные фланговые прорывы, Бесков или Лобановский, Черенков или Демьяненко. И в процессе споров, не сдав позиций, прониклись уважением не только к собеседнику, но — вдруг — и к ранее сугубо «вражескому» большому клубу, идеи которого защищал оппонент. Футбольные горизонты для каждого заметно раздвинулись, а для меня, думаю, ускорили путь из болельщиков в журналисты.

Уже 12 лет один из моих лучших друзей, состоявшийся молодой ученый Ростислав Тетерук живет и работает в Германии. Мы встречались или у него близ Дюссельдорфа, или в Киеве, когда он подгадал командировку к матчу Лиги чемпионов «Динамо» — «Локомотив» и, естественно, пошел на стадион в «жовтоблакитном» шарфе.

Но, где бы мы ни встретились, обязательно вспоминаем тот круиз по Волге, который сделал каждого из нас чуточку мудрее. И научил уважать чужие убеждения, не отказываясь при этом от своих.

10 апреля 1990 года я написал в своем дневнике: «В чудесном настроении пошел на матч „Спартак“ — „Динамо“ (Москва). И вот тут-то „Спартак“ мне это настроение резко испортил, проиграв 1:2. Я специально подсчитал — я не был на матчах, когда „Спартак“ проигрывал, 1429 дней. С 18 мая 1986 года, с поединка с тем же „Динамо“, проигранного с таким же счетом».

Дни, месяцы и годы отсчитывались для меня в то время по красно-белому календарю.

❂ ❂ ❂

«Спартак» для меня никогда не был просто командой, за которую я болею. Он был и остается моей философией жизни.

«Спартак» для меня — это форвард сборной СССР Никита Симонян, отдающий после победного финала Олимпиады 1956 года в Мельбурне свою золотую медаль юному Эдуарду Стрельцову. Стрельцов провел на месте Симоняна все матчи, кроме последнего, а медалей было всего 11 — и вручили их только участникам главной игры. Стрельцов брать медаль наотрез отказался. Но предложение отдать ее — это и есть для меня «Спартак».

«Спартак» для меня — это капитан сборной СССР Игорь Нетто, идущий во время матча чемпионата мира 1962 года к судье, чтобы признаться: после удара Численко мяч влетел в ворота Уругвая через дырку в сетке с боковой стороны, и гол засчитывать нельзя. Счет в тот момент был 1:1, а до того, как ФИФА объявила одним из главных своих принципов fair play — честную игру, оставалось еще три с лишним десятка лет...

«Спартак» для меня — это братья Старостины, один из которых, Андрей, когда-то произнес фразу, ставшую крылатой: «Все потеряно, кроме чести». То, что Старостиных на несколько лет отправил в сталинские лагеря Лаврентий Берия, тоже стало важной частью спартаковской истории.

«Спартак» для меня — это в том числе и печальный 1976 год, когда команда вылетела в первую лигу чемпионата СССР. Высокопоставленных болельщиков у красно-белых насчитывалось столько, что обеспечить расширение Высшей лиги «в порядке исключения» руководителям клуба было бы раз плюнуть. В истории советского футбола такое нарушение спортивных принципов было в порядке вещей. Но братья Старостины с унизительными просьбами о помиловании ни к кому обращаться не захотели. И через год «Спартак» под руководством Бескова вернулся в элиту, а через три стал чемпионом СССР.

«Спартак» для меня — это Бесков, обращающийся к защитнику Сергею Базулеву после проигранного днепропетровскому «Днепру» решающего матча чемпионата 1983 года. Победный мяч забил нападающий «Днепра» Таран, убежавший как раз от Базулева. Защитник мог грубо ударить Тарана по ногам, предотвратив голевой момент, но не стал этого делать. И в бурлящей от негативных эмоций раздевалке, сразу после «инфарктного» матча, Бесков сказал Базулеву: «Сережа, не мучай себя упреками. Ты все сделал правильно».

Когда Андрей Старостин «пробил» наверху назначение Бескова в «Спартак», многие патриоты красно-белых цветов не могли с этим смириться — ведь тренер считался динамовцем, а более лютых врагов, чем «Спартак» и «Динамо», еще с довоенных времен было не сыскать. Люди, которые не хотели принимать Бескова, не понимали одного: того, что лучше всех объяснила мне прошлой зимой тогда еще не вдова, а жена Константина Ивановича Валерия Николаевна. «Он давно уже стал человеком не какого-то одного клуба, а футбола в целом»,— сказала она. В ответ я вспомнил классическую фразу времен Бескова-тренера: «Это не требования Бескова, это требования футбола».

Сегодняшнему российскому болельщику-тинейджеру не повезло: он не застал Бескова. Те, кто застал, гордятся этим. Хотя гордиться можно вроде бы только тем, чего добился в жизни сам, чего достигли твои родные и друзья. Но в том-то и суть футбольного боления, что любимая команда становится членом твоей семьи и лучшим другом.

И все же спартаковские болельщики — особая каста, добиться их расположения человеку, никогда не игравшему за «Спартак», практически невозможно. Бесков добился. Более того — по-особому воспитал целое поколение поклонников красно-белых. Мое поколение.

Есть такой, увы, популярный лозунг: «Победа любой ценой». Тем, кто его придерживается, неважно, каким путем эта победа достигнута. Для них свято еще одно клише многочисленных поборников этой теории: «Игра забывается, а результат остается».

Бесков с этой теорией всегда бился смертным боем. Бесков считал, что главная ценность в футболе — игра, и добиваться результата, забывая о ней и о тех, кто на нее ходит, — бесчестно. Бесков взрастил болельщиков, которых часто не понимают другие — те, кому не посчастливилось болеть за команды Бескова. Тех, кому никогда не будет достаточно одних очков и места в таблице. Каким бы это место ни было.

На прощании с Бесковым в манеже «Динамо» Никита Симонян вспоминал: «Когда Бесков возглавлял

„Спартак", не раз бывало, что после матча я подходил к нему — поздравить с победой. Но Константин Иванович хмуро отвечал: „Поздравлений не принимаю. Неважно, что мы победили,— мы не показали игры, которая может понравиться зрителю..."» Известен случай, когда после разгрома ереванского «Арарата» со счетом 4:0 тренер устроил спартаковцам в раздевалке форменный разнос — за то, что во втором тайме, получив большое преимущество, решили довести матч до конца малой кровью, не прилагая больших усилий. «Вам должно быть стыдно!» — гремел тренер и воспитывал тем самым не только игроков, но и болельщиков.

Бесков, которого знаменитый журналист Лев Филатов назвал «тренером с хореографическим даром», никогда с первых минут не наблюдал за игрой со скамейки запасных. Один из спартаковских болельщиков в интернете после смерти мастера потрясающе просто и верно объяснил почему. Он написал: «Спасибо вам, что всегда смотрели на игру нашими глазами — с трибуны».

Мы — кто-то оставшись болельщиком, кто-то став репортером — по-прежнему живем с этой философией. И в отношении к тем или иным тренерам и командам руководствуемся ею. Потому, кстати, и поняли капитана «Спартака» Дмитрия Аленичева в недавнем конфликте с бывшим главным тренером Александром Старковым. Людям, которые не выросли на футболе Бескова, невозможно объяснить, что «команда, у которой нет игры», — это оскорбление, хуже которого не придумать. А «Спартак» времен Старкова был именно такой командой.

Когда-то Бесков говорил своему зятю Владимиру Федотову: «Со спартаковскими болельщиками не считаться нельзя. Они ведь и убить могут!»

Насчет «убить» это Константин Иванович, конечно, загнул, но то, что поклонники «Спартака» огромная сила, он подметил верно. Федотов в разговоре со мной вспомнил об этих словах тестя сразу же после того, как был назначен главным тренером красно-белых. Я в ответ — и в подтверждение — привел тренеру публиковавшуюся в печати статистику, согласно которой за «Спартак» болеют 15 миллионов человек...

Чаще всего новые болельщики тянутся к победителям. Так происходило во времена «Спартака» романцевского, болеть за который было беспроигрышно — чемпионом он становился почти каждый год.

А вот в безумной популярности бесковского «Спартака» крылся парадокс. В те годы киевское «Динамо», а отнюдь не «Спартак», было самым успешным советским клубом — за время правления Бескова красно-белые взяли «золото» лишь дважды (хотя установили рекорд, девять раз подряд завершая первенство в тройке призеров), тогда как у киевлян в тот же период было пять медалей высшей пробы. Зато поклоняться «Спартаку» при Бескове стали миллионы людей по всему Советскому Союзу.

Недавно команда спартаковских ветеранов во главе с Черенковым и Дасаевым приехала в Душанбе и собрала 20 тысяч зрителей. После распада СССР и войны в Таджикистане на стадион там столько народу не приходило ни разу. А тут пришли. На ветеранов. Потому что память о футболе Бескова не могут стереть даже войны.

А еще Константин Иванович никогда не решал исход матчей вне поля. И в затхлый футбол 1970-х, когда даже лимит ничьих пришлось вводить, чтобы бороться с повальной «бухгалтерией», его «Спартак» ворвался с какой-то даже наивной, детской чистотой.

«Как о специалисте Бесков всегда отзывался о Валерии Лобановском с уважением,— рассказывала мне Валерия Николаевна.— При этом открыто критиковал Валерия Васильевича за пристрастие к договорным матчам. Очки отсюда, очки оттуда — и на пьедестал. В этом всегда была разница между ними».

Именно эта разница никогда не позволит нам, людям, воспитанным на футболе Бескова, произнести: «Игра забывается, результат остается». Потому что, так сказав, предадим вкус к игре и отношение к ней, которые нам привил Бесков. Предадим то, что и самому Бескову, мне кажется, помогло стать в «Спартаке» своим. Ведь у Старостиных были те же идеалы.

Ринат Дасаев говорил, что как раз расчетливости Бескову и не хватало, чтобы становиться чемпионом чаще. Но прагматик Бесков — это был бы уже не Бесков.

⚽⚽⚽

Возможно, какие-то красивые легенды, связанные со «Спартаком», и были приукрашены сначала очевидцами, а потом и теми, кто их интерпретировал. Но суть-то в другом: многие десятилетия «Спартак» учил своих приверженцев быть порядочными людьми. Отсюда, считаю, и берет истоки знаменитое понятие — «спартаковский дух».

В недавнем телевизионном фильме Николая Сванидзе, посвященном братьям Старостиным, один из моих любимых писателей Василий Аксенов говорил примерно так: «Тот, кто болел за „Спартак", накладывал на себя отпечаток несочувствия к органам НКВД, МГБ...»

Оттого и тянулись всегда к «Спартаку» интеллигентные люди, хотя бы в душе стремившиеся чувствовать себя свободными. Великий артист Олег Табаков рассказывал мне об истоках своей любви к красно-белым: «„Спартак" начался для меня со школы-студии МХАТ. С дружбы Михал Михалыча Яншина, других великих стариков с братьями Старостиными... Во МХАТе было неприлично не болеть за „Спартак". И это не было насилием над личностью: любовь к этой команде я впитал всей душой».

Старостины рассказывали, как на базу «Спартака», словно к себе домой, приезжали в 1930-е годы писатели Юрий Олеша и Лев Кассиль, актер Михаил Яншин. Тогда и взяла свое начало цепочка, которая продолжается и сегодня: Олег Табаков, Валентин Гафт, Армен Джигарханян, Александр Калягин... Оперный певец Зураб Соткилава в 2000-м вспоминал: «Когда переехал в Москву, крепко сдружился с Николаем Озеровым. Мы стали вместе ходить на каждый матч „Спартака", причем в любую погоду. Я люблю умный футбол, и моими любимыми игроками были Черенков, Гаврилов...»

Я всегда гордился тем, что мой дядя Игорь Шаферан занимал в этом списке далеко не последнее место.

Четыре года назад меня пригласили поучаствовать в создании спартаковской энциклопедии. Согласился сразу, даже не спросив о гонораре. Профессиональные журналисты так практически никогда не делают, но я об этом не пожалел ни на секунду. Заплатили-то в итоге сущие копейки, но, глядя на великолепный 860-страничный фолиант, понимаю, что написал бы в него и бесплатно. То, что мой труд вложен в эту книгу, для меня — настоящая честь.

Недавно, сходив на концерт великолепного барда Тимура Шаова, ироничного и остроумного, но, к сожалению, далеко не так «раскрученного» в нашей попсовой стране, как он того заслуживает, я получил возможность несколько минут с ним потолковать. И, не скрою, с радостью услышал: «Я — старый „спартач"». А один из ведущих классических пианистов современности, победитель Международного конкурса имени Чайковского Денис Мацуев оказался таким болельщиком, что однажды потряс до основания весь чопорный мир симфонической музыки.

Представьте себе такую картину. Концертный зал имени Чайковского, выступление звезд классической и джазовой музыки. Фраки, бабочки, накрахмаленные воротнички. Все чинно-благородно, как и полагается.

За одним исключением. На всех участниках — от оперной примы Елены Образцовой и саксофониста

Георгия Гараняна до «Виртуозов Москвы» и ведущего Святослава Бэлзы — спартаковские шарфы.

Поверьте, это не выдумка автора этой книги. Все так и было — во втором отделении концерта, состоявшегося 11 июня 2005 года и посвященного 30-летию Мацуева. «В конце выступления публика аплодировала стоя. Денис Мацуев — олицетворение невероятного успеха»,— писала о его гастролях в Америке New York Times. А для него самого успехи «Спартака» ничуть не менее важны, чем собственные.

— В РОДНОМ ИРКУТСКЕ Я СЧИТАЛСЯ ВУНДЕРКИНДОМ, НО ПЕРЕЕЗЖАТЬ В МОСКВУ ОТКАЗЫВАЛСЯ НАОТРЕЗ,— РАССКАЗЫВАЛ МНЕ МАЦУЕВ.— РОДИТЕЛЯМ ПРИШЛОСЬ ПРИМЕНИТЬ ГЕНИАЛЬНЫЙ ПСИХОЛОГИЧЕСКИЙ ХОД. ОНИ СКАЗАЛИ МНЕ: «ДУРАЧОК, ТЫ НЕ ПОНИМАЕШЬ, КАКОЕ СЧАСТЬЕ ТЕБЯ ЖДЕТ,— СМОЖЕШЬ СМОТРЕТЬ СВОЙ „СПАРТАК" ВЖИВУЮ!» ЭТА МЫСЛЬ ПРОНЗИЛА МЕНЯ КАК МОЛНИЯ. Я БРОСИЛ ВСЕ К ЧЕРТОВОЙ МАТЕРИ И СЛОМЯ ГОЛОВУ ПОНЕССЯ ИЗ СИБИРИ В МОСКВУ. НЕТ, НЕ ДЛЯ ТОГО, ЧТОБЫ УЧИТЬСЯ В ЦЕНТРАЛЬНОЙ МУЗЫКАЛЬНОЙ ШКОЛЕ ПРИ КОНСЕРВАТОРИИ,— ЭТО БЫЛО ЛИШЬ НЕОБХОДИМЫМ ПРИЛОЖЕНИЕМ. А ЧТОБЫ ХОДИТЬ В ЛУЖНИКИ НА КАЖДЫЙ МАТЧ «СПАРТАКА». НА ЛЮБЫЕ «КУБАНИ» С «ШИННИКАМИ», КОГДА ЧЕМПИОНАТ СОЮЗА РАЗВАЛИЛСЯ. ПОЧТИ ВСЕ ДЕНЬГИ УХОДИЛИ НА ФУТБОЛ. ПРОГРАММКИ, ШАРФЫ... В СПЕЦИАЛЬНОЙ ТЕТРАДОЧКЕ ВСЕ БЫЛО РАЗЛИНОВАНО ПОД ФУТБОЛЬНЫЕ ГРАФИКИ — ГОЛЫ, ОЧКИ, МИНУТЫ. НАДО БЫЛО БЕЖАТЬ В КОНСЕРВА-

ТОРИЮ — НО Я С МЕСТА НЕ МОГ СОЙТИ, ПОКА НЕ ВПИСЫВАЛ: «2:1. РАДЧЕНКО, КАРПИН».

А ПОМНИТЕ, КАК ОСЕНЬЮ 1992-ГО «СПАРТАК» СТАЛ ПЕРВЫМ ЧЕМПИОНОМ РОССИИ, ВЫИГРАВ 4:1 У «ЛОКОМОТИВА», И ТЫСЯЧИ БОЛЕЛЬЩИКОВ ПРОРВАЛИ ОЦЕПЛЕНИЕ И ВЫСКОЧИЛИ НА ПОЛЕ ЛУЖНИКОВ? — ПРОДОЛЖАЛ МАЦУЕВ.— ТАК ВОТ Я БЫЛ СРЕДИ ТЕХ, КТО ВЫБЕЖАЛ НА ГАЗОН! ПОТРОГАЛ ВОРОТА, ВЦЕПИЛСЯ В СЕТКУ. МНЕ БЫЛО НАПЛЕВАТЬ, ОГРЕЮТ МЕНЯ ОМОНОВЦЫ ДУБИНКОЙ ИЛИ НЕТ. ЕСЛИ БЫ ПРОФЕССОРА В КОНСЕРВАТОРИИ МЕНЯ ТОГДА УВИДЕЛИ, ИМ БЫ ДУРНО СТАЛО. Я БЕЖАЛ ПО ЛУЖНИКОВСКОМУ ПОЛЮ, НА КОТОРОЕ КОГДА-ТО СМОТРЕЛ ПО ТЕЛЕВИЗОРУ, КАК НА НЕЧТО БЕСКОНЕЧНО ДАЛЕКОЕ, ОРАЛ ВО ВСЮ ГЛОТКУ И БЫЛ САМЫМ СЧАСТЛИВЫМ ЧЕЛОВЕКОМ НА ЗЕМЛЕ.

Я ему немножко завидую: первый раз Мацуев пошел на «Спартак» в 1989-м, на тот самый матч против киевского «Динамо», когда я на неделю сорвал голос. Завидую потому, что лучшего очного знакомства с командой представить невозможно. «До сих пор пересматриваю видеокассету с записью той игры, и слезы на глаза наворачиваются»,— сказал мне пианист. И я ему верю. Потому что сам такой же.

⚽ ⚽ ⚽

Почти каждый футбольный журналист рождается из болельщика. Потом, спустя много лет, он может тщательно скрывать свои симпатии — но прошлое-то не перечеркнешь. Репортеры, пишущие об игре, не берутся с Луны — их приводит в профессию детская страсть. И это здорово, потому что большинством других специальностей люди овладевают чаще по расчету. Из-за денег, престижа, перспектив, семейных традиций... Недавно на дне рождения друга к нам с коллегами подошел бывший журналист, переквалифицировавшийся во вполне успешные бизнесмены, и со вздохом сказал: «На самом деле я вам завидую. Вы занимаетесь любимым делом...»

В 1990 году, будучи первокурсником журфака МГУ, я брал интервью для еженедельника «Собеседник» у великого футбольного журналиста, вернее, даже писателя — Льва Ивановича Филатова. Тоже, кстати, в душе спартаковца. И он, человек, которого никто и никогда не мог обвинить в необъективности, в свои «под 70» высказал вдруг парадоксальную мысль. О том, что, может, и не нужно журналисту в своих публикациях скрывать, за кого он болеет. Пусть он не прячет своих переживаний и терзаний, пусть приводит аргументы в пользу собственного взгляда на футбол — а другие, из иных лагерей, поспорят с ним в своих материалах. И журналистика тогда получится куда более личная, неравнодушная, вызывающая отклик. И не будет в газете наигранно отстраненной «сухомятки», за которой скрывается фальшивое выжигание из футбола его эмоциональной сути, его души.

Я всегда помнил об этих словах моего покойного учителя, к которому несколько лет ходил за мудростью и советом. Но помнил не в том смысле, чтобы воспринимать их прямолинейно и в начале каждого материала указывать: «Болею за „Спартак"».

Значительная часть поклонников красно-белых искренне считает меня одним из главных... врагов «Спартака». То, что я предал команду и ее интересы, доводилось слышать не раз — и когда жестко критиковал Олега Романцева еще в его бытность президентом и главным тренером, а на самом деле — царем и богом клуба. И когда резко осуждал многие шаги Андрея Червиченко. Не говоря уже о нашумевшем расследовании «Бромантановый „Спартак"» — о том, как в 2003 году не одного дисквалифицированного Егора Титова, а всю команду «кормили» допингом.

Для многих фанатов любовь к команде со стороны журналиста — это лесть. Если он при каждом удобном случае гладит «Спартак» по головке, превозносит его, а при неудобном — выгораживает и утешает, значит, он настоящий спартаковец. Если критикует и вскрывает язвы — значит, враг.

Я придерживаюсь иного мнения: любовь — это правда. Так уж учили меня родители, что только тот, кто любит, может сказать тебе в лицо все как есть. Остальные будут шушукаться и радоваться твоим бедам за спиной.

Журналист и болельщик смотрят на футбол по-разному. Я — неравнодушный к «Спартаку», в душе любящий его, но — журналист. У которого руки не связаны никакими обязательствами перед людьми, работающими в клубе, и который может позволить себе роскошь писать то, что думает и чувствует.

У меня есть возможность высказывать всю свою боль за любимую команду в газете, и вот в этом-то смысле я и следую завету Льва Филатова. Если бы мне был безразличен кризис «Спартака» последних лет, я бы воспринимал его хладнокровно и писал бы о нем так же. И болельщики бы тогда не возмущались, не пропускали бы эти материалы через сердце, а забывали бы о них сразу по прочтении. Самое страшное, чего я боюсь, когда люди читают мои публикации, — это равнодушия.

Еще в 1990-е у меня возникло нехорошее ощущение, что от «Спартака» начала потихоньку отдаляться интеллигентная публика. Для нее любимая команда всегда олицетворяла свободу личности — тут же она начала превращаться во что-то официальное, показное, парадное. В раздевалку после побед под прицелами телекамер принялись заходить важные государственные мужи. Откуда-то появился, на мой взгляд, дурно пахнущий термин «народная команда». Да, «Спартак» всегда был самым любимым, самым популярным во всех людских слоях, потому что не принадлежал какому-то ведомству. Но никогда он не бил себя кулаком в грудь, провозглашая свою «народность». Ссылаться на народ для приличных людей за 70 лет советской власти вообще стало дурным тоном — это делалось именно тогда, когда народ ни о чем спрашивать не собирались. Словом, появление идиомы «народная команда» само по себе показалось мне неприятным знаком. Последующие события те предчувствия подтвердили.

Работая над тем же «Бромантановым „Спартаком"», три месяца добывая по крупицам секретную информацию, я никого не предавал. Я хотел — и хочу — чтобы мой «Спартак» стал чище. И когда мне говорят: «Да кому нужна такая правда?», я отвечаю: она нужна всегда. Не бывает правды необходимой и лишней, своевременной и неуместной. Недавняя история с интервью Дмитрия Аленичева «Спорт-экспрессу», после которого капитана «Спартака» отстранили от команды, это лишний раз подтвердила. В ней я полностью на стороне футболиста именно потому, что за всеми умствованиями о нарушении корпоративной этики было забыто главное — то, что он сказал правду. И пострадал за нее.

А раз пострадал — значит, и сегодня мы видим не настоящий «Спартак».

Смыть темную скандальную накипь 2000-х можно только одним способом. Быть честным.

⚽ ⚽ ⚽

Передо мной — ноутбук. На нем я начинаю писать книгу, которая была выстрадана всей моей болельщицкой и репортерской жизнью.

В доме у моих родителей есть одна «ностальгическая» стенка, на которую я смотрю несколько раз в году, чтобы вспомнить, как все было когда-то.

На этой стенке — вымпелы с портретами Черенкова, Дасаева, Хидиятуллина, Родионова и других звезд «Спартака» 1980-х годов с автографами, которые я, болельщик, с восторгом у них брал.

На этой стенке — плакат с фотографией любимой команды 15-летней давности. Той блестящей команды 1992—93 годов, которая должна была выйти в финал Кубка обладателей кубков, но ее растоптал португальский судья Коррадо. Вспоминаешь — и сердце кровью обливается.

На этой стенке — огромная черно-белая фотография 1990 года с моим самым любимым футболистом всех времен и народов Федором Черенковым, к которому я тогда приехал в Тарасовку брать одно из первых в жизни интервью. За нашими спинами — памятник Ленину и деревянное строение, которых на подмосковной базе «Спартака» уже и в помине нет...

Те юношеские годы, когда самым большим счастьем была победа «Спартака», а самым страшным горем — его поражение, я не забуду никогда. Наверное, вернуть их невозможно. Другим стал «Спартак», другим стал я. Другой стала вся наша жизнь.

Но для болельщика любимая команда — это что-то святое и идеальное. То, чем хочется гордиться самому и на примере чего воспитывать своих детей.

И несмотря на то что я давно уже журналист, а не болельщик, мне безумно хочется, чтобы когда-нибудь «Спартак» вновь стал близок к такому идеалу. И страшно не хочется другого — чтобы мой ребенок однажды задал мне вопрос о «Спартаке», на который я, опустив глаза, не смог бы ответить.

Для этого и написана книга, которую вы сейчас держите в руках.

ГЛАВА

1:

ДРАМА
РОМАНЦЕВА

«Спорт-экспресс»

...**ПЯТНИЦА, 13-Е.** Вы можете быть убежденным материалистом, с презрением относиться к любого рода суевериям. Но если вы при этом — болельщик «Спартака», дальнейший рассказ, возможно, заставит-таки вас поверить в мистику. То, что произошло в тот день, конечно, было неизбежно, все к тому шло. Но в том, что резкий поворот судьбы «Спартака» был предрешен именно в пятницу 13-го, видится какой-то особый знак. Черная метка для красно-белого клуба.

Итак, поздним вечером пятницы, 13 июня 2003 года, за два дня до финала Кубка России между «Спартаком» и «Ростовом», в офисах спортивных редакций трех ведущих российских телекомпаний — «Первого канала», РТР и НТВ — раздались звонки одинакового содержания. Пресс-атташе клуба Алексей Зинин просил телевизионщиков прислать съемочные группы на спартаковскую базу в Тарасовку к 14.00. О чем будет идти речь, руководитель пресс-службы не сообщил, ограничившись фразой: «Романцев хочет сделать важное заявление».

Заявление будет действительно важным — это стало ясно сразу. Хотя бы потому, что Романцев подобных шагов не предпринимал никогда. Человек, годами игнорировавший послематчевые пресс-конференции и вообще редко появлявшийся на публике, вдруг решил прибегнуть к услугам «четвертой власти». Зачем? Что за бомбу он готовит? Репортеры, готовившиеся к поездке в Подмосковье, места себе не находили от нетерпения.

Пишущую прессу, правда, в Тарасовку не пригласили. Но не из-за романцевской к ней неприязни, а по сугубо технической причине: газеты в связи с праздниками не выходили, а Романцев, уже общаясь с репортерами, несколько раз подчеркнул, что видит смысл в своем заявлении исключительно до финала Кубка России. Он попросил тележурналистов показать отснятый в субботу материал непременно до матча с «Ростовом», и вечером того же дня эфир состоялся. Заявление было скоротечным.

И сжигало мосты.

Романцев — что характерно, не в официальном зале для пресс-конференций, а своем кабинете на втором этаже — сказал:

«НА ФОНЕ ПОСЛЕДНИХ ВЫСТУПЛЕНИЙ „СПАРТАКА" ВСЕ ЧАЩЕ В СРЕДСТВАХ МАССОВОЙ ИНФОРМАЦИИ ПОЯВЛЯЮТСЯ СЛУХИ О МОЕМ ВОЗМОЖНОМ УХОДЕ ИЗ КОМАНды. В данный момент это было бы самым легким для меня решением. Но я чувствую ответственность за судьбу „Спартака" и прилагаю все силы, чтобы вывести команду из сложной, почти критической ситуации. Выиграв девять чемпионатов России и завоевав несколько раз Кубок страны, „Спартак" всегда останавливался в полушаге от чего-то серьезного. Мы были в полуфинале всех трех европейских турниров, но болельщики справедливо хотели от команды большего. Для того чтобы выигрывать что-то серьезное в Европе, „Спартаку" не хватило самой малости, а может быть, самого главного — хорошего и правильного финансирования. К сожалению, надежды, что с приходом нового руководителя в клуб можно будет создать команду европейского уровня, не оправдались. „Спартак" потерял почти все свои позиции как в футбольном плане, так и в организационном. Выход я вижу только один: надо вернуться к недавним добрым временам, когда в клубе каждый занимался своим делом и именно за это дело отвечал.

„Спартак" — это команда не Старостина, Нетто, Симоняна и тем более не Романцева. „Спартак" — это народная команда. Судьбу этой команды должен определять народ, а не амбиции нескольких людей. Думаю, все спартаковцы готовы ответить на любые вопросы по поводу ситуации в команде. Времена сейчас тяжелые, но мы помним и другие

ВРЕМЕНА, КОГДА „СПАРТАК" ВЫЛЕТЕЛ В ПЕРВУЮ ЛИГУ. ТОГДА БОЛЕЛЬЩИКИ ОБЪЕДИНИЛИСЬ, ИСКРЕННЕ ПОДДЕРЖИВАЛИ КОМАНДУ. И „СПАРТАК" НАЧАЛ ИГРАТЬ ХОРОШО, ВЫШЕЛ В ВЫСШУЮ ЛИГУ И СТАЛ ЧЕМПИОНОМ. ВСЕ ЭТО БЛАГОДАРЯ ТОМУ, ЧТО МЫ ЛЕТЕЛИ НА КРЫЛЬЯХ БОЛЕЛЬЩИКОВ. МОЖЕТ БЫТЬ, СЕЙЧАС ТОЖЕ СТОИТ ПОПРОБОВАТЬ ТАК ЖЕ".

Спустя несколько месяцев тогдашнего президента «Спартака» Андрея Червиченко спросят:

— И долго думали, прежде чем принять решение расстаться?

— Недолго. Включил телевизор, послушал — и все.

✪ ✪ ✪

Революционная ситуация в клубе назревала давно. Удивило всех только одно: почему Романцев сделал свое заявление за день до финала Кубка России — единственного трофея, который «Спартак» мог выиграть в сезоне-2003 (в чемпионате команда к тому моменту занимала 13-е место)? К чему была такая спешка — ведь тренер подчеркнул, что видит смысл в обнародовании его слов исключительно до матча? Что это — желание подстраховаться на случай поражения и возможных санкций со стороны Червиченко или что-то другое, менее предсказуемое?

О спонтанном эмоциональном всплеске не могло быть и речи — обзвон телекомпаний, как уже говорилось, пресс-атташе произвел днем ранее. Так что несостоятельна и эксцентричная (как, впрочем, и все, что этот человек говорил и делал) версия Червиченко, высказанная в газетах на следующий день после финала: «А может, просто утро не задалось. Знаете, бывают различные синдромы по утрам. Всякое случается». Намек президент клуба сделал достаточно прозрачный, и во многих других ситуациях к Романцеву, увы, он имел прямое отношение. Но не в этой.

Позже в спартаковских кулуарах всплывет и будет активно муссироваться самая детективная из всех версий романцевского взрыва, которую мне не под диктофон доводилось слышать в достаточно высоких кабинетах. Якобы главный тренер узнал, что к Червиченко, ростовчанину, приходил его земляк, президент «Ростова» Иван Саввиди с чемоданчиком и недвусмысленным предложением — назовем это так — уступить ему Кубок. Естественно, за определенную компенсацию.

В середине 2005-го Червиченко в интервью «Спорт-экспрессу» эту версию подтвердил: «Романцеву кто-то нашептал, что Кубок я уже продал „Ростову“. Даже цену называли — 1,5 миллиона долларов. Он боялся, что потом я свалю все на него, и решил сработать на опережение. А я Кубок не продавал».

Насколько близко или далеко от истины то, что вы только что прочитали, действительно ли к Червиченко приходил Саввиди с «чемоданчиком», оценивать не берусь. Какие-либо утверждения на подобную тему без документальных доказательств — подсудное дело, а потому ограничусь констатацией, что такая версия имела хождение. Быть может, логику Романцева с его свалившимся как снег на голову заявлением она сможет прояснить несколько лучше.

А финал Кубка «Спартак» выиграл. Единственный гол после навеса новичка из «Ротора» (а в будущем ведущего форварда команды) Романа Павлюченко забил капитан красно-белых Егор Титов. Никто никому игру не продавал.

Это был последний на сегодня триумф «Спартака». А потом ушел Романцев — и ушли победы. Впрочем, очевидно: они ушли бы даже в том случае, если бы тренер остался.

Кое-кто из болельщиков еще надеялся, что победа в Кубке, общая радость помирит-таки Червиченко и Романцева. После прочтения на следующий день в «Спорт-экспрессе» реплик президента надежд не осталось.

⚽ ─────────────────────────────────

— Это все равно что перейти Рубикон,— сказал Червиченко.— Да, можно высказывать друг другу какие-то претензии, но в клубе создалась совершенно ненормальная ситуация. Главный тренер — маленькое олицетворение бога на земле. Ему нельзя ничего сказать, его нельзя ничем тронуть, он святой… У меня сейчас ощущение дежавю. Что-то подобное было после чемпионата мира. Об этом писал корреспондент «Спорт-экспресса», на которого я тогда здорово обиделся. А оказывается, все соответствовало действительности. Была фраза: «Мы все едем на поезде в дерьме, а на перроне стоит Олег Иванович — в белом костюме». Последнее заявление Романцева мне ту заметку напомнило.

— Трудно представить, что после такого вы будете работать вместе.

— Мне тоже. Как думаете, кто уйдет?

⚽ ———————————————————————————

Многое еще сказал президент клуба. Романцев обещал ответить на днях. Но так и не ответил. Просто ушел. Для спартаковских болельщиков не было большего облегчения: если бы газетная перепалка между ним и Червиченко продолжилась и вылилась в войну компроматов, всплыли бы чудовищные вещи. Недаром президент в одном из интервью высказался: «Если бы я рассказал, что творилось в клубе последние три года, у многих волосы не то что дыбом встали бы — выпали».

Романцев, скорее всего, промолчал не потому, что ему нечем было ответить, и не из высоких соображений спасения репутации клуба — а потому, что со «Спартаком» у него был заключен дорогостоящий контракт, и разум, помноженный на соображения финансового порядка, возобладал.

И все равно — даже в кошмарном сне болельщикам «Спартака» не могло привидеться, каким окажется расставание с командой ее тренера — десятикратного чемпиона (помимо девяти российских титулов был еще один советский, в 1989-м). Обилие регалий, казалось, предполагает некую чинность прощания. Но лихорадочно смягченный финал драмы не изменит ее жестокой сути: уход Романцева вышел таким же скандальным, как в 1988-м у его учителя Константина Бескова, чей союзный рекорд — девять лет подряд с медалями — не помешал быть уволенным из «Спартака» с какой-то гротескной формулировкой: «В связи с затянувшимся пенсионным возрастом».

Разница в том, кто увольнял. Бескова отправлял в отставку основатель клуба Николай Старостин — название «Спартак», собственно, и придумавший. Всей своей жизнью Старостин заслужил право на любую формулировку. У владельца «Спартака» времен отставки Романцева — Андрея Червиченко — право указать тренеру на дверь тоже было. Но совсем другое. Юридическое право хозяина.

Ставить Романцева и Червиченко на одну доску, рассуждать, кто в деталях июньской драмы 2003 года был прав и виноват, бессмысленно. Слишком разного масштаба эти фигуры, и тот факт, что после увольнения Романцева президент не проработал в «Спартаке» и года, сменив трех тренеров, но не добившись ничего, говорит сам за себя.

А вот тренер-царь 1990-х достоин сравнения только с самим собой.

⚽ ⚽ ⚽

Красиво прозвучала бы фраза, что этого-то сравнения он в 2003-м как раз и не выдерживал. Вот только в такой формулировке заключалась бы лишь полуправда. Потому что Романцев, о котором мы привыкли до хрипоты спорить, Романцев, за десять лет проделавший путь от тренера-брата в лютые диктаторы, Романцев, как никто умевший выигрывать в решающий момент, даже Романцев, ненавидящий пресс-конференции, — это лишь видимая, публичная сторона лучшего российского тренера 1990-х.

Есть и другой Романцев, собственно к футболу отношения не имеющий. Тот самый, что когда-то тихо и незаметно превратился из успешного тренера во владельца контрольного пакета акций закрытого акционерного общества «Спартак», а вовсе не «народной команды». Акции, заметим, достались ему бесплатно — время такое было. Спустя годы Романцев точно так же тихо и выгодно продаст этот пакет Андрею Червиченко.

Чтобы у тех, кто сотворил себе из Романцева кумира, развеялись иллюзии по этому поводу, приведу цитату из его интервью «Спорт-экспрессу» от 15 июля 2002 года.

«Червиченко с Шикуновым в клуб привел я, — сказал Романцев. — Это люди, искренне любящие „Спартак"... Я очень доволен, что наконец-то появились люди, которым я искренне верю и которые освободили меня от массы проблем. Раньше приходилось все время искать деньги».

Судьба «Спартака», впрочем, могла повернуться совсем по-другому. Работники клуба того времени не скрывают, что за год до Червиченко к Романцеву приходил другой возможный инвестор. Звали его Евгений Гинер. Но ему президент и главный тренер красно-белых дал от ворот поворот, в то время как Червиченко принял с распростертыми объятиями.

Почему? По словам сотрудников «Спартака», Гинер сразу четко обозначил свои намерения: стать президентом клуба, превратив уважаемого Олега Ивановича в наемного главного тренера. Как в одесской поговорке: «Кто ее ужинает, тот ее и танцует». Романцева, панически боявшегося потерять в клубе власть, такая перспектива категорически не устроила.

Сам Гинер, правда, подтверждать факт переговоров с Романцевым не хочет. И его можно понять: в глазах болельщиков ЦСКА имидж их президента от такой откровенности явно не вырос бы. Но очень уж от многих спартаковских людей того времени слышал я эту историю, чтобы посчитать ее дымом без огня.

Червиченко, рассказывают, поступил хитрее. Сначала технично внедрил в клуб своего друга детства, а впоследствии — футболиста и начальника «Ростсельмаша» Александра Шикунова, который занял в «Спартаке» пост технического директора и ответственного за селекционную работу — подбор игроков. Шикунов, деятельный и контактный человек, через какое-то время и внушил Романцеву, что есть, дескать, бизнесмен, который желает оказывать «Спартаку» — за который, конечно же, болеет с детства — бескорыстную финансовую помощь, не претендуя ни на какие посты.

Помощь, по рассказам людей из клуба, была принята. Спустя некоторое время без нее «Спартаку» стало невозможно жить. А потом из тумана выплыл Червиченко...

Евгений Гинер, не договорившись с Романцевым, в 2001 году возглавил ЦСКА — в ту пору середняка чемпионата России. При нем армейцы уже дважды выиграли чемпионат страны, три раза завоевали Кубок России, а главное — в мае 2005-го стали первым клубом из Российской Федерации в истории футбола, которому удалось добыть европейский трофей — Кубок УЕФА. До тех пор побеждать в еврокубках, конкретно в Кубке обладателей кубков (турнире, в конце 1990-х приказавшем долго жить), удавалось только киевскому и тбилисскому «Динамо».

Европейских достижений у «Спартака» в целом и Романцева в частности до 2005 года было несравнимо больше, чем у ЦСКА. Многие фанаты красно-белых, для которых армейцы — самые непримиримые противники, не радовались успеху российского футбола, а выли от досады, что исторический титул достался «выскочкам».

Конечно, о футболе, как и об истории, нельзя рассуждать в сослагательном наклонении. Но у Романцева в конце 1990-х был реальный шанс получить для «Спартака» серьезного, не склонного к шараханьям из стороны в сторону хозяина. У него тогда была отличная команда, которой не хватало мощной клубной подпорки. У ЦСКА, до Гинера находившегося под контролем чеченских бизнесменов, к 2001 году не было ничего.

Кто-то скажет, что Гинер — не ангел, и у спартаковских болельщиков, хотя бы по объективности судейства матчей «Спартак»—ЦСКА, к нему накопился ряд серьезных вопросов. Но разве Червиченко по своей непорочности — Дева Мария? Просто кому-то в силу характера, связей, масштаба бизнеса дано управлять большим футбольным клубом, кому-то — нет. Романцев предпочел Гинеру Червиченко. Интересно, случаются дни, когда титулованный тренер об этом вспоминает? И с какими чувствами?

✵✵✵

Осень 1991-го. Первый матч 1/16 финала Кубка УЕФА «Спартака» с греческим АЕК заканчивается тоскливой нулевой ничьей. Впервые в карьере, нагло спровоцированный игроком соперника, удален с поля спартаковский идол Федор Черенков. Команда мрачно выходит из лужниковской раздевалки и не реагирует на просьбы об автографах.

Последним появляется 37-летний Олег Романцев. И, не думая ни секунды, подходит к расстроенным болельщикам. С грустной улыбкой извиняется за результат и за поведение игроков, отвечает на все вопросы, расписывается на десятках программок...

Странное ощущение: когда-то я сам стал свидетелем этой сцены, а теперь едва могу поверить в ее реальность — настолько изменился сам тренер и атмосфера вокруг него. Верю, лишь глядя на архивное фото следующего, 1992 года: Романцев увлеченно играет в шахматы с форвардом Дмитрием Радченко, а рядом от души веселятся его партнеры по команде Валерий Карпин, Рамиз Мамедов и тренер дубля Виктор Зернов. Искренность, которая исходит на этом снимке от главного тренера «Спартака», невозможно подделать. Больно думать о том, что пройдут годы и эта искренность будет утеряна. Видимо, безвозвратно.

В грустной повести о том, что произошло со «Спартаком» в начале XXI века, драма личности главного тренера стоит особняком. Творца заменил усталый мэтр, а вместо тренера-друга, пожимавшего руку футболисту даже после удаления с поля (многие тренеры удивлялись такому либерализму Романцева), появился мрачный отчим, который при первой провинности устраивает пасынку порку. Причем, что самое страшное, публичную. Как это было с защитником Евгением Бушмановым, который неудачно провел матч Лиги чемпионов 2000 года с «Лионом» и тут же узнал о себе на пресс-конференции, что «закончил с футболом».

Да, в прежние времена советский спортсмен был приучен бояться тренера — более того, только при такой системе и выигрывал. Но ведь Романцева не боялись, иначе не вернулись бы по его первому зову в 1989-м сразу десяток бывших спартаковцев, когда-то уволенных Константином Бесковым. И отсутствие страха перед ним не мешало его командам выигрывать. Как тогда, в первом же его сезоне, когда соперником было еще совсем не ослабшее киевское «Динамо» Валерия Лобановского и другие гранды из союзных республик.

В первые свои спартаковские годы Романцев охотно рассуждал о Чехове, воспринимал любого собеседника как личность — такую же, как он сам, имеющую право на собственное, отличное от его мнение. Коллега Романцева Юрий Семин останется таким же по сей день — и потому к нему те же журналисты будут относиться несравнимо теплее. А Романцева жалеть в минуты неудач не захочет никто. Все для этого тренер сделал сам...

Шло время, и с каждым сезоном наркотик побед разъедал душевную чуткость все глубже. Почувствуйте разницу в высказываниях Романцева в различные периоды его тренерской карьеры.

1992-Й:

«„Спартак" испокон веков — команда, где царит особая атмосфера в человеческом плане. Моя заслуга не в том, что я эту атмосферу создал. Это не так. Я просто не помешал этим ребятам объединиться».

1994-Й:

«Еще когда я приглашал этих игроков в команду, сразу сказал им: во всех сложных ситуациях в пер-

ВУЮ ОЧЕРЕДЬ БУДУТ УЧИТЫВАТЬСЯ ИХ ИНТЕРЕСЫ. ЛЮДИ
ДЛЯ МЕНЯ ВАЖНЕЕ, ЧЕМ ДЕНЬГИ… НА ПОЛЕ ЛИ, В ЖИЗНИ
ЛИ — ВЕЗДЕ НАДО ОСТАВАТЬСЯ ЛЮДЬМИ».

2000-Й:

«ВЫ ЛЮБИТЕ ИГРОКОВ?» — «А ЗАЧЕМ ИХ ЛЮБИТЬ? К НИМ
НАДО ОТНОСИТЬСЯ ПРОФЕССИОНАЛЬНО. ЭТОГО ДОСТА-
ТОЧНО».

2001-Й:

«КОГДА Я НАЧИНАЛ ТРЕНИРОВАТЬ, ВЕЛИКИЙ АНАТОЛИЙ
ТАРАСОВ СКАЗАЛ МНЕ:
— ОЛЕГ, В НАШЕМ ДЕЛЕ НАДО УМЕТЬ „РЕЗАТЬ МЯСО”».

Первые две и последние две цитаты — словно
крутые берега, между которыми протекла бурная река
перемен в личности главного тренера «Спартака». Если в конце 1980-х своей теплотой и естественностью
он за год «разморозил» футболистов после сурового
мэтра Бескова, то на рубеже веков многие игроки при-
знавались, что годами не получали возможности пооб-
щаться с ним один на один, а нервная и непредсказуе-
мая тренерская реакция на любую фразу или поступок
превратила «Спартак» в этакую «комнату страха».
При «раннем» Романцеве в Тарасовку запросто приезжали видные болельщики красно-белых из мира науки
и культуры (помню, например, как в 1994-м возвра-
щался в город на машине с академиком Станиславом
Шаталиным), освежали мозги тренерам и игрокам — а

через несколько лет спартаковский лагерь превратился в неприступную крепость, живущую по законам военного времени.

Абсолютная власть, которую получил Романцев и о которой мы поговорим ниже, привела к удивительному результату. Победы продолжали прибывать (мгновенно ничего в этой жизни измениться не может, а тренером Романцев был — именно был — очень большого таланта), и в какой-то момент стратег посчитал, что они будут приходить к нему с кем угодно. А ведь тарасовское «резать мясо» относилось ко времени и ситуации, когда любой кусок этого самого «мяса» можно было быстро и бесплатно заменить по высочайшей разнарядке на столь же качественный «продукт». В хоккейный ЦСКА призывали едва ли не всякого, кто понравился тренеру.

На спартаковской же кухне конца 1990-х таких райских условий не было, но Романцев отказывался это понимать. Вместо кропотливой ручной разделки залихватски рубил сплеча. Об этой рубке мы еще тоже потолкуем.

И в конце концов он срубил сук, на котором сидел.

⚽ ⚽ ⚽

Своими высказываниями и поведением Романцев создал себе имидж человека не от мира сего, бесконечно далекого от всего нефутбольного. О нем привыкли рассуждать как о благодарном, хотя и своенравном, иногда невыносимом бессребренике, наследнике хранителя клубного очага — Николая Петровича Старостина. Даже эпатирующие высказывания, что, мол, быть дублером футбольного «Спартака» во много раз почетнее, чем олимпийским чемпионом по плаванию и легкой атлетике (такую мысль он высказал в разговоре с журналистом «Спорт-экспресса» Еленой Вайцеховской, между прочим, олимпийской чемпионкой по прыжкам в воду), Романцеву прощали: да, есть в этих словах какое-то пугающее высокомерие и ограниченность, зато он — человек, преданный «Спартаку» и кристально честный перед ним.

Полноте!

Романцев, если называть вещи своими именами, просто продал «Спартак». И еще задолго до Червиченко окружил себя людьми с сомнительной репутацией, такими как некогда вице-президент Григорий Есауленко. В книге воспоминаний знаменитого английского тренера Алекса Фергюсона целая глава посвящена тому, как Есауленко, будучи агентом Андрея Канчельскиса, выступавшего в «Манчестер Юнайтед», попытался дать ему взятку в виде чемодана с наличными на сумму 40 тысяч фунтов. Оснований не верить Фергюсону не было никаких.

И это вице-президент «народной команды»? Живое свидетельство того, что надо, как выразился Романцев на пресс-конференции, «вернуться к недавним добрым временам, когда в клубе каждый занимался своим делом и именно за это дело отвечал»? Были ведь в «Спартаке» 1990-х и другие, куда более страшные события. Так, наемный убийца расстрелял генерального директора клуба Ларису Нечаеву, а по поводу исчезновения денег, полученных «Спартаком» за продажу в «Рому» Дмитрия Аленичева, несколько лет назад Генпрокуратурой было открыто (через какое-то время, правда, тихо свернуто) уголовное дело. Об очень, очень многом, происходившем в те веселые времена вокруг «Спартака», мы не знаем и никогда не узнаем.

И при этом, как только возникла угроза его теперь уже наемной работе, Романцев не моргнув глазом вытащил из нафталина риторику о «народной команде», судьбу которой «должен определять народ, а не амбиции нескольких людей».

18 января 1996 года газета «Известия» опубликовала открытое письмо председателя Центрального и Российского советов международного общества «Спартак» Николая Озерова. Посвящено оно было Олегу Романцеву и называлось красноречиво: «Футбольный „Спартак" не должен быть частной лавочкой». Об этом письме мы еще поговорим, а пока приведем цитату из выступления легендарного телекомментатора в тех же «Известиях» за 25 января того же года.

Это был своего рода ответ на ответ — Романцев днем ранее заявил: «Письмо не его и сделано с чьей-то подачи, а Николай Николаевич, не разобравшись, подписал». Отреагировал Озеров гневно: «Насчет чьей-то подачи — полная чушь. С первой и до последней буквы написано мною. К сожалению, руки сводит, не пишу — диктую, такой сейчас у меня стиль... Не разобрался? Николай Николаевич все разобрал — это они, к сожалению, ничего не поняли. Втихаря сделали акционерное общество, стремясь сохранить за собой деньги... Футбольный „Спартак", я считаю, развален лет на восемь».

Тогда развала не произошло. Но второй по авторитету (после Николая Старостина) спартаковец страны любил свое детище настолько, что сумел заглянуть в более далекое будущее.

Впрочем, за всем этим было бы несправедливо забыть о том, «первом», Романцеве. Сотрудничество с которым побудило, например, Валерия Карпина сказать: «До Романцева я не знал, что такое футбол». Нечто похожее готовы повторить Аленичев, Титов, Бесчастных — далеко не последние в нашем футболе люди. Владимир Бесчастных, лучший бомбардир в истории сборной России, так мне и сказал: «Не было бы Романцева — не было бы и нас. Обратите внимание: никто из спартаковцев 1990-х, даже те, кто ушел от него с конфликтом, не говорит о нем плохого слова. Потому что понимаем: если бы не он, мы так бы и остались обыкновенными, мало кому известными футболистами. Чем больше сталкиваешься с другими тренерами, тем больше понимаешь, как нам тогда повезло».

Работа Романцева-тренера в лучшие времена по-прежнему остается для них идеалом. При этом спартаковцы рассказывают, что если в начале 1990-х на каждом разборе игры слово предоставлялось всем без исключения игрокам, на собраниях была веселая, раскованная атмосфера, то десять лет спустя всего этого не было и в помине: Романцев стал нелюдимым и с большинством футболистов почти не общался...

Вскоре после ухода Романцева из «Спартака» у меня состоялся разговор с внуком Николая Старостина. Михаил Ширинян при жизни деда принимал непосредственное участие в спартаковских делах, а сегодня говорит: «Если честно, я был против отставки Романцева. Во-первых, убежден в том, что он — лучший тренер в России и ему было бы под силу вытащить команду из кризиса. А во-вторых, его можно назвать наследником деда, человеком, который связан с его именем. Дед оставил ему команду, и сегодня Романцев — как последний из могикан».

Говорить, словом, надо об «обоих» Романцевых: в истории останутся и «тот», и «другой». А еще — о том, почему «второму» удалось взять верх над «первым». И как вообще такое могло случиться в клубе, который вроде бы у всех на виду. Но для этого нужно вернуться в самое начало карьеры главного тренера «Спартака».

✪✪✪

По словам всех людей, близких к Николаю Старостину, патриарх стал покровительствовать Романцеву задолго до того, как предложил 35-летнему тренеру возглавить «Спартак». Основатель клуба души в нем не чаял еще во времена, когда Романцев был капитаном красно-белой команды, выигравшей в 1979 году звание чемпиона СССР. А когда старший тренер той команды Константин Бесков в поезде, который вез футболистов

с гостевого матча в Минске, объявил Романцеву об отчислении (не здесь ли, кстати, психологические корни
скоропостижных увольнений из «Спартака» капитанов
Ильи Цымбаларя и Андрея Тихонова прямо по ходу
чемпионатов?) и тот в 29 лет закончил с футболом, Старостин о нем не забыл.

Как рассказали мне люди из «Спартака»
1980—1990-х, именно он устроил Романцева в дочернюю команду красно-белых — «Красную Пресню», вы-
ступавшую во второй лиге чемпионата Союза. Романцев справился: за два года выиграл Кубок РСФСР и вывел бедствовавшую команду в переходные игры за право играть в первой союзной лиге. Позже обрел широ-
кую известность клич, который молодой тренер бросил
футболистам «Пресни», наблюдая за их первой тренировкой: «Да поиграйте же вы в футбол!»

В футбол лучшие команды Романцева играли
действительно завораживающий.

Итак, испытание «Красной Пресней» было прой-
дено, и — опять же по протекции старшего Старостина — Романцев отправился рангом выше, в команду
первой лиги «Спартак» (Орджоникидзе). Теперь уже
очевидно — с дальним прицелом.

Первый президент ФК «Спартак» Юрий Шляпин
рассказывает:

— Почти весь 1988 год продолжалась непонятная
ситуация с Бесковым. Он то подал заявление об уходе, то
передумал. Стало ясно: пока команда не осталась без
тренера, надо думать о замене. Николай Петрович всегда

был сторонником того, чтобы командой руководили люди, долго игравшие в «Спартаке». Но при этом хотел, чтобы на тренерской работе человек себя уже проявил. Обоим требованиям в тот момент Романцев соответствовал.

Третьим требованием Старостина к новому тренеру, по оценке Михаила Ширияна, была молодость — дело в том, что с возрастным Бесковым (к моменту ухода из «Спартака» ему было 68) отношения у патриарха в последние годы не складывались. Говорят, Николаю Петровичу хотелось чувствовать себя в родной команде полноправным хозяином положения. Ему казалось, что с молодым тренером это будет легче.

Дальше было увольнение Бескова, находившегося в тот момент в отпуске в Кисловодске. С великим тренером, поднявшим «Спартак» из руин первой лиги, куда команда вылетела в 1976 году, попрощались, увы, без почестей — напротив, с большим скандалом. Целому поколению болельщиков, выросших на футболе Бескова, это было очень больно — хотя они и признавали право Старостина на такие решения. Никто не знал, как жить дальше. Миллионы людей охватила тоска и паника: до сих пор все было ясно, Бесков, с большей или меньшей вероятностью, гарантировал качество. Что же будет теперь?

В конце прошлого года, спустя месяц после пышного празднования 85-летия мэтра и за пять месяцев до его смерти, я пообщался для «Спорт-экспресса» с его женой Валерией Николаевной в знаменитой квартире Бесковых около метро «Маяковская». Сам Константин Иванович, и в прежние-то годы небольшой охотник до интервью, длинных бесед с журналистами в силу возраста и болезней давно избегал и был уже настолько слаб, что даже не вышел из спальни. Зато его вторая половина, одна из главных светских львиц Москвы на протяжении многих десятилетий, в оценках по-прежнему была откровенна и бескомпромиссна.

Вот отрывок из того интервью.

— Правда ли, что отношения с Николаем Старостиным у Бескова были далеки от идеальных?

— Николай Петрович был интриган. Всегда.

— Как же они 12 лет вместе проработали?

— Так получилось, потому что жив был Андрей Петрович Старостин, наш ближайший друг. В 1987-м его не стало, и сглаживать отношения между ними было уже некому. А Николай Петрович уже видел на посту тренера Романцева.

— Олег Иванович звонит, с праздниками поздравляет?

— Нет. С Романцевым у нас нет никаких отношений. Вообще. У Константина Ивановича множество благодарных учеников, а вот неуважения он не любит.

— Как Бесков оценивает его как тренера?

— Романцев слыл гениальным, когда в стране вообще не было футбола. Сейчас футбол немножко поднимается, и где гений?

Публикация этих отрывков вызвала шквал негативных откликов в интернете от поборников чистоты спартаковской истории. Меня как автора интервью иные болельщики упрекали в том, что не смягчил формулировки о Старостине и Романцеве, что оставил в тексте слово «интриган» — мол, Николай Петрович ответить Бесковой уже не может.

Жива все-таки в нас «совковая» жилка, ох, жива! Все, что не вписывается в рамки стерильной идеологии,— под цензорский нож да в мусорное ведро. Для ортодоксальных спартаковских болельщиков Старостин превратился в божество, критиковать которое даже шепотом — тяжкое преступление.

Николай Петрович Старостин — один из людей, на примере которых я рос. Репутация его осталась незапятнанной — нынешним бы футбольным деятелям такую репутацию! Но разве из этого следует, что исторический документ, которым является интервью жены Бескова, нужно ханжески кастрировать, изымать из него самую суть? Ясно ведь, что жена тренера выражала не только свое отношение, но и мужа. И выражала в силу эмоциональной женской натуры более откровенно, чем сделал бы сам Бесков.

По-моему, гораздо важнее знать правду, чем блюсти лицемерную чистоту истории. Истина не в том, что сказала Валерия Бескова, как и не в том, что говорит любой из нас. Истина в том, что мы должны знать мнения всех участников истории — в настоящем, а не приглаженном виде. Только так, суммировав все эти суждения и проанализировав их, мы рано или поздно дойдем до сути.

Финал драмы «Бесков—Романцев» наступил 12 мая 2006 года, в день похорон Константина Ивановича. В футбольный манеж «Динамо», где проходила церемония прощания, а затем на Ваганьково, где Бесков был похоронен, из видных футбольных людей России пришли почти все. Прилетели даже те, кто живет и работает в других городах и странах: Виктор Прокопенко — из Донецка, Леонид Буряк — из Киева, Сергей Андреев — из Ростова-на-Дону, Сергей Боровский — из Минска, Андрей Чернышов — из Тбилиси.

Никто не видел на похоронах Бескова только одного человека — Олега Романцева.

⚽ ⚽ ⚽

Если соглашаться с официальной версией, Романцева (вот времена-то были!) выбирали... игроки. Выборы проходили в манеже «Спартака» в Сокольниках. В числе претендентов были еще ассистент Бескова Федор Новиков, капитан красно-белых 1970-х годов Евгений Ловчев и рекомендованный советскими профсоюзами — куратором тогда еще не самостоятельного футбольного клуба — тренер средней руки Александр Кочетков. Но номенклатурная кандидатура Кочеткова вызвала резкое неприятие Старостина: «Неспартаковский человек». Основатель «Спартака» пошел к председателю ВЦСПС, будущему лидеру путчистов из ГКЧП Геннадию Янаеву. Тот, человек неравнодушный к футболу, с доводами Старостина согласился: мол, Романцев так Романцев. После чего Старостин позвонил Романцеву в Орджоникидзе и сказал: «Олег, одна нога здесь, другая — в Москве!»

В общем, демократия при выборах была относительная. Старостин не скрывал, кого хочет видеть во главе «Спартака», а его слово было законом. Это подтвердил в нашем разговоре и Евгений Ловчев, ныне — президент и главный тренер мини-футбольного «Спартака».

— В СПИСОК ДЛЯ ГОЛОСОВАНИЯ МЕНЯ ВКЛЮЧИЛИ ДЛЯ КОЛИЧЕСТВА. Я ПРОСТО ПОПАЛСЯ СТАРОСТИНУ НА ГЛАЗА. ШЕЛ ПЕШКОМ С КАКОГО-ТО МАТЧА В МАНЕЖЕ ЦСКА И, ПЕРЕХОДЯ ЛЕНИНГРАДСКИЙ ПРОСПЕКТ, УВИДЕЛ ВПЕРЕДИ НИКОЛАЯ ПЕТРОВИЧА. ДОГНАЛ, ПОЗДОРОВАЛСЯ. ПАТРИАРХ СПРОСИЛ: «ЧЕМ ЗАНИМАЕШЬСЯ, ЖЕНЯ? ТЫ МНЕ НУЖЕН». И, РАССКАЗАВ, ЧТО БУДУТ ВЫБОРЫ НОВОГО ТРЕНЕРА, ПОПРОСИЛ РАЗРЕШЕНИЯ ВНЕСТИ МОЕ ИМЯ В СПИСОК. Я, КОНЕЧНО, СОГЛАСИЛСЯ. НО НА САМИ ВЫБОРЫ НЕ ПОЕХАЛ, ПОТОМУ ЧТО ЗАРАНЕЕ ЗНАЛ, КАКОВ БУДЕТ ИХ ИСХОД. ЭТУ ДОЛЖНОСТЬ МОГ ЗАНЯТЬ ТОЛЬКО РОМАНЦЕВ. СТАРОСТИН ГОТОВИЛ ЕГО К НЕЙ ДОЛГО, ПОСКОЛЬКУ ВНУТРЕННЕ ВСЕГДА БЫЛ ПРОТИВ БЕСКОВА И ЗАГОДЯ ДУМАЛ О ЕГО ПРЕЕМНИКЕ.

Кстати, о Ловчеве. Упоминание фамилии одного из самых известных спартаковцев много лет выводило Романцева из себя. А все потому, что в 1976-м, когда защитник из Красноярска Романцев появился в «Спартаке», тогдашний капитан на поле бросил в его адрес обидную реплику. Говорят, назвал его «деревней». Романцев собрал вещи, отправился домой — и вернулся только в следующем сезоне. «Самой реплики я не припоминаю,— говорил Ловчев.— Помню лишь, что Олег действительно обиделся на меня и уехал в Красноярск. А потом мы то ли с Гладилиным, то ли с Кокоревым звонили ему и убеждали: „Зачем обижаться, это же футбол?!" Но Романцев не вернулся. Приехал лишь год спустя. А ведь тогда я не только его — всех так на поле гонял! Надо знать, кем я тогда был в „Спартаке" и как переживал за команду...»

Давнишний конфликт аукнулся в 1993-м, когда выпускник ФШМ Евгений Ловчев-младший приехал на просмотр в Тарасовку по приглашению тренера спартаковского дубля Виктора Зернова — но без всякого просмотра вынужден был уехать. Рассказывали, что Романцев, едва узнав о появлении сына Ловчева, гневно бросил: «Чтобы духу его здесь не было!»

Показательная история для понимания романцевского характера. Тех, кто наносил ему хоть какой-то, самый ничтожный укол, он запоминал на всю жизнь. И никогда никого не прощал.

Тем не менее выбор тренера, который в начале 1989 года сделал Старостин, долгие годы казался правильным — и, наверное, был таковым. Не раз приближенные слышали от патриарха формулировку: «Тренер от Бога». А три года спустя он скажет своему помощнику и «оруженосцу» Валентину Покровскому: «Да, мы в Романцеве не ошиблись».

Интересно, произнес бы он эти слова сейчас?

Михаил Ширинян, сын дочери Старостина Елены Николаевны,— состоявшийся человек, финансовый директор московского рекламного агентства. В середине 1980-х работал у великого деда в «Спартаке», в первой половине 1990-х занимался организацией зарубежных поездок клуба. И знал, что в нем происходит.

— КАКИМИ БЫЛИ ОТНОШЕНИЯ МЕЖДУ НИКОЛАЕМ ПЕТРОВИЧЕМ И РОМАНЦЕВЫМ? — СПРОСИЛ Я ШИРИНЯНА.

— ПЕРВЫЕ ГОДЫ — ОЧЕНЬ ХОРОШИМИ. РОМАНЦЕВ ОТНОСИЛСЯ К ДЕДУ С БОЛЬШИМ УВАЖЕНИЕМ И СЛЕДОВАЛ ВСЕМ ЕГО СОВЕТАМ. В СЕРЕДИНЕ 1990-Х, КОГДА ДЕД СТАЛ СДАВАТЬ ФИЗИЧЕСКИ, ВЛИЯНИЕ РОМАНЦЕВА В КЛУБЕ ЗНАЧИТЕЛЬНО ВОЗРОСЛО. НО ПО БОЛЬШОМУ СЧЕТУ ОТНОШЕНИЕ НИКОЛАЯ ПЕТРОВИЧА К НЕМУ ОСТАЛОСЬ ПРЕЖНИМ. ОН НЕ СЧИТАЛ, ЧТО ОШИБСЯ С НИМ.

— КАК С ТРЕНЕРОМ ИЛИ КАК С ЧЕЛОВЕКОМ?

— ТРЕНЕРА РОМАНЦЕВА ОН ВСЕГДА СТАВИЛ ОЧЕНЬ ВЫСОКО. ЧТО КАСАЕТСЯ ЧЕЛОВЕЧЕСКИХ КАЧЕСТВ, ТО ДЕД ПОНИМАЛ, ЧТО ОНИ НЕ ВСЕГДА НА ВЫСОТЕ. НО СИЛЬНЫЕ ТРЕНЕРЫ — ВСЕГДА СЛОЖНЫЕ ЛЮДИ.

— В ОТКРЫТОМ ПИСЬМЕ НИКОЛАЯ ОЗЕРОВА В «ИЗВЕСТИЯХ» ГОВОРИЛОСЬ О ПРЕНЕБРЕЖИТЕЛЬНОМ ОТНОШЕНИИ ПРЕЗИДЕНТА РОМАНЦЕВА К СПАРТАКОВСКИМ ВЕТЕРАНАМ...

— ОБ ЭТОМ ЗНАЛИ ВСЕ. ПРИЧИНА — ОЧЕНЬ САМОЛЮБИВЫЙ И ОБИДЧИВЫЙ ХАРАКТЕР РОМАНЦЕВА. ВО ВСЕХ,

КТО ЕГО КРИТИКОВАЛ, ОН ВИДЕЛ ВРАГОВ И НЕДОБРО-
ЖЕЛАТЕЛЕЙ. ДЕД ЭТО ЗАМЕЧАЛ, НО ПОЛАГАЛ, ЧТО
ПОЛЬЗА ОТ ЕГО ТРЕНЕРСКОГО МАСТЕРСТВА ПРЕВОСХО-
ДИТ ВРЕД ОТ ИНЫХ ПРОЯВЛЕНИЙ.

— КАК НИКОЛАЙ ПЕТРОВИЧ ОТНЕССЯ К ВЫНУЖДЕННОЙ
ОТСТАВКЕ ЮРИЯ ШЛЯПИНА ПОСЛЕ СОБРАНИЯ ИГРО-
КОВ В ИЮНЕ 1993-ГО И К ВСТУПЛЕНИЮ РОМАНЦЕВА
ЕЩЕ И НА ПРЕЗИДЕНТСКУЮ ДОЛЖНОСТЬ?

— ЭТО БЫЛ КАК РАЗ ОДИН ИЗ НЕПРИЯТНЫХ МОМЕНТОВ.
ОТСТАВКА ШЛЯПИНА СТАЛА ДЛЯ ДЕДА НЕОЖИДАННОС-
ТЬЮ. ВСЕ СДЕЛАЛИ БЕЗ ЕГО ВЕДОМА, И ОН БЫЛ ПРОТИВ.
АБСОЛЮТНО ТОЧНО ЗНАЮ, ЧТО ИГРОКИ СОБРАЛИСЬ И
ПОТРЕБОВАЛИ УХОДА ПРЕЖНЕГО ПРЕЗИДЕНТА ПО ИНИ-
ЦИАТИВЕ РОМАНЦЕВА. ПОВЛИЯТЬ НА СИТУАЦИЮ ДЕД
УЖЕ НЕ МОГ. КАК И НА ПОЯВЛЕНИЕ В «СПАРТАКЕ» ГРИГО-
РИЯ ЕСАУЛЕНКО, КОТОРОГО ПРИВЕЛ РОМАНЦЕВ.

Вот мы и подобрались к моменту, который стал
ключевым в истории «Спартака» 1990-х. К объедине-
нию Романцевым в собственном лице постов главного
тренера и президента клуба. Позже выяснится, что и
главным акционером стал тоже он. Позиция, о которой можно только мечтать: сам себя не уволишь, за
место свое дрожать не нужно, ты в клубе — царь и
бог. Это — уникальное российское изобретение, по-
добной практики единоначалия нет ни в одной стране
мира. Мы как обычно пошли своим путем. «Спартак»,
достояние миллионов людей, «Спартак», где благода-

ря братьям Старостиным царила не характерная для других клубов Советского Союза демократия, превратился в империю одного человека. И из-за бесконтрольности его власти и клуб, и сам этот человек в какой-то момент начали деградировать.

Бывшего президента «Спартака», а ныне пенсионера Юрия Шляпина я разыскал в Москве. И уже спустя минуту после начала разговора поражался благородству этого человека.

— Что думаете сейчас о своей отставке в 1993-м, Юрий Александрович?

— Игроки были правы. Понимаете, я всю жизнь занимался спортом, а не бизнесом. Потому в роли президента «Спартака» золотых гор ребятам обеспечить не мог. Мы только вышли из-под контроля профсоюзов и создали профессиональный клуб, денег было немного. А аппетиты у футболистов после успехов в Кубке кубков (в 1993 году «Спартак» дошел до полуфинала.— Прим. И. Р.) росли, они знали, сколько платят за границей. И правильно поставили вопрос: если, мол, вы не можете обеспечить достойных условий, лучше всего нам расстаться. После того собрания я сам подал в отставку.

— На команду обиделись?

— Было немного. Все-таки мы очень много сделали, чтобы уйти от навязчивой профсоюзной

ОПЕКИ, НАЧАТЬ САМОСТОЯТЕЛЬНУЮ ЖИЗНЬ. ТО, ЧТО
ФУТБОЛИСТЫ БЫЛИ ПРАВЫ, Я ПОНЯЛ ЛИШЬ СО ВРЕМЕ-
НЕМ. ИХ ИГРОВОЙ ВЕК КОРОТОК, И КОГДА КТО-ТО
ПРЕДЛАГАЕТ: МЫ, МОЛ, СДЕЛАЕМ ВАМ ЛУЧШЕ — НЕ
ПРИСЛУШАТЬСЯ ТЯЖЕЛО.

— ПОЧЕМУ САМ СТАРОСТИН НЕ ПОШЕЛ В ПРЕЗИДЕНТЫ?

— А ЗАЧЕМ ЕМУ ЭТО БЫЛО НУЖНО? И НА ПОСТУ НАЧАЛЬ-
НИКА КОМАНДЫ ЕГО РОЛЬ В КЛУБЕ БЫЛА КЛЮЧЕВОЙ.
БЕЗ НЕГО НЕ РЕШАЛСЯ НИ ОДИН ВОПРОС.

После отставки Шляпина момент в «Спартаке»
настал тревожный. Возглавить клуб рвались люди самых разных мастей. Тогда и состоялся один из немногих, увы (71 год разницы в возрасте!), моих разговоров для печати с Николаем Старостиным. Патриарх,
сказав, что считает поведение игроков в отношении
Шляпина некорректным, на вопрос о его преемнике
ответил: «Одно могу сказать точно: мы тщательно изу-
чим биографии каждого по части их принадлежности
„Спартаку", преданности ему. Мы должны быть стопроцентно уверены, что этот человек не поставит личные интересы выше клубных, что он не развалит
„Спартак"». Старостину вторил еще один великий ве-
теран, капитан команды 1950—1960-х Игорь Нетто:
«Надо проследить, чтобы на этот пост не пролезли
разного рода „великие комбинаторы"».

Пост президента тогда неожиданно для всех
(кроме Старостина, который, по словам его внука Ши-

риняна, после отставки Шляпина предположил такое развитие событий) достался Романцеву, чья принадлежность к «Спартаку» вопросов не вызывала. Кто знал, что в «рукаве» главного тренера — такие сомнительные фигуры, как Есауленко?

Поначалу новое назначение Романцева было представлено как кратковременная мера — с целью сохранить состав к первой в истории «Спартака» Лиге чемпионов.

Но в нашей стране нет ничего более постоянного, чем временное.

Шли годы, старели и уходили Старостин и Нетто, резко ослабла могучая прежде спартаковская общность. Что и позволило тренеру стать в клубе сначала монархом конституционным, а затем — абсолютным. Можно выразиться и так, как Червиченко,— «маленьким олицетворением Бога на земле».

По словам спартаковских работников того времени, в 1995-м гендиректор клуба Лариса Нечаева пересадила Старостина с клубного красного BMW на «Жигули». Романцев промолчал. Сам Николай Петрович, вздохнув, только и сказал: «Бог ее накажет». Старостин сам бы ужаснулся, если б узнал, что судьба Нечаевой — погибнуть от рук наемного убийцы...

В 1994-м на совете Профессиональной футбольной лиги, протестуя против совмещения Николаем Толстых постов президента «Динамо» и лиги, Олег Иванович заявил: «„Спартак“ оставляет за собой право выйти из розыгрыша чемпионата России». Эта угроза уже дала понять, кем чувствует себя Романцев в клубе. И какие вопросы считает себя вправе решать.

В последние два-три года жизни Николая Петровича у него не было возможности присутствовать на предматчевых установках, чего прежде и представить было невозможно — это было ритуалом на протяжении многих десятилетий, и к тому же он блистательно умел одной фразой, одной историей настроить команду на игру. Что случилось? Конечно, Старостин состарился. Но не только. Романцев... не запретил, конечно, но, скажем так, не рекомендовал. Он уже не мог выносить, чтобы чье-то влияние на «Спартак» было выше, чем его. Общее возмущение по этому поводу в спартаковских кругах трудно забыть даже более чем десяток лет спустя.

На похоронах Старостина в феврале 1996-го Романцев, естественно, был. Но остальной «Спартак» днем ранее улетел на предсезонный сбор, и многие ветераны недоумевали: неужели невозможно было поменять билеты, чтобы футболисты могли проститься с великим человеком, который посвятил их команде всю жизнь?

⚽ ⚽ ⚽

В завершение темы Николая Старостина цитата из его книги «Футбол сквозь годы», изданной в 1989 году.

Вот оно — документальное свидетельство, что именно завещал «Спартаку» его основатель: «Считаю опасным заблуждением, что старшим тренерам позволено единоличное руководство всей жизнью

КОМАНДЫ... НЕ В ТОМ БЕДА, ЧТО ВНИМАНИЕ ТРЕНЕРА РАС-
СЕИВАЕТСЯ. БЕДА В ТОМ, ЧТО ТАКОЙ МЕТОД РУКОВОДСТВА
ВЫЛИВАЕТСЯ В ОГОЛТЕЛОЕ ДИКТАТОРСТВО. КОМАНДА МА-
СТЕРОВ — СЛИШКОМ СЛОЖНЫЙ, КАПРИЗНЫЙ МЕХАНИЗМ,
ЧТОБЫ ЗАВИСЕТЬ ОТ ВОЛИ ОДНОГО ЛИЦА. БЕСКОНТРОЛЬ-
НОСТЬ — САМАЯ БЛАГОПРИЯТНАЯ СРЕДА ДЛЯ ОШИБОК, ПЕ-
РЕХЛЕСТОВ, ДАЖЕ ЗЛОУПОТРЕБЛЕНИЙ».

Разве все это — не о совмещении Романцевым
постов главного тренера и президента клуба?..

А вот о чем говорил Николай Озеров в своем открытом письме в «Известиях», опубликованном, кстати,
за месяц до смерти Старостина зимой 1996-го.

«ВПЕЧАТЛЯЮЩИЕ ПОБЕДЫ МОСКОВСКОГО „СПАРТАКА"
В ПРОШЕДШЕМ СЕЗОНЕ НА МЕЖДУНАРОДНОЙ АРЕНЕ ЗА-
КРЫЛИ МНОГИМ ГЛАЗА НА ТУ ТРЕВОЖНУЮ СИТУАЦИЮ,
КОТОРАЯ ПОСТЕПЕННО НАЧАЛА УВОДИТЬ ГЛАВНОГО ТРЕ-
НЕРА СО СПАРТАКОВСКОГО КУРСА. ФУТБОЛЬНЫЙ КЛУБ С
КАЖДЫМ ДНЕМ СТАНОВИЛСЯ ВСЕ БОЛЕЕ ЧУЖИМ ДЛЯ ТЕХ,
КТО СОЗДАВАЛ ЕГО СЛАВУ. А ГЛАВНЫЙ ТРЕНЕР РОМАН-
ЦЕВ СТАЛ ЕДИНОЛИЧНЫМ ХОЗЯИНОМ, ВЕРШИТЕЛЕМ СУ-
ДЕБ УГОДНЫХ И НЕУГОДНЫХ ЕМУ ЛЮДЕЙ... В ПОСЛЕДНЕЕ
ВРЕМЯ ОН СТАЛ БЕСТАКТНО И БЕЗАПЕЛЛЯЦИОННО ВЕСТИ
СЕБЯ С ЖУРНАЛИСТАМИ, РУКОВОДИТЕЛЯМИ НАШЕГО
ФУТБОЛА, ВЕТЕРАНАМИ И СОПЕРНИКАМИ... ОБСТАНОВ-
КА В КЛУБЕ УЖАСАЮЩАЯ. ЭТО НЕ МОЕ МНЕНИЕ, ОБ ЭТОМ
ГОВОРИТ ВСЯ ФУТБОЛЬНАЯ МОСКВА. Я НЕ СНИМАЮ С
СЕБЯ ВИНЫ ЗА ПРОИСХОДЯЩЕЕ, ХОТЯ СО СВОЕЙ СТОРО-

НЫ НЕОДНОКРАТНО ДЕЛАЛ ПОПЫТКИ УКРЕПИТЬ КОНТАК-
ТЫ МЕЖДУ КЛУБОМ И ОБЩЕСТВОМ...

ВЕТЕРАНЫ, ГОРДОСТЬ „СПАРТАКА", ОЛИМПИЙСКИЕ ЧЕМ-
ПИОНЫ, НИКОМУ НЕ НУЖНЫ, ИХ НЕ ЗНАЮТ НИ ПО ФАМИ-
ЛИИ, НИ В ЛИЦО... ПРАВЛЕНИЕ КЛУБА В ТЕЧЕНИЕ ПОЛУ-
ТОРА ЛЕТ ПРАКТИЧЕСКИ НЕ СОБИРАЛОСЬ. ПРИЧЕМ ЧЛЕ-
НЫ ПРАВЛЕНИЯ НЕ ЗНАЮТ, ГДЕ, КОГДА И ЗА СКОЛЬКО
ПРОДАЮТСЯ ФУТБОЛИСТЫ, КАК РАСХОДУЮТСЯ ЗАРАБО-
ТАННЫЕ КЛУБОМ ДЕНЬГИ. А ПРОВЕРИТЬ ЭТО В НЫНЕШ-
НИХ УСЛОВИЯХ ПРАКТИЧЕСКИ НЕВОЗМОЖНО».

— НЕ ПОМНИТЕ, ЧТО СТАЛО ПОСЛЕДНЕЙ КАПЛЕЙ, ПО-
ДВИГНУВШЕЙ ОЗЕРОВА К НАПИСАНИЮ НАШУМЕВШЕГО
ПИСЬМА? — СПРАШИВАЮ НЫНЕШНЮЮ ГЛАВУ ОБЩЕ-
СТВА «СПАРТАК» АННУ АЛЕШИНУ.

— ЕСЛИ НЕ ОШИБАЮСЬ, ТО, ЧТО С ПОСТА ПОЧЕТНОГО ПРЕ-
ЗИДЕНТА ФУТБОЛЬНОГО «СПАРТАКА» БЕСЦЕРЕМОННО
ВЫБРОСИЛИ АКАДЕМИКА СТАНИСЛАВА ШАТАЛИНА. ПО
МОИМ СВЕДЕНИЯМ, В НАЧАЛЕ 1989-ГО ОН БЫЛ СРЕДИ
ТЕХ, С КЕМ СОВЕТОВАЛИСЬ ПО ПОВОДУ КАНДИДАТУРЫ
НОВОГО ТРЕНЕРА «СПАРТАКА». ШАТАЛИН ПОДДЕРЖАЛ
РОМАНЦЕВА И, БУДУЧИ БЛИЖАЙШИМ СОВЕТНИКОМ МИ-
ХАИЛА ГОРБАЧЕВА ПО ЭКОНОМИКЕ, ОКАЗАЛ НЕОЦЕНИ-
МУЮ ПОМОЩЬ И ФУТБОЛЬНОЙ КОМАНДЕ, И ВСЕМУ ОБ-
ЩЕСТВУ. УЧЕНЫЙ С МИРОВЫМ ИМЕНЕМ, ОН С ОГРОМ-
НЫМ УДОВОЛЬСТВИЕМ РАССКАЗЫВАЛ, КАК ОЖИВЛЕННО
ЗА ГРАНИЦЕЙ РЕАГИРУЮТ НА ЕГО УПОМИНАНИЯ О ПО-
ЧЕТНОЙ ДОЛЖНОСТИ В «СПАРТАКЕ». ПОТОМ ЕГО ПЕРЕ-

СТАЛИ ПРИГЛАШАТЬ НА ЗАСЕДАНИЯ ПРАВЛЕНИЯ КЛУБА, А ВО ВРЕМЯ ОДНОГО ИЗ ЧЕСТВОВАНИЙ, НАЗВАВ СО СЦЕНЫ ВСЕХ — ВПЛОТЬ ДО МАССАЖИСТА И ВИДЕООПЕРАТОРА, ОБ АКАДЕМИКЕ УПОМЯНУТЬ ЗАБЫЛИ. А ПОЗЖЕ И ВОВСЕ ВЫШВЫРНУЛИ. ВООБЩЕ ВОКРУГ ФУТБОЛЬНОГО «СПАРТАКА» ВСЕГДА БЫЛО МНОГО ИНТЕЛЛИГЕНТНЫХ ЛЮДЕЙ: УЧЕНЫХ, ПРЕДСТАВИТЕЛЕЙ ИСКУССТВА. В КАКОЙ-ТО МОМЕНТ ЭТО, УВЫ, СОШЛО НА НЕТ.

— ПОСЛЕ ПУБЛИКАЦИИ ПИСЬМА ОЗЕРОВА ЧТО-НИБУДЬ ИЗМЕНИЛОСЬ?

— ДУМАЮ, ДА. ИМЕННО ТОГДА ГРУППЕ ЗНАМЕНИТЫХ ВЕТЕРАНОВ ФУТБОЛЬНОГО «СПАРТАКА» БЫЛА НАЗНАЧЕНА ПОЖИЗНЕННАЯ МАТЕРИАЛЬНАЯ ПОМОЩЬ. ОТНОШЕНИЯ СТАЛИ МЯГЧЕ, ФУТБОЛЬНЫЙ КЛУБ НАЧАЛ ПОМОГАТЬ ДЕНЬГАМИ ПРОВЕДЕНИЮ ЧЕСТВОВАНИЙ И ЮБИЛЕЕВ. УВЕРЕНА: ЕСЛИ БЫ ПИСЬМА НИКОЛАЯ НИКОЛАЕВИЧА НЕ БЫЛО, КЛУБ И ОБЩЕСТВО ОТДАЛЯЛИСЬ БЫ ДРУГ ОТ ДРУГА С КАЖДЫМ ГОДОМ. А ТАК НА КАКОЕ-ТО ВРЕМЯ ЭТОТ ПРОЦЕСС БЫЛ ПРИОСТАНОВЛЕН.

ЧТО НАЗЫВАЕТСЯ, В ТЕМУ — РАССКАЗ ПРОСЛАВЛЕННОГО СПАРТАКОВЦА ВЛАДИМИРА МАСЛАЧЕНКО О ЗВОНКЕ ЕМУ РОМАНЦЕВА ТОГДА ЖЕ, ГОДУ В 1996-М. ПОСВЯЩЕН ОН БЫЛ ТОМУ, ЧТО БЫВШИЙ ГОЛКИПЕР «СПАРТАКА» И БУДУЩИЙ ОБЛАДАТЕЛЬ ПРЕМИИ ТЭФИ, ПРИЗНАННЫЙ ЛУЧШИМ СПОРТИВНЫМ ТЕЛЕКОММЕНТАТОРОМ, РАССУЖДАЛ ОБ УСИЛЕНИИ РОЛИ ОБЩЕСТВЕННОСТИ В ЖИЗНИ «СПАРТАКА». НА ЧТО РОМАНЦЕВ ВОЗРАЗИЛ: МОЛ, ПРИЧЕМ ЗДЕСЬ ОБЩЕСТВЕННОСТЬ, ЕСЛИ Я — ХОЗЯИН?

Людовик XIV когда-то провозгласил: «Государство — это я». Саддам Хусейн недавно пожелал Ираку полного уничтожения, потому что «без меня Ирак — это ничто». Примерно так же в какой-то момент стал ассоциировать себя со «Спартаком» и Романцев — как бы красиво он ни говорил на знаменитой пресс-конференции в июне 2003-го, что «Спартак» — это не Старостин, Нетто, Симонян и тем более не Романцев.

После отставки Шляпина и ослабления позиций, а затем и смерти Старостина были созданы все условия, чтобы Романцев все-таки поставил личные интересы выше клубных, и никто ему был не в состоянии помешать. Иначе не был бы нарушен один из заветов патриарха — о спартаковском «рентгене» кандидатов в президенты. Что бы ни сподвигло Романцева на продажу клуба Червиченко, сетовать на утрату «народной команды» он права не имеет.

И еще немножко об интеллигенции. В какой-то момент к Романцеву, прежде уважаемому и даже любимому, культурная элита страны начнет относиться с плохо скрытой иронией. Вот фрагмент из моего разговора в конце 2002 года с народным артистом СССР Олегом Табаковым, блестяще знающим футбол, болеющим за «Спартак» и обладающим даром рассуждать об игре тонко и незашоренно. Спрашиваю Олега Павловича:

— С Олегом Романцевым знакомы?

— Всегда кланяюсь ему, когда вижу. Не думаю, что он меня знает, но сам всегда кланяюсь.

Умножьте эти слова на фирменную, с хитринкой, интонацию кота Матроскина — и представьте, **КАК** это звучало.

✿✿✿

Характер Романцева начал стремительно портиться, когда в середине 1994-го вдобавок к тренерству и президентству в клубе он получил пост главного тренера сборной России. Получил, к слову, вполне заслуженно: шел третий подряд его чемпионский сезон, конкурентов внутри страны у «Спартака» и близко не было, на его футболистов был спрос и в Испании, и в Германии. Но на места уехавших Черчесова, Радченко, Карпина, Бесчастных, Ледяхова заступали другие, и получалось не хуже. «Спартак» играл красиво и легко, и нельзя объяснять это одним лишь отсутствием достойных соперников. Постановщиком футбольного спектакля Романцев в ту пору являлся первоклассным, у его команды еще долго было свое лицо.

Но лицо футбольное не может долго сохраняться без лица человеческого. А второе Романцев терял на глазах. Это начало проявляться в поступках — причем нередко в отношении коллег и друзей. Своего ближайшего товарища Георгия Ярцева он за два года, если называть вещи своими именами, подставил дважды.

В 1995 году «Спартак» впервые за четыре года проведения чемпионата России не выиграл его — золотые медали взяла владикавказская «Спартак-Алания». Зато красно-белые потрясающе выступили в Европе, одержав в групповом турнире Лиги чемпионов шесть побед в шести матчах над английским «Блэкберном», норвежским «Русенборгом» и польской «Легией». Предыдущим летом в команду из-за границы перешли популярные игроки — экс-спартаковцы Шмаров, Кульков и Черчесов, а также бывший киевлянин Юран. Вместе с Онопко, Цымбаларем, молодыми Тихоновым, Кечиновым и Аленичевым они творили на поле чудеса, и казалось, что весной российский клуб может и до полуфинала, и даже до финала лиги добраться. «Главное, Романцев нас не трогал,— рассказывал потом Юран.— В другое время запрещал играть в карты, убирал телевизор на базе, а на те два месяца у него хватило отличного настроения, играл с нами в футбол, смеялся. Все тогда совпало. Никаких распрей и склок, сплоченный коллектив и уверенность в победе».

Все рухнуло в одночасье. Игроки не хотели играть за спасибо, ждали хотя бы более или менее достойных их предложений — и не дождались. В результате к весне в команде не осталось ни Черчесова, ни Юрана, ни Кулькова, ни Онопко.

Кульков, уже закончив карьеру, на встрече с болельщиками «Спартака» рассказывал, что в конце 1995-го, имея предложения от испанской «Сельты» и английского «Миллуолла», пошел к Романцеву. И сказал, что если ему заплатят такие же, совсем не сумасшедшие, деньги, он останется в «Спартаке». Романцев переглянулся с Есауленко и заявил: «Это грабеж, на такое мы пойти не можем». На следующий день Кульков с Юраном стали игроками «Миллуолла». А игроки «Спартака» почти ничего не получили от тех огромных денег, которые заработали для клуба в дни побед в групповом турнире Лиги чемпионов. Юран вспоминал:

— Руководство «Спартака» почему-то было уверено, что никаких переговоров вести не надо, все игроки, кроме Онопко, заранее подписавшего контракт с «Овьедо», останутся. Они не ожидали, что я и Кульков можем уйти. Тогда вице-президентом был Есауленко, человек явно не на своем месте. И, конечно же, трансферные дела не Романцев должен был решать. Он тренер, его задача — готовить команду. А его помощники подкачали.

В общем, от «Спартака» остались одни воспоминания. И тут Романцев сотворил невероятный финт, которого от него не ждал никто. Он заявил, что по состоянию здоровья не может совмещать работу в клубе и сборной и в связи с тем, что национальной команде предстоит чемпионат Европы, временно «сосредоточится на работе в сборной».

На амбразуру в «Спартаке» был брошен его помощник Ярцев. Романцев же технично ушел в сторону: шансов выиграть чемпионат России—1996 с таким составом не предвиделось никаких — так зачем же портить репутацию тренера-чемпиона? При этом президентом клуба он остаться не забыл. На всякий случай.

Случай представился в конце года. Ярцев, как это ни поразительно, с «детским садом» выиграл чемпионат, победив в дополнительном матче за первое место действующего чемпиона — «Аланию». Президент Романцев поощрил друга своеобразно — вернулся на пост главного тренера, возвратив его на те же вторые роли, что были у Ярцева прежде. Такой была награда тренеру-чемпиону.

Ни одного публичного слова обиды от Ярцева никогда не прозвучало. Но жизнь отплатила Романцеву той же монетой. Его увольнение, произведенное президентом Червиченко после победы в Кубке-2003, по сути, мало чем отличается от решения Романцева задвинуть Ярцева после сезона-1997.

Даже многочисленные победы не мешали болельщикам видеть, во что превращается все более титулованный тренер. И когда он оступился, проиграв в отборочном раунде Лиги чемпионов—1997/98 скромному словацкому «Кошице», стадион скандировал так, что не услышать было невозможно: «Романцев — вон!»

Это было жестоко и, наверное, несправедливо: все-таки сделал этот человек для «Спартака» очень много. Но болельщику хочется ведь не только результатов — он создан так, что душа его ждет еще и человеческой справедливости, и благородства. А в этом разделе Романцев потерял немало очков еще и после чемпионата Европы, когда обвинил во всех грехах легионеров, выступающих в европейских странах: они, мол, разлагали обстановку в коллективе. Поиск козлов отпущения превратился к тому времени для Олега Ивановича в привычное дело.

В июле 1996 года тогдашний президент РФС Вячеслав Колосков так начал свое выступление на пресс-конференции по итогам заседания исполкома футбольного союза, посвященного неудачному выступлению сборной России на только что закончившемся чемпионате Европы: «Заседание началось с 30-минутного доклада Романцева... Главная ошибка, по его словам, заключалась в том, что он взял в команду футболистов, которые создали в ней нездоровый ажиотаж, пытаясь решить в первую очередь свои личные проблемы... Морально-нравственный климат в сборной оставлял желать много лучшего. Романцев назвал этих игроков: Шалимов, главный зачинщик, и Кирьяков с Хариным».

О «главном зачинщике» Шалимове тот же Романцев тремя с половиной годами ранее, в декабре 1992-го, говорил мне в интервью для газеты «Футбол-экспресс»: «У меня на памяти было всего два уникальных игрока, с которыми легко работать любому тренеру. Это Родионов и Шалимов. В Игоре все скроено так, что не может не нравиться. Его обаятельная улыбка, доброта и открытость характера, чувство юмора способны обезоружить даже самого злого и угрюмого человека».

Что может произойти с игроком за три с половиной года, чтобы его человеческая оценка тренером поменялась с точностью до наоборот? Наверное, что-то может. Но жизнь показала, что изменился в первую очередь не Шалимов, а сам Романцев.

⚽ ⚽ ⚽

Потом тем не менее еще был ренессанс. Поражение от «Кошице», видимо, отрезвило на некоторое время Романцева, заставило что-то пересмотреть — и в

1998-м «Спартак» заблистал ярчайшими красками. Красиво дважды обыграв амстердамский «Аякс», красно-белые вышли в полуфинал Кубка УЕФА, где столкнулись с могучим миланским «Интером». Играли здорово, прошли бы и итальянцев — если бы не фантастический бразилец Роналдо, тогда лучший форвард мира. «Спартак» он победил фактически в одиночку. Тем не менее москвичи прогремели тогда на всю Европу. Не ударили они в грязь лицом и следующей осенью, когда хоть и не вышли из «группы смерти» Лиги чемпионов с тем же «Интером» и мадридским «Реалом», но сражались с грандами до последнего. А тут еще и очередная победа в чемпионате и второй приход в сборную. Словом, к середине сезона-1999 «оттепель» закончилась, и Романцев стал прежним самодержцем.

Тогда-то он и принялся «резать мясо».

Началось с Ильи Цымбаларя, капитана и любимца публики, техничного и озорного одессита. Он был изгнан в один миг после доклада помощника Романцева по национальной команде Сергея Павлова: мол, во время подготовки к товарищескому матчу второй сборной (!) Цымбаларь был обнаружен на базе навеселе.

Плохо на душе стало даже не из-за самого факта отчисления капитана. Поразило несоответствие тяжести проступка быстроте и жесткости приговора. Четыре месяца назад Цымбаларь гениальным пасом Карпину на парижском «Стад де Франс» сделал тренера Романцева национальным героем (Россия тогда обыграла хозяев поля, действующих чемпионов мира —

3:2), а теперь, не дожидаясь даже конца сезона, тот распорядился не пускать игрока на базу! Умом то решение Романцева можно было объяснить: все посвященные знали о том, что Цымбаларь в вопросах спортивного режима — не ангел. Но сердце противилось тому, как все было обставлено. Тем более что похожее изгнание, только чуть раньше и по другой причине, произошло с вернувшимся в «Спартак» Юраном.

И точно: со следующего сезона пошло-поехало. В массовом порядке.

О самой громкой истории, с харизматическим лидером «Спартака» Андреем Тихоновым, вы прочитаете в отдельной главе. Но сколько было еще отрубленных голов! Провел неубедительный первый сезон после тяжелейшей травмы Кечинов, еще недавно издевательски сажавший на пятую точку вратаря «Аякса» ван дер Сара,— в новом сезоне трижды за круг вышел на замену и был без сожалений списан в «Сатурн». Заработал глупое, спору нет, удаление в Санкт-Петербурге-2001 Ширко — здравствуй, «Торпедо»! Причем это можно было понять еще по взгляду Романцева, провожавшему форварда с поля. Страшному взгляду.

С каждым годом ножи «мясорубки» крутились все быстрее.

1997 год — 24 игрока. 1998-й — 22. 1999-й — опять 24. Столько футболистов выходили на поле в основном составе «Спартака», когда Романцев еще слыл консерватором. То, что началось потом, нельзя объяснять одним лишь приходом нового руководства — состав-то на матч выбирает главный тренер!

Итак, 2000 год — 30 игроков, 2001-й — 36, 2002-й — 35. И во всем этом безумном мельтешении — 50 новичков за три года. От Грановского до Аджея, от Василюка до Фло — никто уже и не вспомнит эти имена. Словно один из героев Владимира Войновича в «Иване Чонкине», мечтавший вывести ПУКС («Путь к социализму») — гибрид картофеля и помидора, перебрался на ниву футбола! А ведь главный тренер «Спартака» прежде не раз доказывал свое тонкое чутье на игроков...

Нет, Романцев навсегда останется в истории Романцевым. Обладателем уникального для нашего футбола достижения — выхода в полуфиналы каждого из трех еврокубков. И десять чемпионских титулов Романцева-тренера, один из которых — союзный, невозможно забыть. И, главное, стиль игры, отличный от всех остальных.

Как-то раз, в 2002 году, когда полномасштабный творческий кризис Романцева только начинался (что было заметно не только по «Спартаку», но и по беззубому, аморфному выступлению его сборной на чемпионате мира в Японии и Корее), я решил покопаться в исторической футбольной литературе в поисках некоторых закономерностей. Тем, что мне открылось, я был ошарашен.

Выяснилось, что даже у великих наших тренеров есть некий «ресурс выработки» — определенный возрастной период, когда они способны приводить свои команды к чемпионству. Борис Аркадьев, например, тренировал 34 года, но свои шесть золотых медалей взял на протяжении 11 лет. Столько же раз выигрывал первенства Михаил Якушин — и сделал это за 14 лет (из общих тренерских 29). Четыре «золота» Виктора Маслова были достигнуты за восемь лет из 33, два чемпионства Константина Бескова — за те же восемь, но из 40, три победы Никиты Симоняна — за 12 лет из 26. Выходит, даже тренеры-победители способны выигрывать отнюдь не на протяжении всей карьеры.

Еще один факт: лишь семь тренеров из 28 выигрывали чемпионаты в возрасте за 50. Причем четверо из них до «полтинника» не побеждали ни разу.

Что же получается? От тех тренеров, к которым «золото» приходит быстро, оно и уходит в сравнительно молодом возрасте. Даже от лучших: к Якушину, тренировавшему до 63 лет и впервые победившему в 35, последнее чемпионство пришло в 49. К Симоняну, первый раз «озолотившемуся» в 36 и отошедшему от дел в 59,— в 47.

Романцев, напомню, выиграл чемпионат СССР-1989, когда ему было всего 35 лет. Победного времени осталось, даже по теории получается, не так много. Тем более что многим из предшественников Романцева не были свойственны некоторые привычные для России пристрастия, неизбежно сокращающие творческий потенциал даже самых талантливых людей...

Заметки о приведенной выше возрастной статистике в «Спорт-экспрессе» я озаглавил так: «Выработал ли Романцев золотой ресурс?» Заканчивался 2002 год.

С тех пор Олег Иванович не завоевал не то что золотой — даже бронзовой медали чемпионата России.

Тенденция, однако.

⚽ ⚽ ⚽

Романцев и журналисты — отдельная тема. Занятно было наблюдать, как Олег Иванович, когда в июне 2003-го это ему вдруг жизненно понадобилось, созвал тех, кого по менее значимым поводам непременно игнорировал. Признаюсь: еще в пору, когда он хотя бы изредка захаживал на послематчевые пресс-конференции, нам на собственном (и зачастую печальном) опыте пришлось разработать целую науку о том, какие вопросы можно и нельзя задавать главному тренеру «Спартака». К примеру, если рискнешь поставить перед Романцевым вопрос-утверждение: «Почему плохо сыграл Ковтун?» — будешь резко оборван. Для того чтобы узнать его мнение о чьей-то игре, формулировать следует так: «Как вы оцениваете игру Ковтуна?» Тогда есть шанс не услышать ледяное: «Следующий вопрос».

У каждого из моих коллег — своя кривая взаимоотношений с Романцевым. Моя, полагаю, достаточно типична. Потому о ней и расскажу — может, кому-то в назидание. Если судьба сложилась так, что вы превратились из болельщика в репортера,— умейте не переходить в отношениях с тренерами и игроками грань, отделяющую взаимное уважение и панибратство. Даже если у вас еще толком нет опыта, а писать нужно о вашей любимой команде, которой вы преданны с детства. Поверьте: если вы подошли к ней слишком близко — вас неизбежно ждут разочарования.

Когда-то, в первой половине 1990-х, автор этой книги был завсегдатаем Тарасовки, пользовавшимся определенными привилегиями: например, первое эксклюзивное интервью после назначения в 1994-м главным тренером сборной Романцев дал именно мне. Забавно, что от многочисленных коллег мы тогда спрятались в... туалете здания на Лужнецкой набережной, где находится офис РФС.

Для разрыва отношений оказалось достаточно пары критических фраз. Стоило после поражения в Лиге чемпионов—1994 от киевского «Динамо» задаться вопросом, почему Романцев, зная о дисквалификации Никифорова и Онопко, не опробовал в предыдущей встрече первенства (а отрыв от ближайшего соперника в России составлял 10 очков, так что никакого риска не было) новую связку центральных защитников, как путь в команду мне оказался заказан. «Рабинера за километр к Тарасовке не подпускать!» — передали мне слова Романцева, как водится, через третьи руки.

И так в ту пору поступали с каждым журналистом, неравнодушным к «Спартаку», но желавшим не льстить руководству клуба, а размышлять, как сделать команду лучше. Романцеву были нужны только «ручные» репортеры. Остальных он подпускал к себе только до того момента, пока они не начинали мыслить по-своему.

Пройдет много лет, и в интервью в еженедельнике «Собеседник» Олег Иванович вдруг уделит целый абзац моей скромной персоне. И хотя говорят, что любое упоминание в прессе, кроме некролога, это реклама, мне стало несколько не по себе.

«В „Спорт-экспрессе" работает такой парень — Игорь Рабинер,— скажет тренер.— Каких только глупостей он обо мне не пишет! А знаете, с чего все началось? И никто не знает. Был такой случай. Тарасовка накануне Лиги чемпионов. Мы провели пресс-конференцию с 14 до 15 часов. Множество журналистов. Я им говорю: „Ребята, до четырех часов у нас тихий час. А после этого игроки выйдут, и у вас будет 60 минут на общение с ними. Только в спальный корпус, пожалуйста, не заходите". Нормальное, по-моему, решение. Все все поняли. Оказывается, не все. Захожу в корпус, смотрю, по третьему этажу Рабинер идет. Я говорю: „Ты что здесь делаешь?" Он: „Да знаете... да я тут хотел..." Я ему: „Да мы же только что договорились. Ну неужели нельзя еще 30 минут подождать?" Он: „Да-да, все понял". Спускаюсь на кухню, а он уже там! Я в еще большем недоумении: „Ты что делаешь?! Сюда тебя, извини, никто не приглашал". И что он после этого начал обо мне писать! А в чем я не прав? Всего-навсего выгнал его из столовой».

Я читал — и не верил собственным глазам. Историю эту Олег Иванович выдумал от начала до конца. Да, как-то раз в 1993 году он попросил не беспокоить игроков в тихий час (и имел на это полное право) — все же остальное, о чем «вспоминал» Романцев, было то ли плодом больного воображения, то ли сознательной попыткой оклеветать неудобного репортера. После того не инцидента даже, а крохотного эпизода все в наших отношениях было гладко еще более года — и испортилось лишь после матча в Киеве. База и обеды не имели к тому никакого отношения. И если Олег Иванович полагает, что мотивом моей критики в его адрес стало «изгнание из столовой» (которого никогда не было), то, видимо, он сам руководствуется в своих отношениях с людьми подобными материями вселенского масштаба. И не предполагает, что бывают другие причины. Куда более важные.

Обедать тренер тогда еще приглашал журналистов сам. С учетом того, что работать в Тарасовке нам нередко приходилось подолгу, такой подход выглядел цивилизованным и человеческим. И ни к чему, по нашему разумению, не обязывал. Олег Иванович же, видимо, считал, что Спартаковским Обедом облагодетельствует репортеров до такой степени, что людям, испытавшим божественный вкус тарасовской кухни, критиковать «Спартак» и лично главного тренера даже в голову не придет.

После моего конфликта с Романцевым он сам и некоторые другие клубные работники столько раз укоризненно вспоминали эти несчастные обеды, что с тех пор питаться на базах футбольных клубов, даже в полуобморочном от голода состоянии, я зарекся. Далеко не все, конечно, так мелочны, как Олег Иванович, но случай со «Спартаком» меня научил: если что случится — тебе вспомнят все, что было, и даже чего не было.

Еще недолго после конфликта я питал иллюзии, что это — временное. Думал: в конце концов мы же верим, хоть и по-разному, в одного, спартаковского бога! И однажды, казалось, примирение произошло. Уезжая в начале 1996-го на несколько лет в Америку, я оказался на каком-то футбольном банкете в Доме журналистов. За одним из столиков сидели Романцев и Вячеслав Колосков. Я подошел, рассказал о своем предстоящем отъезде и сказал: «Хочу, Олег Иванович, чтобы мы расстались, не держа друг на друга зла». Романцев согласился, и мы скрепили, как мне казалось, примирение рукопожатием.

Увы, степень злопамятства Олега Ивановича я недооценил. Как только в 1999-м, уже вернувшись, я вновь за что-то его в газете пожурил — отношения вновь были прекращены. Теперь уже навсегда.

С каждым годом черный список Романцева, становившегося все более нетерпимым, ширился. Поначалу просматривалась даже определенная логика. С тренером разругались все журналисты из разных изданий, которые регулярно общались с Романцевым и навещали «Спартак» в начале 1990-х. В пору репортерского ученичества, когда мы только добывали информацию, брали интервью и — абсолютно искренне! — восхищались командой и ее тренером, за которых к тому же в большинстве своем еще и болели, нам раскрывали объятия. Как только начали робко, а потом все смелее высказывать свое мнение и оно не всегда оказывалось созвучным романцевскому — тут же стали в Тарасовке персонами нон-грата. Это стало уроком на всю жизнь. Уроком, которому в начале 1990-х меня учил великий журналист Лев Иванович Филатов, — не сокращать дистанцию с объектами творчества, потому что если такое сближение и добавит информированности, то объективности и свободы в оценке событий и людей лишит. Я слушал Филатова, в кунцевскую квартиру которого ходил весь 1990 год, кивал, действительно верил, что буду делать именно по-филатовски. Но попробуй удержаться в 17—18 лет, чтобы не сблизиться с людьми, за которых только что переживал как обычный болельщик! Да и, став репортером, «переживать не перестал».

Только со временем я понял, насколько прав Филатов, учивший меня умению держать дистанцию. Понял, как всегда и бывает, на собственных ошибках.

⚽⚽⚽

Многим памятна история, которая приключилась с НТВ после материала Василия Уткина в «Футбольном клубе» о поражении от «Кошице». Достаточно было показать, как тысячи спартаковских же болельщиков скандировали: «Романцев — вон!», чтобы навлечь на телеканал репрессии.

Коллективные письма футболистов, использование административного ресурса, чтобы принудить к молчанию неугодных журналистов, бойкоты всей прессы после одного сугубо индивидуального выступления — все это ведь тоже Романцев. Не говоря уже о многолетнем отказе от посещения послематчевых пресс-конференций (обязательных, между прочим, и его регулярные неявки обошлись клубу в кругленькую сумму), что сам тренер однажды после выездной игры, расслабившись, прокомментировал так: в Москве, дескать, есть несколько физиономий, которые только и ждут, чтобы вытащить из-под стола какой-нибудь пасквиль или провокационный вопрос.

В марте 2000 года «Спартак» с «Локомотивом» закончили свой матч нулевой ничьей, и я задал Романцеву вполне невинный вопрос: «В прошлом году вы дважды обыграли „Локомотив" со счетом 3:0, теперь — сделали ничью. В чем-то прибавил соперник или ваша команда в каких-то компонентах сыграла слабее?» Дальнейшее лишило автора дара речи. Романцев потрепал меня по голове, быстро произнес: «Ах ты, мой умненький!» — и устремился в сторону раздевалки.

История эта стала едва ли не темой для анекдота. Как и многие другие.

Вот телекадр из смешанной зоны в Казани после матча 2003 года «Рубин» — «Спартак». «Олег Иванович, можно несколько вопросов для канала НТВ+?» — поинтересовался коллега. «Обязательно!» — с редкостным дружелюбием ответил Романцев. И, не сбавляя шага, направился к автобусу.

Вот ситуация после товарищеского матча Белоруссия—Россия. Репортер «Спорт-экспресса» Владимир Юрин подходит к Романцеву, в одиночестве курящему у автобуса: «Не ответите на пару вопросов об игре?» Олег Иванович вспыхивает: «Вы что, не видите, я с доктором разговариваю!» Никакого доктора в пределах метров двухсот нет и в помине...

Вот эпизод после матча сочинской «Жемчужины» и «Спартака» во второй половине 1990-х. Краснобелые взяли в свой чартер корреспондента «Спорт-экспресса» Михаила Пукшанского, которому после матча надо продиктовать отчет «в номер». Мобильных телефонов тогда не было, приходилось искать на стадионе единственный стационарный и с боем отбивать его у других страждущих. Продиктовав текст, Пукшанский пулей вылетает из подтрибунного помещения, чтобы успеть в спартаковский автобус, который повезет команду в аэропорт. Автобус в эту секунду как раз начинает движение. Журналист бежит наперерез и что есть силы машет рукой Романцеву, который сидит на переднем сиденье. Главный тренер, очевидно, думая о чем-то своем, высоком, сердечно машет в ответ. Автобус тем временем набирает ход и мчится в аэропорт...

Это все истории из реальной жизни, но дошло и до того, что о Романцеве, как о Чапаеве или Штирлице, сложили настоящий анекдот. Было это на стыке веков, когда пресс-конференции после матчей «Спартака» посещал исключительно помощник Олега Ивановича Вячеслав Грозный. Так вот, заканчивается матч, журналисты приходят на пресс-конференцию — и вдруг на ней появляется... Романцев. Все в шоке. Тренер берет слово: «Извините, Грозный заболел...»

— Из-за неявок Романцева на пресс-конференции «Спартак» потерял 90 тысяч швейцарских франков в Лиге чемпионов—2002/03 и 300 тысяч рублей в чемпионате России,— рассказывал Червиченко сразу после отставки главного тренера.— Раньше эти деньги выплачивал клуб, но раз уж мы решили жить по контракту, все выплаты будут подсчитаны и Олегу Ивановичу будет выставлен счет. Потеряли мы и в имидже, причем этот ущерб, к сожалению, деньгами не измеришь.

Ну, про имидж Андрею Владимировичу слишком много рассуждать, наверное, не стоило бы. Но, в сущности, он прав. Много историй о поведении Романцева на международной арене можно вспоминать. Как, например, после переноса декабрьского матча Кубка УЕФА «Спартак»—«Лидс» из Москвы в Софию (в заснеженной столице к матчу не было готово ни одно поле, а стадионы более южных российских городов клуб заявить не подумал) тренер-президент на полном серьезе объявил о всеевропейском заговоре против «Спартака». Ничем иным, как паранойей, объяснить это было нельзя. Впрочем...

Неадекватность, которой с каждым годом становилось все больше, появилась у Романцева не просто так.

⚽ ⚽ ⚽

Январь 2001 года. Анонсированная заранее пресс-конференция главного тренера «Спартака» на Кубке чемпионов стран СНГ. Услышать Романцева к этому моменту стало большой редкостью, так что на «прессуху» стянулось много журналистского люда со всего бывшего Союза.

Спустя несколько секунд они перестали верить своим ушам. Точно так же, как и телезрители. Повтор исторической пресс-конференции через пару недель по многочисленным просьбам показали по телеканалу ТВЦ.

«Грановский перебегает этого — как его? — Роберто Карлоса».

«Монахов все хавает на лету!»

«Мукунку? Как я могу его не взять? Ну он же хоро-о-оший...»

Еще Олег Иванович никак не мог вспомнить, кто в предыдущем чемпионате занял второе место, твердо заверял, что в этом году будет построен спартаковский стадион (которого нет по сей день), а на новой тренировочной базе в Голицыне (также несуществующей) будет так душевно, что даже пруд там будет кишеть осетрами. На ловлю которых он, Романцев, репортеров с удовольствием приглашает.

Эти и десятки других фраз произносились голосом, не оставлявшим сомнений в том, что произошло. Романцев, возглавлявший в ту пору не только клуб, но и сборную (а значит, в какой-то мере являвшийся лицом страны), был вдребезги пьян. И если обычные болельщики, не имеющие допуска за кулисы, увиденному, мягко говоря, изумились, то для людей, близких к «Спартаку», никаких откровений эта пресс-конференция не явила. За исключением одного: что главный тренер уже не способен контролировать себя даже на публике.

Позже мне расскажут, что в тот день Романцев принял какие-то таблетки, несовместимые с алкоголем, но потом об этом забыл. Что и неудивительно: до пресс-конференции в «Олимпийском» было застолье с участием Вячеслава Колоскова и руководителей ФИФА и УЕФА, приехавших открывать Кубок Содружества. По свидетельству очевидцев, когда Романцев шел на встречу с журналистами, его уже изрядно «вело». Но отменять что-либо было уже поздно.

Вообще, на эту деликатную и типично российскую тему слишком много рассуждать не хотелось бы — если бы только не было известно, что применительно к Романцеву она существует давно и самым прямым образом влияет на ту самую адекватность, да и вообще на тренерский и человеческий уровень. Если уж я взялся рассуждать, что могло случиться с самым одаренным тренером своего поколения в нашей стране,— без разговора о пристрастии к зеленому змию, увы, не обойтись. Потому что иначе многое останется непонятным.

Один из коллег, поехавший в Тарасовку брать у Романцева интервью вскоре после неудачного для тренера чемпионата мира в Японии и Корее, вернулся слегка ошеломленным. На протяжении всего разговора, который проходил в 30-градусную жару без кондиционера, тренер пил водку, запивал шампанским и не закусывал вообще ничем. Неудивительно, что содержание интервью потом вызвало и у журналистов, и у читателей множество вопросов.

Не раз доводилось слышать о том, как врачи «Спартака» в промежутке между обедом и вечерней тренировкой выступали в роли наркологов и при помощи капельницы выводили Романцева из невменяемого состояния, чтобы он успел прийти в себя и выйти на занятие (иногда не успевал). И о том еще, как перед матчем Лиги чемпионов—2002 «Ливерпуль»—«Спартак», завершившемся со счетом 5:0 в пользу англичан, в VIP-ложу стадиона «Энфилд Роуд» к Червиченко подбежал сын Романцева со словами: «Папа просит водки, в противном случае он результат не гарантирует». Даже в 1996-м футболисты сборной рассказывали, что на чемпионате Европы Романцев почти не выходил из номера и общался с игроками посредством записок.

Зимой 2000 года произошла и вовсе уникальная история. Предыдущей осенью Романцев отчислил Илью Цымбаларя, и пути назад, казалось, одному из самых ярких игроков 1990-х нет. Команда улетела на сбор в Турцию без Ильи, и вдруг на следующий день Романцев позвонил игроку, попросил его срочно прилететь и «готовиться к работе». Цымбаларь полетел — как на крыльях. Но еще спустя сутки вернулся в Москву. «У нас с Романцевым в Турции состоялся разговор, но общего языка мы не нашли»,— скупо сообщил он прессе. Но нашлись в клубе люди, которые — кулуарно, естественно, с просьбой на них не ссылаться — объяснили, что произошло. Цымбаларю, по их словам, тренер звонил, будучи... скажем так, не совсем в кондиции. И когда на следующий день увидел прилетевшего футболиста, несказанно удивился: что он, собственно, тут делает? И отправил восвояси — уже окончательно. Цымбаларь ушел в «Локомотив», в составе которого забил важнейший гол в финале Кубка России против ЦСКА...

Если не ошибаюсь, весной 1999-го я поехал в Ростов, где на нейтральном поле встречались «Жемчужина» и «Спартак». Перед игрой ни мне, ни кому-либо другому из журналистов не позволили зайти в пресс-центр. Милиционер, охранявший комнату от посягательств тех, кто там, в общем-то, и должен был находиться, отвечал на вопросы лаконично: «Совещание». Потом выяснилось: за пол-литрой там «совещались» Романцев и близкие к нему люди. Подобные истории доводилось слышать десятки раз, причем «совещания» проходили в самых разных и неожиданных местах — тех, где главному тренеру подсказывало вдохновение. Например, в судейской комнате. Арбитрам в этих случаях приходилось переодеваться где-нибудь еще. Не Вася Пупкин же, в конце концов, расслабляется — самый титулованный тренер страны. Даже и думать нельзя о том, чтобы такого человека попросить «очистить помещение»!

От всего этого и возникло и стало расти год от года четкое ощущение, что Романцев потерял одно из главных своих тренерских достоинств — нюх на игроков. Тот, что когда-то позволил ему разглядеть совсем не очевидный в ту пору дар в Кулькове, Карпине, Аленичеве, Писареве. Тот, что заставил одного из знаменитых футбольных писателей прошлого, покойного ныне Аркадия Галинского в первые годы романцевской работы написать: «Он, во-первых, очень хорошо понимает в игроках, почти безошибочен в их выборе, во-вторых, владеет мастерством репетитора, с помощью которого поддерживает и даже повышает мастерство игроков».

Зимой 2003 года на просмотр к Романцеву из тамбовского «Спартака» приехал юноша, которого звали Юра Жирков. В футбольных кругах о нем уже поговаривали. Мой приятель из «Московского комсомольца» Айдер Муждабаев, регулярно наведывавшийся на свою родину в Тамбов, еще двумя годами ранее расписывал мне таланты Жиркова в красках. И, будучи болельщиком красно-белых, вздыхал: «Скорей бы его забрали в большой „Спартак"! Невозможно не увидеть, что это — будущая звезда!»

И вот Жирков приехал. И вышел на контрольный матч в сокольническом манеже против резервного состава. И здорово, рассказывают, сыграл и забил красивейший гол с угла штрафной в дальнюю «девятку». Свидетели говорят, что Владимир Федотов, просматривавший матч вместе с Романцевым, тут же сказал: «Надо брать».

Но главному тренеру молодой игрок отчего-то не приглянулся. Кое-кто из свидетелей утверждал, что и в тот день Романцев был «не в форме». Так это или нет, никто не знает. Зато все знают о другом: майским вечером 2005 года в городе Лиссабоне Юрий Жирков забил победный мяч ЦСКА в финале Кубка УЕФА.

Позже Романцев будет говорить, что Жиркова не взяли в «Спартак» из-за отсутствия загранпаспорта, а команде нужно было лететь на сбор. Аргумент по меньшей мере смешной: если в наши дни игрок нужен клубу, загранпаспорт ему оформляется за какие-то сутки.

Открывшаяся вдруг неспособность Романцева увидеть очевидный талант заслуживает быть названной персонально: «синдром Жиркова».

После этого утверждение Червиченко, что Романцев, увидев на тренировке новичка-македонца Мазнова, всплеснул руками: «Продавайте Титова, этот парень в десять раз сильнее!» (а через полгода и думать о Мазнове забыл), уже не кажется привычной для экс-президента «Спартака» гиперболой. От «позднего» Романцева ожидать можно было чего угодно.

Иностранный футбол Романцева не интересовал. Оттого и проходили через его команду десятки «пляжных» легионеров, а языкастым агентам и даже собственным помощникам, имевшим свою выгоду, не составляло труда убедить главного тренера, что какой-нибудь нигериец Фло котируется у себя на родине на уровне капитана сборной Окочи. Пару недель спустя Романцев понимал, что облапошен,— и брал новых. В поздний период он не считал нужным окружать себя информированными людьми, которые могли бы оградить его от всей этой околесицы. Ему в какой-то момент стали нужны рядом не профессионалы, а приятная лично ему компания. Замкнутая в своем мирке до степени, невозможной в современном футбольном мире.

Отставка из «Спартака» не заставила Олега Ивановича изменить своим привычкам. За недолгий период работы в «Сатурне» он успел произвести такое неизгладимое впечатление на игроков, что истории о Романцеве они рассказывали еще долго. Такую, например. Приехала подмосковная команда на матч в Ростов с одноименным, и весьма скромным, местным клубом. Главный тренер перед игрой выпил лишнего. Зашел в раздевалку, иронично посмотрел на футболистов и произнес: «Вы что, сюда выигрывать приехали? Да вы играть не умеете!» После такого «настроя» команда вышла на поле одеревеневшей и была разгромлена — 0:4.

Во время разборов матчей «Сатурна» Романцев останавливал запись, начинал громко хохотать, а затем говорил игрокам в лицо: «Клоуны! Да где вас набрали? Я с такими смешными никогда не работал!»

Когда ближе к концу сезона-2003 из «Сатурна» был внезапно уволен тренер Виталий Шевченко и назначен Романцев, у команды были хорошие шансы на медали: отставание от третьего и даже второго места составляло считанные очки. Но первый же матч на своем поле был проигран заурядному «Торпедо-Металлургу» — 0:3, и «Сатурн» начал рассыпаться на глазах. Итогом сезона стало шестое место.

❂ ❂ ❂

Грустно, очень грустно все это. Потому что Романцевых много не бывает. И, с каждым годом все больше теряя его, мы не приобрели фигуру равноценного дарования взамен.

Грустно, потому что ни нюансы личных отношений, ни натужная работа тренера на чемпионате мира—2002, ни кошмарные шесть поражений с разностью мячей 1—18 в групповом турнире Лиги чемпионов—2002/03 никогда не затмят для меня целого фейерверка счастливых минут в последние полтора десятка лет. Минут настоящего футбола, которые подарил Романцев и его команды.

Не затмят невероятного победного «золотого» гола Шмарова со штрафного удара киевскому «Динамо» на последней минуте матча в Лужниках 1989 года.

Не затмят решающего послематчевого пенальти Мостового в ворота итальянского «Наполи» с Диего Марадоной в составе — тогда, 7 ноября 1990-го, несмотря на снежный буран и сразу три демонстрации в безумно политизированной Москве, в 100-тысячных Лужниках яблоку негде было упасть.

Не затмят победных лужниковских же голов Титова и Цымбаларя «Реалу» осенью 1998-го — в самую горькую пору, после дефолта, когда у всей страны земля ушла из-под ног, а «Спартак» хотя бы небольшой ее части эту землю вернул. И голов Радченко и Шмарова на знаменитом стадионе «Реала» «Сантьяго Бернабеу» в 1991-м, которые вывели «Спартак» в полуфинал Кубка чемпионов, тоже не затмят.

Не затмят двух побед над «Ливерпулем» в 1992-м и еще двух — над «Аяксом» в 1998-м. И шести побед в шести матчах в групповом турнире Лиги чемпионов—1995. И разгрома «Арсенала» во главе с Анри при 80 тысячах зрителей в девятиградусный мороз. И двух выходов нашей сборной в финальные стадии чемпионатов мира и Европы, и триумфа на «Сен-Дени» над французами, и даже трагедии вратаря Филимонова на последних секундах матча Россия—Украина, затолкавшего мяч в собственные ворота после навеса Шевченко. Трагедии в футболе ведь тоже бывают великими.

Спасибо вам за все это, Олег Иванович. Для целого поколения болельщиков вы стали богом. Пусть они не жили во времена футбольного «язычества», когда богов у нас было много,— именно вы в одиночку много лет держали флаг красивого футбола, когда у всех остальных в руках был голый флагшток. За одно это, за то, что страна в период, когда было не до зрелищ, не отвернулась от футбола, мы все, неравнодушные к этому не виду спорта, а образу жизни люди, должны быть признательны именно вам.

✲✲✲

У каждого из нас есть прошлое, при воспоминании о котором начинает бешено колотиться сердце. То, что долго делало тебя счастливым. То, что, по твоему убеждению, должно продолжаться вечно.

Нет ничего труднее, чем перестать принимать прошлое за настоящее. И, избавившись от иллюзий, начать полноценно жить реальной жизнью.

Многие спартаковские болельщики верили, что сначала в «Сатурне», а затем в «Динамо» из пепла восстанет тот, «прежний» тренер-титан. Как в спартаковские времена любил говорить он сам: «Все думали, что лев умер, а он только прилег отдохнуть».

Не вышло. В обоих клубах периоды романцевского правления получились скоротечными, меньше чем по полсезона. Без какого-либо успеха.

«Динамо», правда, при Романцеве в конце сезона-2004 чуть ожило, спаслось от первого в своей истории вылета из премьер-лиги и даже сыграло вничью с ЦСКА, лишив армейцев, казалось, уже гарантированного чемпионского звания. Но это оказалось не более чем временным всплеском. Как в «Сатурне», так и в «Динамо» Романцев не получил нужных ему футболистов, не нашел общего языка с руководителями — и клубы эти «по собственному желанию» покинул.

Больно и трудно, но, увы, необходимо понять: того, чемпионского Романцева, больше нет.

Его будущее — в тумане. К 52 годам большой тренер довел себя до такого состояния, что в ближайшее время, боюсь, вряд ли кто-то предложит ему работу, соответствующую прошлым достижениям. А другую работу Романцеву, убежден, не позволит принять его по-прежнему высочайшая самооценка. Не верите? Перечитайте его слова из интервью в феврале 2005 года: «Моя кандидатура на самом высоком уровне рассматривалась на должность главного тренера сборной Германии... Но заграница меня не привлекает».

Человек живет в мире иллюзий, и, когда читаешь такое, его становится просто жалко. Как и во время чемпионата мира—2006, когда после победы сборной Австралии над японцами 3:1 Романцев сказал, что игра австралийцев (их возглавлял будущий тренер сборной России Гус Хиддинк) была «какой-то примитивной». Почему-то Олег Иванович не упомянул, что в 2002 году его сборная, со своей «творческой» игрой, Японии безвольно уступила, тогда как бравые парни из Австралии в последние десять минут, проигрывая 0:1, на 35-градусной жаре ухитрились забить три гола. А на силовой футбол Хиддинк поставил вполне логично: техничных игроков у него в команде было немного, зато по весу и росту его команда на чемпионате занимала соответственно первое и третье место. Голландец, между прочим вышедший на чемпионат мира—2006 из группы с командой, до того не участвовавшей в мировых первенствах 32 года, попросту исходил из того подбора футболистов, который оказался в его распоряжении. И не Романцеву в этой ситуации было его критиковать.

Когда Романцев шел в «Динамо», пресса мечтала о красивом, «закольцованном» сюжете: четверть века назад динамовец Бесков вытащил из пропасти «Спартак», а теперь спартаковец Романцев отдает «Динамо» долг.

Говоря о причинах его досрочного ухода из «Динамо», не стоит предполагать, будто это атмосфера извечных конкурентов «Спартака» оттолкнула Романцева. Никакой своей атмосферы в «Динамо» к тому времени давно не было. А наличие бывшего генерального директора «Спартака» Юрия Заварзина и других близких ему людей (в частности, пресс-атташе Александра Львова) во главе бело-голубых делало адаптацию Романцева в клубе максимально комфортной. Он пришел не к чужим, а к своим.

Романцев оказался чужим не в «Динамо». Он оказался, по крайней мере пока, чужим в футболе 2000-х. Регалии 1990-х превратили выдающегося тренера в памятник самому себе. Памятник тех времен, когда Романцев был сам себе хозяин и ни перед кем ни за что не отвечал. В результате чего во многом и стал тем, кем стал.

А закончилось все печально: Романцев потерял к себе и своему многолетнему и заслуженному авторитету всяческое уважение. Прокрутка через «Спартак» 70 в большинстве своем бездарных новичков не могла состояться без согласия главного тренера. Ему, скажете, их навязывали? А теперь подумайте сами: как он, Романцев, мог позволить, чтобы ему беспрерывно навязывали какой-то нелепый зоопарк? Почему он безропотно, молча, терпел это несколько лет?

Секрет Полишинеля, что и потом, в «Сатурне» и «Динамо», по трансферным вопросам с ним не больно-то и советовались. Главный тренер лондонского «Челси» Жозе Моуринью как-то заметил, что если бы владелец клуба Роман Абрамович приобретал игроков, не считаясь с его мнением, «Челси» бы вылетел во второй дивизион, а если бы он, Моуринью, полез в финансовые вопросы, то «Челси» бы обанкротился. Боссы клуба относятся к тренеру так, как ставит себя сам тренер. Романцев, превратившись из президента и хозяина «Спартака» в наемного работника, поставить себя так и не смог. И это — еще одна причина его бед.

Что происходит с теми, кто стоит на месте, в разговоре со мной осенью 2004-го заметил тот же Моуринью: «Мне надо расти каждый день хотя бы потому, что, стоя на месте, можно продержаться максимум два года. Через пять лет такого простоя ты исчезнешь с тренерской сцены. Как и с любой сцены в жизни».

Нынешнего хозяина «Спартака» Леонида Федуна, бывало, упрекали за то, что вопрос о возвращении Романцева на пост главного тренера он не рассматривал. Осенью 2004-го в нашей беседе Федун, выразив уважение знаменитому тренеру, тактично заметил: мол, давайте понаблюдаем за успехами Олега Ивановича в «Динамо».

Федун — крупный бизнесмен, а такие люди не живут ностальгией. И хотя жизнь так и не доказала правильность выбора им Александра Старкова, правильность невыбора Романцева сомнению вряд ли подлежит. Теперь, полагаю, даже у сентиментальных спартаковских болельщиков.

«Работаю с таким же рвением, как в первый год в „Спартаке"»,— обманывал себя Романцев в зимнем интервью 2005 года, будучи главным тренером «Динамо». Хотя казалось это правдой: все, кто приезжал в расположение бело-голубых, отмечали необычайную энергию и живость тренера. Точно так же отмечали ее и годом ранее на предсезонных сборах «Сатурна».

Этого оказалось недостаточно. «Можно лечь спать талантливым, а проснуться бездарным»,— сказал кто-то из мудрых. Говорить так о Романцеве было бы, конечно, некорректно. Но эта сентенция отражает суть беды человека, которому наш футбол многим обязан. И которого Евгений Ловчев, один из самых знаменитых капитанов «Спартака», человек, который не испытывает к Олегу Ивановичу никаких личных симпатий, тем не менее после отставки назвал «спартаковским памятником».

⚽ ⚽ ⚽

А еще Романцев менялся вместе со временем. Он начинал в «Спартаке», когда всю страну сшиб с ног запах свободы, когда высшей ценностью для миллионов были не деньги (их тогда сдуло, как пыль), а правда — из телепрограммы «Взгляд», журнала «Огонек» или «Нового мира». Когда все млели от откровенности молодых и бесстрашных депутатов из «межрегиональной группы», шахматные битвы Каспарова с Карповым рассматривали как борьбу новой жизни со старой и восторгались речью с танка, произнесенной будущим президентом России во время путча.

Пройдут годы. Лица депутатов и тележурналистов заметно округлятся, шахматный гений из финансовых побуждений развалит свой мир на несколько королевств, а глава государства окружит себя сытыми придворными и начнет, покачиваясь на ветру, дирижировать оркестром.

С Романцевым, обласканным той же самой властью и системой в его звездные 1990-е (вспомните приход Бориса Ельцина в раздевалку после победы над «Фейеноордом» и помощь Национального фонда спорта), убежден, произошло то же самое. Талантливому тренеру ситуация не только в клубе, но и в национальном футболе и в стране позволила превратиться в неадекватного самодержца. У которого вовремя не оказалось ни сдерживающих факторов, ни противовесов.

Романцев со «Спартаком» разошлись, и никто из них с тех пор не был счастлив порознь.

Возможен ли фантастический сюжет: тренер возвращается в команду, и они вместе расцветают так же, как раньше?

Думаю, что нет.

Такое бывает только в голливудских сказках. А у нас — жестокая российская футбольная жизнь.

ГЛАВА

2.

ТИХОНОВ
НАВСЕГДА

«Спорт-экспресс»

ЕСЛИ ИСКАТЬ некий поворотный пункт в истории «Спартака» конца XX века, момент, когда что-то в чемпионском механизме незримо надломилось, то скоропалительное изгнание капитана Андрея Тихонова в сентябре 2000-го приходит на ум в первую очередь.

У этого тезиса, не сомневаюсь, найдется немало противников. Большинство скажет, что «Спартак» рассыпался куда позже — после прихода на пост президента клуба Андрея Червиченко. Другие вспомнят отставку Олега Романцева с его десятью чемпионскими титулами...

На мой взгляд, все это было звеньями одной цепи, продолжением одной и той же истории, которая не с Тихонова началась, но именно в миг вынужденного ухода кумира миллионов людей уколола в сердце каждого нетолстокожего болельщика.

Один из таких, писатель-сатирик Виктор Шендерович шестью годами позже скажет мне: «Традиции Романцева по духу напоминали работорговлю. Не отпустить Цымбаларя в „Рому", чтобы потом отчислить его... Выгнать из команды Тихонова... С моей точки зрения, если есть вообще футболист, про которого я мог бы сказать, что это „мой" игрок по отношению к игре и публике, то это Андрей Тихонов. Это больше чем хороший футболист, диспетчер и даже капитан. Это душа команды. Я болел за „Спартак", пока там был Тихонов. А когда его выбросили, из „Спартака" ушло что-то очень важное. Настолько важное, что дальнейшая судьба команды стала не то чтобы местью, а каким-то естественным развитием событий. Человеку мало, чтобы у него двигались руки и ноги,— еще надо, чтобы внутри было сердце. По крайней мере, чтобы он мог нравиться. Тихонов — такой игрок. Был и есть. И я теперь за „Химки" болею. Конечно, не хожу на матчи, но когда играют „Химки", хочу, чтобы они выиграли, потому что там Тихонов. Это такая психология болельщицкая»...

Что же за история приключилась не с Тихоновым, а со «Спартаком» вообще — но главной иллюстрацией которой стало именно изгнание Андрея?

Суть этой истории в том, что в «Спартаке», упиваясь собственной непобедимостью, год от года все больше переставали ценить людей. Даже таких, как Тихонов. Творческое содружество превратилось в царство муштры и диктата, где только один человек, Олег Романцев, знал Высшую Истину. И, обладая всей полнотой власти, периодически выкидывал из команды наиболее авторитетных футболистов, чтобы держать остальных в еще большем страхе: если так поступили с самими Цымбаларем и Тихоновым, что же могут сделать с нами?! Когда потом то же самое сделали уже с Романцевым, это было естественным следствием изменений, которые произошли с ним самим. Закон физики: действие равно противодействию.

Символично, что в апреле 2001-го главный тренер сборной России Романцев, отвечая на вопрос журналистов о перспективах возвращения в национальную команду Тихонова, а также еще двоих отчисленных им из «Спартака» игроков — Валерия Кечинова и Евгения Бушманова, раздраженно бросил: «Никаких перспектив. Отыгранные футболисты». Если кто не понял — футболисты, которые свое уже отыграли. Кечинов вскоре ответил Романцеву двумя голами в матче «Сатурна», его новой команды, со «Спартаком». И подбежал к скамейке со штабом «Спартака», и не очень пристойно отсалютовал ей, чтобы все поняли, кому он «посвятил» эти свои голы. У болельщиков красно-белых душа разрывалась надвое...

Позже, в их устах, романцевская фраза постепенно превратилась в еще более жесткую, совсем уж бесчеловечную — «отработанный материал». Таких слов, справедливости ради, тренер не говорил. Более того, как непосредственный участник той пресс-конференции на базе сборной в Бору перед матчем Россия—Югославия уточню, что в действительности Романцев сказал «отыгранные игроки». В «футболистов» они превратились в газетах из соображений чистоты русского языка.

Но сути сказанного эта небольшая стилистическая поправка не меняла, и ее — в виде того самого не произнесенного, но имевшегося в виду «отработанного материала» — болельщики уловили точно. Да и не могло быть иначе: людям, которые кого-то по-настоящему любят, не обязательно вдумываться в нюансы формулировок. Достаточно интонации, взгляда, жеста. Всего, что доступно пониманию сердца.

Горькая ирония судьбы: любимой фразой Романцева со временем станет совет, когда-то данный ему великим хоккейным тренером Анатолием Тарасовым: «Олег, чтобы быть тренером, нужно уметь „резать мясо"». «Мясом» ведь когда-то стали в просторечье называть... «Спартак» — из-за того, что в 1930-е годы предтечей этого клуба была Промкооперация. Годах в 1970—80-х поклонники других клубов пренебрежительно называли этим словом болельщиков «Спартака», в школах это было одной из самых обидных дразнилок, отражалось оно и в заборных «граффити», где к нарисованному мелом спартаковскому ромбу соперники злорадно приписывали с одной стороны буквы «мя», с другой — «о». В последнее время неформальное прозвище «легализовалось», молодые спартаковские поклонники сами принялись с гордостью именовать себя «мясом». И даже игроки Егор Титов с Дмитрием Сычевым, срывая с себя футболки после забитого гола, оказывались в майках с надписью: «Кто мы? Мясо!» После чего эти майки начали на ура продаваться на околостадионных лотках со спартаковской атрибутикой. И продаются по сей день.

Есть какая-то мрачная символика в том, что Романцев, капитан и самый успешный по титулам тренер в истории «Спартака», во всеуслышание объявил о необходимости «резать мясо». Пусть и имея в виду совсем другое.

Слова материализовались.

☻ ☻ ☻

21-летний Тихонов пришел в «Спартак» по ходу первого чемпионата России в 1992 году из подмосковного Реутова, где играл в третьей по счету лиге за более чем скромный «Титан». Встретился однажды «Титан» со спартаковским дублирующим составом, и, на счастье Тихонова, на ту игру приехал Романцев, который в те годы посещал почти все матчи резервистов, а в конце 1990-х ездить на них вообще перестал. А тогда Тихонов был замечен и приглашен. Любопытная деталь: тот матч «Титан» проиграл, и Андрей не забил. Но в ту пору за Романцевым водилась слава видеть на поле то, что недоступно другим. Даже по какому-то одному движению он мог вычислить будущего мастера. Этот-то вкус на игроков выдающемуся тренеру спустя десять лет начнет безбожно изменять...

Всего годом ранее, когда еще разыгрывалось первенство СССР, не было и речи о том, чтобы эта командочка, «Титан», выступала на профессиональном уровне. Вот и думай теперь: если бы не развалился Союз и не упал резко уровень соревнований, разве появился бы у Тихонова в его «Титане» хоть малейший шанс попасть в «Спартак»? Жизнь — она вся состоит из необъяснимых парадоксов.

Поразительно, что родился Тихонов в нескольких сотнях метров от родного дома красно-белых — базы в Тарасовке. Судьба? Но футболом он занимался вовсе не в спартаковской школе, а в секции своего родного подмосковного Калининграда, ныне Королева. А когда исполнилось 18, ушел служить. Да не просто в армию — во внутренние войска, в Сибирь, охранять заключенных. Вспоминать о тех временах он не любит.

Андрей рассказывал мне, что за два года службы ни единожды (!) не коснулся мяча. А на вопрос: «Возникала ли там угроза вашей жизни?» ответил: «Не раз. Но зачем сейчас об этом вспоминать?»

Для профессионального футболиста такого уровня, который, по всеобщему убеждению, обязан тренироваться лет с шести-семи, как автомат, дни, месяцы и годы напролет, такой сюжет кажется невероятным. Но если как следует покопаться, в судьбе каждого по-настоящему большого спортсмена что-то не будет укладываться в обывательском сознании. Потому и сходят с ума, глядя на них, миллионы здравомыслящих вроде бы людей.

✪ ✪ ✪

Попав в «Спартак», Тихонов успел получить благословение своего предшественника по статусу главного кумира спартаковских болельщиков — Федора Черенкова. Человека, возведенного красно-белой публикой в ранг святого.

Для несметного числа людей, в том числе и для автора этой книги, именно Черенков, а не Пеле, Марадона или Роналдинью — вопреки всякой сухой логике, любимый футболист всех времен и народов. И пусть ему не довелось сыграть ни на одном чемпионате мира, пусть о нем мало кто знает за рубежом, на оценку роли Черенкова любым «спартачом» 1980-х этот факт никак не влияет. Что-то было в Феде (только так его называли на трибунах, ни в коем случае не полным именем и уж тем более не по фамилии) такое, что заставило многие тысячи людей плакать на стадионе «Динамо» и у телеэкранов, когда в августе 1994-го в перерыве его прощального матча против итальянской «Пармы» он бежал под пение Тамары Гвердцители «Прощай, король!»; что и сегодня заставляет в городах всего бывшего Союза ломиться на матчи ветеранов «Спартака» аудиториям в 20—30 тысяч зрителей и уходить оттуда со слезами на глазах. Слезами ностальгии и романтического футбола, какого сейчас уже нет. Футбола Черенкова.

Гений дирижера атак совмещался в нем с субтильной фигурой, которую, казалось, вот-вот затопчут могучие соперники, но он ускользал от них, вызывая людской восторг, какой всегда испытываешь, видя торжество физически более слабого, зато озорного и искусного. А еще — с тихим, еле слышным голосом, какой-то виноватой улыбкой и потрясающей для футболиста такого масштаба стеснительностью. В 1987-м году он забил свой сотый гол в матче с днепропетровским «Днепром» с неверно назначенного судьей пенальти — так, представьте, его до сих пор мучает совесть, что не отказался подойти тогда к 11-метровой отметке. Черенков не боится признаться в этом на всю страну...

Он заслужил гораздо более счастливую судьбу. В 1983-м Черенкова загоняли матчами во всех возможных турнирах — и за клуб в Союзе и европейских кубках, и за первую, и за молодежную сборную — и ранней весной следующего года психика игрока дала срыв. С тех пор Федору неоднократно приходилось проходить курсы лечения, и играть он мог далеко не всегда. Но без Черенкова «Спартаку» никогда бы не завоевать два остававшихся на его долю титула чемпионов СССР — в 1987-м и 1989-м.

В 1990-м Валерий Лобановский вновь не дал ему шанса, на сей раз последнего, сыграть на чемпионате мира. Спартаковские болельщики выли от негодования и ненавидели выдающегося киевского тренера лютой ненавистью. Когда сборная без Черенкова не снискала лавров в Италии, поэт-песенник Игорь Шаферан откликнулся в еженедельнике «Собеседник» четверостишием:

ФЕДЯ В «СПАРТАКЕ» СЕБЯ НАШЕЛ
И ПРИШЕЛ СО «СПАРТАКОМ» К ПОБЕДЕ.
ФЕДЕ И БЕЗ СБОРНОЙ ХОРОШО,
НУ А СБОРНОЙ — НЕ ВСЕГДА БЕЗ ФЕДИ.

В середине сезона 1990 года Черенков, уже 31-летний, решил попробовать себя за границей — во французском «Ред Старе». 12 июля, в день прощального матча в Лужниках против «Торпедо», в Москве хлестал жуткий ливень. Только что закончился чемпионат мира, и народу на матче ожидалось немного — послевкусие красочных мировых первенств, особенно в случае неудачного выступления отечественной сборной, всегда заставляет нашего болельщика на некоторое время уйти со стадионов. Но проводить Черенкова пришли 30 с лишним тысяч. Когда ударом с 20 метров Федор забил свой первый в том сезоне гол, счастливее тех, кто там был, не было людей на земле. Сужу об этом, извините уж, по собственному примеру.

Но долго без «Спартака» Черенков не смог, вернулся в следующем же году. Когда в 1993-м в основной состав пришел молодой Тихонов, Федор проводил свой последний сезон. И вот еще один знак судьбы — на предсезонном сборе в Германии их поселили в одном гостиничном номере. «Я быстро признал в Андрее талантливого игрока,— рассказывал мне Черенков весной того года.— А потом и как человека узнал. Он добрый и открытый парень. Часто подходит: „Если что не так делаю, Федорыч, скажи, объясни на пальцах"».

❀❀❀

Сейчас от очень многих совсем молодых футболистов, не сделавших в своей жизни еще ни одного важного удара по мячу, зато получающих (не зарабатывающих, а именно получающих) по 10 тысяч долларов в месяц, за версту разит высокомерием и нежеланием чему-либо учиться. Такова конъюнктура рынка: введен лимит на легионеров, с каждым годом в составе команд должно будет выходить на поле все больше россиян, а их — раз-два и обчелся. Вот и ведется за них между клубами борьба, зашкаливающая за все рамки разумного, вот и платят им незаслуженные деньги, вот и портятся на корню характеры и убивается мотивация к дальнейшему росту. А тогда, в 1993-м, в ответ на просьбу об интервью Тихонов сказал мне: «Да что я сделал в футболе, чтобы обо мне писать?!»

Писать о себе Тихонов заставил через несколько месяцев, в октябре 1993-го. К тому времени он уже забил несколько мячей за основной состав «Спартака» (в частности, в первом же своем матче, против московского «Динамо»), но периодически еще выступал за дубль. В одном из таких матчей, против «Рекорда» из Александрова, Андрей действительно установил рекорд: при счете 8:0 забил все до единого голы! При этом ухитрился еще и не реализовать пенальти.

Характер человека иногда помогают понять нюансы — слова, жесты, взгляд. Об одном таком случае, связанном с Тихоновым, я узнал от своего хорошего знакомого — бывшего футболиста, который стал его невольным свидетелем. Произошло это тогда же, в 1993-м.

Основной состав «Спартака» проводил контрольный матч. Тихонов, в ту пору еще дублер, участия в нем не принимал, сидел на трибуне и разговаривал с женой одного из самых популярных в ту пору игроков красно-белых. Когда этот футболист (его имя не называю из этических соображений) уже после матча проходил мимо, знакомые не удержались, чтобы подначить его: «Не боишься, что твоя жена к Тихонову уйдет?» Игрок рассмеялся и заявил: «Да он никогда в жизни не будет зарабатывать таких денег, как я!»

Тихонов ничего не ответил. Но посмотрел на своего одноклубника таким взглядом, что видевшим эту сцену стало ясно: когда-нибудь у него обязательно будет больше славы и денег, чем у того, кто пророчил обратное...

О его феномене можно говорить часами. Вспоминать, например, как в 1996 году «детский сад» Георгия Ярцева выиграл в Санкт-Петербурге два решающих матча — сначала у «Зенита» и затем переигровку за «золото» у владикавказской «Алании», и в обоих этих матчах победные голы забивал Тихонов. Удивляться способности Андрея поражать чужие ворота в самые нужные моменты — не только в «золотом» матче—1996, но и в финале Кубка России—1998 против «Локомотива», и в ключевой встрече чемпионата-1999 против него же, и в обоих поединках полуфинала Кубка УЕФА против миланского «Интера», когда только гений Роналдо смог оказаться выше этого тихоновского умения...

При этом Тихонов и близко не считался самым талантливым игроком «Спартака» 1990-х. И Ледяхов, и Пятницкий, и Цымбаларь, и Аленичев, и Титов, и Кечинов по индивидуальному мастерству котировались выше. Но дух победителя, характер, умение переломить себя в самый трудный момент матча — все это было свойственно Тихонову более чем кому бы то ни было. Потому он и стал олицетворением «Спартака». Не обязательно ведь быть самым одаренным: из поколения 1990-х дольше и успешнее всех в Европе играл Валерий Карпин. Тот самый Карпин, что пришел в «Спартак» из воронежского «Факела» крайне прямолинейным, мало что умеющим, но потрясающе трудолюбивым игроком. Болельщики брезгливо называли его тогда Буратино — «деревянный», дескать, неспособный ни к какому творчеству, напрочь лишенный изюминки. А пару лет спустя удивлялись, каким образом вдруг из Карпина получился прекрасный игрок, лидер, а впоследствии еще и упрямец, которому удалось через Европейский суд выбить право россиян не подпадать в клубах стран Евросоюза ни под какие ограничивающие их права квоты...

Таким же игроком-трудоголиком был и Тихонов. В реестрах его подвигов значились не только голы. Когда в том же 1996-м в критический момент матча Кубка УЕФА с датским «Силькеборгом» с поля удалили вратаря Нигматуллина, а количество замен уже было исчерпано, в ворота «Спартака» встал Тихонов. Один пропущенный гол — и красно-белые вылетели бы из Кубка. Но Андрей отбил сложнейший мяч, пущенный со штрафного, и не позволил датчанам победить. Этот случай стал неотъемлемой частью легенды о Тихонове.

В 1999 году случился первый в России серьезный стадионный конфликт между болельщиками и ОМОНом — в подмосковном Раменском во время матча «Сатурна» со «Спартаком» отряд особого назначения переусердствовал с мерами против московских фанатов, и те принялись швырять в милиционеров чем придется. Вырванные с корнем пластиковые кресла летели в омоновцев сотнями, и судье пришлось остановить матч. Кто пошел с мегафоном на трибуны, чтобы успокоить разбушевавшуюся толпу? Конечно, Тихонов. Он же оставался хладнокровным в самых горячих ситуациях на поле, когда бушевали страсти, игроки были готовы наброситься на судей и друг на друга — скажем, в 1999 году в Волгограде, когда неверное решение арбитра Николая Левникова на исходе матча вызвало ярость спартаковцев.

У каждого большого футболиста должна быть своя фирменная «фишка», «товарный знак», то, благодаря чему он запомнится на десятилетия. Была она и у Тихонова.

Это — удар в ближний угол.

Согласно всем футбольным канонам, голкипер не имеет права пропускать мячи после таких ударов:

именно за ближний угол, как принято считать, он отвечает головой. Полетит мяч в дальний — ничего страшного, такие выстрелы, если они сильны и точны, не берутся.

Потому и бьют игроки, как правило, в дальний угол — так больше шансов, что вратарь не дотянется. Но ведь и голкиперы предполагают, что последует удар туда, в дальний!

Тихонов на этом и играл. Выходя к воротам с края (а учитывая, что он выступал на позиции левого полузащитника, по-другому и не получалось), он вдруг хлестко бил туда, куда «по науке» бить не должен,— в ближний угол. Сколько вратарей ловились на этот нехитрый вроде бы трюк!

И теперь, когда очередной спартаковец наносит правильный, но слишком уж стандартный удар в дальний угол, который не приводит к голу, болельщик 1990-х вздыхает: «Вот пробил бы он, как Тихонов,— точно бы поймал вратаря на эффекте неожиданности».

Это и есть настоящая болельщицкая память. Как пасы Черенкова, как прыжки по «девяткам» Дасаева, как финты Цымбаларя — так же надолго останутся в нашей памяти удары Тихонова в ближний угол. Решающие удары.

⚽ ⚽ ⚽

В общем, к концу 1999 года, когда Тихонов завоевал свою шестую золотую медаль, забил фантастические для полузащитника 19 голов за чемпионат и произнес слова: «Останусь в „Спартаке", пока ему нужен» (а ведь тогда еще все рвались играть за рубеж!), для болельщиков команды он был уже почти богом.

⚽ ──

— Как бы вы восприняли гипотетическое предложение перейти в ЦСКА? — спросил я Тихонова в интервью «Спорт-экспрессу» шесть лет спустя, когда спартаковская часть его карьеры осталась далеко позади.

— Противостояние спартаковских и армейских болельщиков — очень серьезная вещь, которую нельзя не учитывать. Мне и сейчас, когда «Химки» (именно там ныне выступает Тихонов.— Прим. И. Р.) играли финал Кубка России с ЦСКА, кричали: «Мясо!» И когда выступал против армейцев за «Крылья Советов», тоже кричали. Видимо, насолил я им в свое время так, что до сих пор забыть не могут. Я всегда в ответ на эти крики улыбался, даже хлопал. Хотят кричать «Мясо!» — пусть кричат. Но можно представить, что бы произошло, если бы я перешел в ЦСКА. Меня тогда бы вообще сожрали. Причем как одни фанаты, так и другие.

— Со спартаковскими фанатами у вас, насколько помню, никогда конфликтов не было?

— А с чего бы им быть, если я к ним всегда с уважением относился? Однажды случилась даже вот какая история. Существовала небольшая фанатская группировка, и у них было 20 или 30 шарфов, сделанных на заказ, уникальных. И один

ПАРЕНЬ ПОДАРИЛ МНЕ ТАКОЙ ШАРФ. СВОЙ. ПОТОМ
МНЕ РАССКАЗАЛИ, ЧТО У НЕГО БЫЛИ НЕПРИЯТНОСТИ, —
ШАРФ ДОЛЖЕН БЫЛ НАХОДИТЬСЯ У НЕГО И ТОЛЬКО У
НЕГО. НЕДАВНО КО МНЕ В ХИМКИ ПРИЕЗЖАЛИ СПАРТА-
КОВСКИЕ ФАНЫ, Я ИМ ДАВАЛ ИНТЕРВЬЮ ДЛЯ КЛУБНО-
ГО ИЗДАНИЯ, ВСПОМИНАЛ И О КОМАНДЕ, И О БОЛЕЛЬ-
ЩИКАХ — И ПРЕДЛОЖИЛ ЧЕРЕЗ НИХ ВЕРНУТЬ ПАРНЮ
ШАРФ. НО ОНИ МЕНЯ ЗАВЕРИЛИ, ЧТО ВСЕ ПРОБЛЕМЫ
ПОЗАДИ И Я МОГУ ОСТАВИТЬ ЕГО У СЕБЯ.

— ВЫ ПРОДОЛЖАЕТЕ СЧИТАТЬ СЕБЯ СПАРТАКОВЦЕМ?

— ДА. НЕВОЗМОЖНО ЗАБЫТЬ, КАК С НАМИ, ДУБЛЕРАМИ,
САДИЛСЯ В АВТОБУС ОСНОВАТЕЛЬ КЛУБА НИКОЛАЙ ПЕТ-
РОВИЧ СТАРОСТИН, КОТОРОМУ БЫЛО УЖЕ ДАЛЕКО ЗА 90,
И ТРЯССЯ ПО УХАБАМ 70 КИЛОМЕТРОВ. КАК НА ОДНОЙ
ИЗ ТОРЖЕСТВЕННЫХ ЦЕРЕМОНИЙ МЕНЯ ОБНЯЛ И РАСЦЕ-
ЛОВАЛ ЕЩЕ ОДИН ВЕЛИКИЙ СПАРТАКОВЕЦ — НИКОЛАЙ
НИКОЛАЕВИЧ ОЗЕРОВ. КАК НА ДРУГОЙ ЦЕРЕМОНИИ МНЕ
ВРУЧАЛ ПРЕМИЮ ВЕРНЫЙ ПОКЛОННИК «СПАРТАКА» АР-
МЕН ДЖИГАРХАНЯН. Я РОБЕЛ, ХОТЕЛ ПРОСТО ПОЗДОРО-
ВАТЬСЯ, А ОН МЕНЯ, КАК СЫНА, ОБНЯЛ. МНЕ В 1993-М
ДОВЕЛОСЬ ЖИТЬ В ОДНОМ НОМЕРЕ С ФЕДОРОМ ЧЕРЕН-
КОВЫМ, ИГРАТЬ В ОДНОЙ КОМАНДЕ С СЕРГЕЕМ РОДИО-
НОВЫМ. И ТО, ЧТО МЕНЯ НЕ ЗАБЫВАЮТ СПАРТАКОВСКИЕ
БОЛЕЛЬЩИКИ, ТОЖЕ ВИЖУ. ЭТО ЖУТКО ПРИЯТНО.

— ХОТЕЛИ БЫ КОГДА-НИБУДЬ СТАТЬ ГЛАВНЫМ ТРЕНЕРОМ
«СПАРТАКА»?

— ПОКА ОБ ЭТОМ ГОВОРИТЬ РАНО. НО, КОНЕЧНО, ХО-
ТЕЛ БЫ.

✿✿✿

...Наступил 2000-й — и все изменилось, белое стало черным. Для начала у жены Надежды буквально из-под носа бесследно угнали джип, лишь в последнюю секунду — и то слава богу! — выбросив из машины их годовалого сына Мишу. Воспоминания об угоне оказались настолько сильны, что бережно отстроенный дом в Тарасовке спустя полгода Тихоновы продали, переехав в Королев.

А когда начался сезон, вдруг выяснилось, что в украденном джипе словно хранилось тихоновское голевое чутье.

В третьем туре «Спартак» встретился в Лужниках со своим главным соперником последних лет — «Локомотивом». Годом ранее команда Юрия Семина в течение сезона играла не хуже красно-белых, но в обеих очных встречах была разгромлена — дважды по 0:3. Тихонов в тех матчах блистал. Все вокруг говорили о чемпионской психологии у «Спартака» и спартаковском комплексе у «Локомотива», который не мог к тому моменту даже сыграть вничью с красно-белыми четыре года подряд.

«Спартак» весь матч атаковал, «Локомотив» — из последних сил оборонялся. На последних секундах, при счете 0:0, в ворота «Локо» был назначен пенальти. К мячу подошел Тихонов. Все должно было быть как всегда.

Но он не забил.

Сейчас Андрей говорит, что за тот пенальти ему до сих пор стыдно. По-моему, стыдиться можно дурных человеческих поступков, но никак не отвернувшейся волею случая удачи. В конце концов, чемпионат-то тот «Спартак» все равно выиграл! К тому же у каждого выдающегося футболиста есть на счету смазанный 11-метровый. Иначе и быть не может — большой карьере противопоказано быть стерильно гладкой, в ней обязан присутствовать элемент драмы. Но Тихонов не мог предполагать, что драма с этого мига не то что не закончилась — она только начинается.

Весь сезон-2000 после того злосчастного пенальти Тихонов выглядел крайне скованным, напрочь потерял свою фирменную уверенность в себе. Раньше он создавал голы из ничего, нанося какие-то немыслимые удары в ближние углы, как говорят футболисты, «из песочной ямы». Теперь он, наоборот, губил голевой момент за моментом. За полгода забил всего один гол — и тот в рутинном разгроме аутсайдера, волгоградского «Ротора». Этот единственный мяч, забитый в матче, выигранном со счетом 6:1, выглядел нелепо на фоне прошлогодних 19.

Романцев полгода ждал, не слушал советчиков, публично призывавших его посадить капитана на скамейку запасных или вообще временно отправить в дубль. Его консерватизм до поры до времени вообще был известен: он верил в своих ключевых игроков до последнего. То есть — ценил людей, которые многое для него сделали. И на протяжении многих лет ничего не говорил о необходимости «резать мясо». Такая лексика появилась у него как раз в конце 1990-х...

Первые признаки того, что отношение к людям в «Спартаке» у тренера тоже стало другим, появились не в случае с Тихоновым, а годом ранее, в 1999-м. В одночасье, незадолго до старта Лиги чемпионов, из «Спартака» были отчислены еще один многолетний кумир, изумительно талантливый и техничный одессит Илья Цымбаларь, а также нападающий Сергей Юран, менее года назад вернувшийся из-за границы. Юран, прежде чем помириться с Романцевым спустя годы, успел бросить в телепрограмме: «Романцев выбрасывает футболистов, словно стоптанные туфли». Да, эмоции, но разве жизнь не показала точность этой формулировки?

В любом случае отчисление двух опытных и заслуженных игроков стало, что называется, знаковым.

В жизни «Спартака» наступил новый этап — конституционная монархия превратилась в монархию абсолютную. Впрочем, могло ли быть иначе, когда один и тот же человек был главным тренером и президентом «Спартака», а также главным тренером сборной страны? Может ли хоть кто-то при такой безграничной власти не только внутри ведущего клуба, но и, по сути, во всем национальном футболе остаться здравомыслящим адекватным человеком? Теперь, после прихода голландца Гуса Хиддинка в сборную, новых хозяев — в «Спартак» и категорического отказа нового президента РФС Виталия Мутко от практики совмещения постов в клубе и сборной былой абсолютизм кажется невозможным. А ведь был-то он всего пять лет назад...

За месяц до истории в Мадриде, оставившей «Спартак» без Тихонова, я в материале для «Спорт-экспресс-журнала» задался вопросом: «Не повторит ли Тихонов печальную судьбу других экс-капитанов „Спартака" — Пятницкого и Цымбаларя?» На эту мрачную мысль меня натолкнул почти демонстративный отказ Романцева взять Тихонова в сборную перед первым отборочным матчем чемпионата мира—2002 со Швейцарией. У Романцева такое бывало в исключительных обстоятельствах.

Швейцария была первым звонком. А последним, месяц спустя, стал матч Лиги чемпионов в Мадриде против «Реала», когда Тихонов не смог помешать Ивану Эльгере нанести победный удар, а заодно не использовал очередной голевой момент. Через день, после выходного, на тренировке «Спартака» капитана уже не было. По словам Романцева, Тихонов «психологически устал», они с ним переговорили и сошлись на том, что игроку необходимо какое-то время отдохнуть. Вскоре выяснилась правда: это не отдых, а отчисление.

Слух о том, что Романцев и Тихонов повздорили в самолете, опровергли летевшие со «Спартаком» коллеги. По их словам, весь полет тренер общался в первом классе с актером Александром Калягиным, поехавшим в Мадрид поддержать красно-белых, и к игрокам ни разу не выходил.

Наиболее реальная версия происшедшего выглядит так. В раздевалке после матча «Реал»—«Спартак» обескураженный поражением Тихонов начал громко критиковать своего партнера Виктора Булатова. На это отреагировал Романцев, вроде бы сказавший капитану что-то наподобие: «Прежде чем осуждать других, посмотри на себя». Тихонов на мгновение вспылил, бросил что-то резкое — и этого было достаточно. Романцев конца 1990-х не терпел, когда кто-то ему перечил. Еще из одного близкого к команде источника следовало, что друг Тихонова Егор Титов попробовал было попросить Романцева об индульгенции капитану, но якобы нарвался на жесткое: «Не подходи ко мне по таким вопросам, иначе будешь следующим».

Сегодня Тихонов, человек незлопамятный, говорит о своей благодарности Романцеву за былое, обменивается с ним рукопожатиями и с радостью общается. Но весной 2001-го, когда боль еще не отошла, я стал свидетелем разговора экс-капитана «Спартака» с питерскими журналистами после матча «Зенита» с новой тихоновской командой «Крылья Советов».

— Вы ушли из «Спартака»,— начал вопрос коллега. И был остановлен горькой репликой Тихонова:

— Я не ушел. Меня выгнали...

Любопытно, кстати, как изгнание было обставлено. Пять лет спустя об этом расскажет Андрей Червиченко. О том, что такой человек существует, в ту пору никто из болельщиков «Спартака» еще не ведал — будущий президент, а тогда спонсор, в официальной структуре клуба не значился («В 2000 году я финансировал клуб, но никто об этом не знал»,— подтвердил недавно Червиченко). Но на выезды с командой уже ездил. В том числе и в Мадрид.

Итак, слово Червиченко: «Тогда ни на секунду не сомневался в правоте Романцева, который сказал, что Тихонов команде не нужен. Все было в стиле Олега Ивановича: „Я ничего Тихонову не буду говорить — скажите вы". Мы Андрею и сказали: „Ты свободен". Сейчас иногда ловлю себя на мысли, что мы совершили глупость. Он, полагаю, и сегодняшнему „Спартаку" пригодился бы».

✪ ✪ ✪

Вроде бы все ясно. Тренер посчитал, что амбиции стареющего капитана больше не соответствуют его возможностям, и в такой ситуации наилучший выход — расстаться. Главная беда даже не в том, что это мнение оказалось ошибочным. Беда в том, как было обставлено это расставание и что последовало за ним. Увы, оно поставило четкий диагноз, во что начал превращаться «Спартак» — когда-то команда, обожаемая интеллигенцией за демократизм атмосферы и стремление никогда не терять честь и достоинство. Но благородные времена патриарха клуба Николая Старостина, увы, миновали.

— Правда, что после отчисления вас даже не пустили на базу в Тарасовку? — спросил я Тихонова в интервью «Спорт-экспрессу» летом 2005 года.

— Да. Поехал за вещами, а охранники говорят: «Извини, мы тебя на базу не пустим». Пришлось по-

ТРЕБОВАТЬ, ЧТОБЫ ОНИ ПОЗВОНИЛИ РОМАНЦЕВУ И ОБЪЯСНИЛИ, ЧТО МНЕ НАДО ЗАБРАТЬ ВЕЩИ. ОЧЕНЬ НЕПРИЯТНО БЫЛО.

— ЗОЛОТУЮ МЕДАЛЬ ЗА 2000 ГОД В КОНЦЕ КОНЦОВ ПО-ЛУЧИЛИ?

— НЕТ, НИКТО МНЕ ЕЕ ТАК И НЕ ВРУЧИЛ. ТО, ЧТО НЕ ПРИ-ГЛАСИЛИ НА ЧЕСТВОВАНИЕ, ЕЩЕ ПОНЯТЬ МОЖНО: МЕНЯ ИЗ КОМАНДЫ УЖЕ УБРАЛИ. НО ТО, ЧТО ОСТАЛСЯ БЕЗ МЕДАЛИ… Я ЖЕ НЕ ПРОШУ НАГРАДУ ИЗ ЧИСТОГО ЗОЛОТА, ДАЙТЕ ПРОСТО ЖЕЛЕЗКУ ОТ РФС. ОБЫЧНУЮ ЖЕЛЕЗКУ — ЧЕЛОВЕКУ, КОТОРЫЙ ОТДАЛ КОМАНДЕ ВО-СЕМЬ ЛЕТ! МНЕ КАЖЕТСЯ, ЛЮДЯМ, КОТОРЫЕ ЭТО СДЕ-ЛАЛИ, ДОЛЖНО БЫТЬ СТЫДНО. КОЕ-КОМУ Я ГОВОРИЛ ОБ ЭТОМ. ОПУСКАЮТ ГЛАЗА. (ЧЕРЕЗ НЕСКОЛЬКО МЕ-СЯЦЕВ ПОСЛЕ НАШЕЙ БЕСЕДЫ ОДИН ИЗ СТАРЕЙШИХ СПАРТАКОВЦЕВ, НАЧАЛЬНИК КОМАНДЫ ВАЛЕРИЙ ЖИЛЯЕВ ПРИВЕЗ ТИХОНОВУ ДВЕ НЕ ВРУЧЕННЫЕ ЕМУ ЗОЛОТЫЕ МЕДАЛИ В ХИМКИ. ПЯТЬ ЛЕТ СПУСТЯ! — ПРИМ. И. Р.)

— КАК ПЕРВЫЙ РАЗ ПОСЛЕ ОТЧИСЛЕНИЯ С РОМАНЦЕВЫМ ВСТРЕТИЛИСЬ?

— 3 ЯНВАРЯ 2001-ГО ЗА ОСТАВШИМИСЯ ВЕЩАМИ В ТАРА-СОВКУ ЗАЕХАЛ — ТАМ И СТОЛКНУЛИСЬ. ПОЗДРАВИЛ ОЛЕГА ИВАНОВИЧА С ПРОШЕДШИМ НОВЫМ ГОДОМ И НАСТУПАЮЩИМ ДНЕМ РОЖДЕНИЯ. ОН ПОБЛАГОДАРИЛ, УЛЫБНУЛИСЬ ДРУГ ДРУГУ. НОС НИКТО НЕ ВОРОТИЛ… СЕЙЧАС МЕЖДУ НАМИ ВСЕ В ПОРЯДКЕ. НЕДАВНО «ДИ-НАМО» И «ХИМКИ» ДОБИРАЛИСЬ ОДНИМ САМОЛЕТОМ НА СБОР В ТУРЦИЮ, ТАК МЫ МИНУТ 40 СИДЕЛИ В АЭРО-

ПОРТУ, ВСПОМИНАЛИ, КАКАЯ У НАС БЫЛА КОМАНДА. ДА, РОМАНЦЕВ РЕЖЕТ ПО ЖИВОМУ. СТИЛЬ РАБОТЫ ТАКОЙ. НАВЕРНОЕ, В ТОТ МОМЕНТ ОН ДУМАЛ, ЧТО ОДНОГО УБРАЛ — ОСТАЛЬНЫЕ ЗАИГРАЮТ ЛУЧШЕ. ЭТО ЧЕРВИЧЕНКО ПРАВИЛЬНО О РОМАНЦЕВЕ СКАЗАЛ. ТЕМ НЕ МЕНЕЕ Я ЗА МНОГОЕ ОЛЕГУ ИВАНОВИЧУ БЛАГОДАРЕН.

— НО ЕГО СЛОВ «ОТЫГРАННЫЕ ФУТБОЛИСТЫ», ПУБЛИЧНО СКАЗАННЫХ О ВАС, КЕЧИНОВЕ И БУШМАНОВЕ, ИЗ ПЕСНИ НЕ ВЫКИНЕШЬ.

— РОМАНЦЕВ ГОВОРИЛ, ЧТО ЖУРНАЛИСТЫ ЕГО НЕПРАВИЛЬНО ПОНЯЛИ… ТЕМ НЕ МЕНЕЕ ПОЛАГАЮ, ЧТО С ТЕХ ПОР Я ДОКАЗАЛ — И РОМАНЦЕВУ, И ВСЕМ ОСТАЛЬНЫМ,— ЧТО «ОТЫГРАННЫМ» НЕ ЯВЛЯЮСЬ.

По-моему, после этих слов станет гораздо меньше людей, которые удивлены приведенной мною в начале этой главы эмоциональной реакцией Виктора Шендеровича на уход Тихонова. Узнав о таком отношении, вполне можно если не перестать болеть за команду, то резко охладеть к ее руководству, которое так недостойно прощается с людьми, многие годы прославлявшими «Спартак». Недаром принято говорить, что интеллигентные люди расходятся без битья тарелок.

Романцев и в этом, и во многих других случаях интеллигентным человеком себя, к глубокому сожалению, не показал. Любому болельщику, обладающему тонкой душевной организацией, такая обстановка нравиться не могла. При Червиченко скандальность нового спартаковского имиджа примет едва ли не комедийные формы, во времена же прощания с Тихоновым эти неприятные ощущения были внове. Если кто подзабыл о первом тезисе этой главы — что именно с уходом капитана началось падение «Спартака»,— то вот вам лишний тому аргумент. Прощание это вышло, если называть вещи своими именами, хамским. Большому игроку плюнули в душу. Сам игрок, кстати, не сказал ни одного резкого слова в ответ, и первые откровения о тех днях мы узнаем от него только сейчас, спустя годы.

...В апреле 2001 года произошла горькая для болельщиков «Спартака», но, увы, закономерная в контексте всего, что происходило, история. Рассказали мне ее официальные лица новой команды Тихонова — «Крыльев Советов».

За день до матча первого тура, в котором самарский клуб встречался в Москве с «Динамо», Тихонов обратился через «Спорт-экспресс» к спартаковским фанам с просьбой прийти на стадион и поддержать его, пусть и выступающего теперь в форме другой команды. Оказалось, что была сделана видеозапись этого призыва, которую самарцы планировали показать на экране Лужников во время матча «Спартак»—«Сокол» (он игрался на день раньше). Все уже было согласовано на всех уровнях. Оставалось только получить добро от арендатора Лужников — Романцева. Но президент и главный тренер красно-белых, по информации из Самары, наложил на показ ролика категорическое вето...

✪ ✪ ✪

Уже тогда возникала мысль: о чем-то, связанном с конфликтом Тихонова и Романцева, мы не знаем. Какие-то были в этой истории подводные камни, подковерные интриги, приведшие к печальному исходу; невозможно такое стремительное низвержение лидера и капитана только на основании не слишком удачного сезона и выяснения отношений в раздевалке. В том же прошлогоднем интервью Тихонов подтвердил мне эти догадки.

— В одном из интервью вы сказали: «Если бы вычеркнул из жизни некоторые мои поступки в пользу футболистов в бытность спартаковцем, играл бы, может, в этой команде до сих пор». Что имели в виду?

— Если бы помалкивал в тряпочку и думал только о себе, может, и по сей день играл бы в «Спартаке». В 2000 году спартаковцам несколько месяцев не платили денег. Долгое время все молчали, не решались открыто высказаться. Но в конце концов я как капитан взял инициативу на себя и пошел к руководству.

✪

— К РОМАНЦЕВУ, КОТОРЫЙ ТОГДА БЫЛ ПРЕЗИДЕНТОМ КЛУБА?

— ДА. КАК ОКАЗАЛОСЬ — НА СВОЮ ГОЛОВУ. ЗЛА НА РОМАНЦЕВА Я НЕ ДЕРЖУ, ПРИ ВСТРЕЧАХ ОБНИМАЕМСЯ. В КОНЦЕ КОНЦОВ, ИМЕННО ОН СДЕЛАЛ ИЗ МЕНЯ ФУТБОЛИСТА, И Я НА НЕГО ЗА ЭТО МОЛИТЬСЯ ДОЛЖЕН. НО НЕ СОМНЕВАЮСЬ: ТОТ ЭПИЗОД СТАЛ ОДНОЙ ИЗ ГЛАВНЫХ ПРИЧИН МОЕГО ОТЧИСЛЕНИЯ.

— В большей степени, чем игра?

— Полагаю, да. Действительно, в том году мне сильно не везло. Из-за нереализованного пенальти в ворота Нигматуллина при счете 0:0 на последней минуте матча с «Локомотивом», за который мне до сих пор стыдно, весь сезон пошел под откос. Но в 1999-м я забил 19 голов, сделал 16 голевых передач, «Спорт-экспресс» признал меня, по своим оценкам, лучшим игроком чемпионата. Разве у футболиста, совсем недавно стабильно показывавшего такой уровень, все могло исчезнуть меньше чем за год?

— В таком случае были ли у вашего вынужденного ухода из «Спартака» еще какие-то скрытые причины?

— Были. Работал у нас такой тренер — Вячеслав Грозный. С игроками он был на дружеской ноге, и мы принимали его поведение за чистую монету. Порой откровенничали с ним, чего делать не следовало. Как потом оказалось, Грозный «копал» и под меня, и под Егора Титова. Ему требовалось высвободить места для своих ставленников — Артема Безродного и Максима Калиниченко. К самим игрокам у меня нет ни малейших претензий — говорю только о Грозном. При встрече с ним готов повторить то же самое ему в лицо. С нами он был, как говорится, «вась-вась», а потом тут же бежал наверх и рассказывал все так, как ему было выгодно. В итоге меня

УБРАТЬ УДАЛОСЬ, А ЕГОРА — НЕТ. ДУМАЮ, И МОЙ РАЗ-
ГОВОР С РОМАНЦЕВЫМ НА ТЕМУ ДОЛГОВ ГРОЗНЫЙ ИС-
ПОЛЬЗОВАЛ ПО МАКСИМУМУ.

СОГЛАСЕН СО СВОИМ БЫВШИМ И НЫНЕШНИМ ОД-
НОКЛУБНИКОМ (РАНЬШЕ ПО «СПАРТАКУ», ТЕПЕРЬ ПО
«ХИМКАМ») И ВЛАДИМИР БЕСЧАСТНЫХ. ОН ТОЖЕ
УБЕЖДЕН, ЧТО ГРОЗНЫЙ ДУРНО ВЛИЯЛ НА РОМАНЦЕ-
ВА, НАСТРАИВАЛ ПРОТИВ ОПЫТНЫХ ИГРОКОВ. УЧИ-
ТЫВАЯ, ЧТО ОБЩЕНИЕ С САМИМИ ФУТБОЛИСТАМИ
ГЛАВНЫЙ ТРЕНЕР ДАВНО СВЕЛ К МИНИМУМУ, ЭТО
БЫЛО НЕСЛОЖНО. «ЕСЛИ БЫ ГРОЗНЫЙ ОСТАЛСЯ В
КОМАНДЕ, ДУМАЮ, МЕНЯ БЫ ИЗ НЕЕ УБРАЛИ НЕ В
КОНЦЕ 2002 ГОДА, А РАНЬШЕ,— СЧИТАЕТ БЕСЧАСТ-
НЫХ.— НО ВМЕСТО НЕГО ПРИШЕЛ НОРМАЛЬНЫЙ ЧЕ-
ЛОВЕК — ВЛАДИМИР ФЕДОТОВ, КОТОРЫЙ ВОЗДЕЙ-
СТВОВАЛ НА РОМАНЦЕВА ПОЛОЖИТЕЛЬНО. ВПРО-
ЧЕМ, ОКОНЧАТЕЛЬНЫЕ РЕШЕНИЯ К ТОМУ МОМЕНТУ
ВСЕ РАВНО ПРИНИМАЛ УЖЕ НЕ ГЛАВНЫЙ ТРЕНЕР, А
ЧЕРВИЧЕНКО...»

Для того чтобы картина была более полной, не
обойтись без мнений других игроков. В конце прошлого года я два часа беседовал с Калиниченко — одним
из всего лишь двоих футболистов (наряду с Титовым),
кто сохранился в «Спартаке» со времен изгнания Тихонова. Вот что он, человек откровенный и умеющий из-
лагать свои мысли, думает о той истории.

— У Романцева в команде должна быть монархия — только в этом случае он чувствует себя в клубе комфортно, что, вероятно, и доказали последующие (безуспешные.— Прим. И. Р.) истории его работы в «Сатурне» и «Динамо». Не скрою, мы его боялись. Особенно после случая с уходом Тихонова. Тогда вся команда была в шоке. Все понимали, что тренер режет по живому. У Тихонова же просто сезон не пошел. Иваныч от него, наверное, ждал продолжения феерии 1999-го, а у Андрея после незабитого пенальти «Локомотиву» как заклинило. И не сказать, что играл плохо,— не забивал и все. Но никто не думал, что его выгнать могут!

Ответил он, что ли, Романцеву резко в раздевалке после матча с «Реалом» — точно уже и не помню. Но прилетаем мы из Мадрида, и в аэропорту перед паспортным контролем второй тренер, Самохин, говорит: «Андрей, завтра в клуб зайди». Тихонов шутит: «Наверное, выгонять будут», мы все смеемся. А когда через день приехали на базу, Андрея на самом деле не было... Это невозможно было передать словами. Тишина. Оцепенение. Все ходят и шепчутся, обмениваются этой невероятной новостью. Тихонов же в дальнейшем всем доказал, что он не «отыгранный».

Читал я его интервью в СЭ, там о Вячеславе Грозном говорит — мол, проталкивал тренер меня и Безродного, а Тихонова с Титовым в глазах Ро-

МАНЦЕВА КАК ТОЛЬКО ВОЗМОЖНО ПОРОЧИЛ. ЗНАЮ ОД-
НО. Я ГРОЗНОМУ НИКАКОГО «ОТКАТА» СО СВОЕЙ ЗАР-
ПЛАТЫ И ПРЕМИАЛЬНЫХ НЕ ДЕЛАЛ. ЕСЛИ БЫ ГРОЗНЫЙ
ЗА УШИ ТАЩИЛ МЕНЯ В СОСТАВ, Я БЫ С ГРОЗНЫМ ИЗ
«СПАРТАКА» И УШЕЛ. А ЧТО ДО ИХ ОТНОШЕНИЙ С ТИХО-
НОВЫМ — У КАЖДОГО СВОЯ ПРАВДА, И Я НЕ ИМЕЮ ПРА-
ВА КАК-ТО ЭТО ОЦЕНИВАТЬ. КТО ТАКОЙ ТИХОНОВ, ЗНА-
ЮТ ВСЕ, НО И ГРОЗНЫЙ ТОЖЕ ЧЕМПИОН РОССИИ. ТО
ЕСТЬ СВОЮ ЧАСТЬ РАБОТЫ ОН ДЕЛАЛ ХОРОШО.

Схожую, только более лаконичную оценку ощу-
щений партнеров в момент ухода капитана дал его преемник и друг — Егор Титов. «Когда из „Спартака" выгнали
Тихонова, было чувство, как будто мне отрубили руку».

Наконец, было бы неправильно оставить читате-
ля без прямой речи Романцева. Повторюсь: эта книга —
не учебник футбольной и даже спартаковской истории,
а лишь индивидуальный взгляд на нее автора, находившегося все это время в гуще событий. Но привести цитаты одной стороны конфликта и опустить слова другой — это было бы элементарно нечестно. А вот честен
ли был в своих словах на встрече в редакции «Спорт-
экспресса» в 2001 году сам Романцев, решать уже вам.

— НЕ ЖАЛЕЕТЕ О ТОМ, ЧТО РАССТАЛИСЬ С ТИХОНОВЫМ И
КЕЧИНОВЫМ, ОЛЕГ ИВАНОВИЧ? МОЖЕТ БЫТЬ, СЛОВА
О ТОМ, ЧТО ОНИ «ОТЫГРАННЫЕ», СОРВАЛИСЬ У ВАС
СЛУЧАЙНО?

— Их неправильно интерпретировали. Жалею ли я о расставании? Пожалуй, иногда и жалею. Но давайте вернемся к ситуации прошлого сезона. Хорошие игроки перестали попадать в основной состав. Сидеть на скамейке они и сами не хотели, да и я был не вправе их там держать.

— Расставание с Тихоновым показалось жестким, если не жестоким, а также спонтанным. При каких обстоятельствах оно произошло?

— Тогда у Тихонова игра не шла, и на него все шишки валились. А ведь Тихонов сильно переживал, когда в Лужниках с трибун неслось: «Когда закончишь играть?! Романцев, убери Тихонова!» Мы часто с ним беседовали, и я его успокаивал. К слову, у нас с ним были и сохранились хорошие отношения, что бы вы ни думали. В конце концов, мы с ним поговорили, и я предложил ему вариант за рубежом. Тихонов съездил в Израиль, но в итоге решил остаться на родине — и раскрепостился. Сейчас он играет хорошо, и я радуюсь, потому что в этом есть и моя заслуга. Наш футбол только выиграет, если этот футболист восстановится.

Тихонов восстановился, футбол выиграл — тут с Романцевым не поспоришь. Но не была бы эта победа еще более яркой и убедительной, если бы он, главный тренер, Андрея не выгнал? Если бы спокойно переждал неудачный сезон, какой бывает у каждого самого классного игрока, и к следующему году Тихонов — а это произошло бы неизбежно, что показали последующие сезоны в «Крыльях Советов»,— стал самим собой?

С таким стержнем и «Спартаку» ведь рухнуть было бы куда труднее.

⚽ ⚽ ⚽

...Вскоре после расставания со «Спартаком» Тихонов уже тренировался в Новогорске с самарскими «Крыльями», а чуть позже подписал контракт на несколько месяцев с «Маккаби» из Тель-Авива. То ли поздней осенью, то ли в начале зимы в Останкине на записи ток-шоу я познакомился с молодым бизнесменом Германом Ткаченко, только-только возглавившим «Крылья Советов». В числе прочего новый для российского футбола человек заявил: «Вот увидите — Тихонов будет играть у нас!»

Я с трудом сдержал саркастическую улыбку: из Москвы в провинцию, тем более звезды, в ту пору не уезжали. Многие люди из бизнеса, выбирая новой точкой приложения своих сил футбол и совсем не зная этого весьма специфического мира, потом обжигаются и теряют весь свой пыл — в этом доводилось убеждаться неоднократно. Но когда зимой 2001-го в прессе появилось сообщение о подписании контракта Тихоновым с «Крыльями Советов», разговор с молодым президентом тут же всплыл в памяти. Стало ясно, что Ткаченко удивит нас еще не раз.

Пройдет время, «Спартак» начнет катиться под гору. А Тихонов тем временем проведет в Самаре четыре хороших года. И станет, конечно же, капитаном, и впервые в истории клуб завоюет бронзовые медали чемпионата России, а сам он вступит в символический «Клуб 100», организованный «Спорт-экспрессом» для футболистов, забивших в России и серьезных зарубежных чемпионатах сто и более мячей (в советские времена существовал аналогичный клуб Григория Федотова, основанный еженедельником «Футбол»). Полузащитники, тем более крайние, среди членов такого VIP-клуба — большая редкость. Но это же — Тихонов!

...Время показало, кто больше потерял от спартаковско-тихоновской разлуки. «Отыгранный футболист» и сейчас, в 36, в клубе первого дивизиона «Химки» смотрится прекрасно, а по итогам прошлого сезона был признан лучшим игроком второго эшелона российского футбола. После этого его настойчиво звали в «Москву», претендующую на медали в премьер-лиге, но Андрей, всегда предпочитавший жить не в столице, а в Подмосковье, решил от добра добра не искать. А где работает и чего в последние годы добился человек, пусть и в сердцах назвавший Тихонова «отыгранным»?

⚽ ⚽ ⚽

До всего этого, впрочем, надо было еще дожить. Отчисление же Тихонова из «Спартака» вызвало шок.

Несмотря на весь авторитет Романцева, многие болельщики и журналисты обрушились на него с критикой: как можно выбросить за борт футболиста, который многие годы служил верой и правдой «Спартаку» и был ему так верен, что отказывался от зарубежных вариантов продолжения карьеры? Говорили, что Тихонов заслужил более бережного и терпеливого отношения со стороны Романцева. Для примера приводили Федора Черенкова, у которого из-за проблем со здоровьем тоже бывали долгие, едва ли не на год, спады. Но Константин Бесков безгранично доверял Черенкову — и в награду получал от него на следующий год волшебный футбол, от которого кружилась голова.

Тем не менее, несмотря на все эти аргументы, чемпионская магия Романцева оказывала-таки на общественность большое влияние. Тогда твердо считалось: кого этот тренер отправляет восвояси, тот нигде больше на прежнем уровне не играет. Вот и о Тихонове задумывались — может, видит Романцев что-то такое, что недоступно нашему пониманию, но ему, специалисту неоспоримой квалификации, ясно наперед? Может, пройдет год-два, и все мы, вспоминая о той непопулярной мере, вновь восхитимся романцевским даром предвидения, а на месте Тихонова будет сверкать неведомый пока преемник?

Но на поверку выяснилось, что преемника-то — не было. И что поступок тренера был не чем иным, как грубой стратегической ошибкой. Ведь в те осенние дни 2000 года из «Спартака» ушел не только Андрей Тихонов — из команды начала уходить ее душа.

Произошло это, правда, не сразу — вначале сработала сила победной инерции, помноженная на вызванный отчислением Тихонова общий страх. После инцидента в Мадриде в команду словно вкололи какой-то психотропный препарат, снявший болевой порог, — глядите, для Романцева не существует ничего святого, каждый из нас может исчезнуть отсюда в любую секунду, надо умереть, но доказать! Такие периоды не бывают долгими, но на коротких отрезках команда способна обыграть кого угодно.

И «Спартак» — 2000 выдал феерическую европейскую осень, заставившую многих сделать скоропалительный и, как окажется позже, неверный вывод, что в истории с Тихоновым крутой на расправу Романцев был прав. Исходя из сиюминутного результата так оно и было: впервые с 1995 года «Спартак» вышел из группы в крупнейшем клубном турнире Европы.

На лиссабонском стадионе «Жозе Алваладе» был в пух и прах разнесен местный «Спортинг» — 3:0. В составе португальцев играли шестеро футболистов тамошней сборной, несколькими месяцами ранее завоевавших «бронзу» чемпионата Европы. Но всех и каждого из них затмил Егор Титов, проводивший в 2000-м лучший сезон в своей карьере. Цена на спартаковского дирижера после того сезона в Старом Свете взметнется на уровень 15—20 миллионов долларов, но Романцев так никуда его и не продаст: тренер в нем возьмет верх над президентом. И того Титова мы больше никогда не увидим — вначале у него снизится мотивация, затем он получит тяжелую травму колена, а когда восстановится, на него обрушится самый страшный удар — допинговый скандал и годовая дисквалификация, речь о которых впереди. Расскажи кто Егору о такой перспективе той счастливой для него осенью 2000-го — побежал бы парень в западный клуб, сверкая пятками...

— Можно было, конечно, как Дима Аленичев, прийти и поставить Олега Ивановича перед фактом: я уезжаю и вы меня не удержите! — рассуждает теперь Титов в интервью еженедельнику «Футбол. Хоккей».— Это был бы выход. Наверное, я был в состоянии на все это повлиять. Локти, конечно, не кусаю, но что-то меня гложет. Вернись я сейчас назад, наверное, рискнул бы и поступил как Аленичев.

...Но больше всего запомнился той осенью даже не Лиссабон, а Москва, заснеженные, замороженные Лужники. 21 ноября в первом матче второго группового этапа Лиги чемпионов «Спартак» встречался со знаменитым лондонским «Арсеналом», одной из самых ярких и эстетичных по стилю команд Европы, законодателем мод в Туманном Альбионе, атаку которой возглавлял едва ли не лучший нападающий мира — француз Тьерри Анри.

На Москву в те дни обрушился мороз: матч начался при температуре минус девять градусов, а дальше стало и того хуже. Британцы, конечно, к холодам отнеслись без восторга, но надеялись, что и зрителей в такую погоду будет немного. Главный тренер «Арсенала» француз Арсен Венгер спросил сопровождавшего

лондонцев помощника начальника «Спартака» Валентина Покровского, сколько ожидается народу. Тот ответил: «Полный стадион, 84 тысячи. На ничего не зна-
чившем матче последнего тура первого этапа с „Реалом" было столько же». Венгер, по рассказу Покровского, схватился за голову. «А я-то думал — максимум
50 тысяч»,— изумленно промолвил тренер.

В лютый мороз на матч пришли 80 тысяч болельщиков. И не пожалели: игра осталась в их памяти на всю
жизнь, они будут рассказывать о ней внукам.

В самом начале игры «Спартак» пропустил гол,
да и вообще «Арсенал» показывал футбол даже не XXI,
на пороге которого тогда стоял, а XXII века. Как можно
противостоять такой команде, на всем стадионе, уверен, в те минуты не понимал никто. Но «Спартак» сделал невозможное, забив за оставшееся время «канони-
рам» не один, не два — четыре мяча! Бог ты мой, что бы
сделали с человеком, который сказал бы неистовствую-
щей публике, что это будет последняя победа красно-
белых в Лиге чемпионов на ближайшие пять лет...

Два гола в том матче оказались на счету бразильца Маркао, который дважды поразил и ворота
«Спортинга». Казалось, команда Романцева надолго
нашла нового снайпера. Хотя и резанула ухо после матча парадоксальная фраза главного тренера: мол, бра-
зильцу еще расти и расти до уровня «Спартака». Да что
же он должен сделать, чтобы дорасти?!

Что хотел сказать тренер, не понял никто. Но Романцев был горазд на подобные парадоксы, и фразу

привычно отнесли на счет его непостижимого тренерского гения. Того, что явно перестаравшийся (а скорее, к тому и стремившийся) репортер Алексей Зинин, выбившийся вскоре в спартаковские пресс-атташе, любвеобильно назвал в своем издании «восьмым чудом света, объединяющим в себе семь предыдущих». Да-да, хоть вы и не верите своим глазам, но именно так в «Советском спорте» окрестили Романцева после очередного чемпионства, возведя в ранг небожителя!

Можно, конечно, объясняя изменения в романцевском характере, сослаться на такую вот атмосферу лизоблюдства, окружавшую работу тренера, — как, мол, в этой обстановке остаться адекватным человеком? Но те, кто был близок в те годы к «Спартаку», не дадут соврать: подобную обстановку Романцев создавал и поощрял сам. Без него никогда бы не было в его «Спартаке» конца 1990-х — начала 2000-х сугубо потребительского отношения к прессе: похвалил — друг, покритиковал — враг. Причем навсегда.

А если возвращаться к Маркао, то очень скоро у него последовал еще один резкий поворот колеса судьбы. На зимнем Кубке чемпионов СНГ Маркао стал лучшим бомбардиром, но чем ближе был новый сезон, тем реже он появлялся в стартовом составе. По так и оставшимся неведомыми причинам бразилец потерял расположение Романцева, за первый круг сезона-2001 вышел на поле лишь трижды, а летом несолоно хлебавши убыл в немецкий «Санкт-Паули». По сути дела, одному из героев осени-2000 в новом году не дали шанса. Это еще одна из загадок правления позднего Олега Ивановича. И еще одно прямое продолжение «синдрома Тихонова». Синдрома превращения людей в материал, которого, по тогдашнему убеждению Романцева, не убудет.

❀ ❀ ❀

Пройдет два года. Новый президент «Спартака» Червиченко еще не уберет Романцева из команды, но к подбору игроков главный тренер отношение уже будет иметь весьма отдаленное. Тьма африканских, бразильских и балканских легионеров будет сменяться новой тьмой — Максим Калиниченко позже в разговоре со мной назовет тот «Спартак» «затерянным миром» Конан Дойля. О том, что в команде когда-то верховодил Тихонов и она выходила из группы в Лиге чемпионов, будут вспоминать как о чем-то очень далеком и нереальном.

И тогда в секторах спартаковских болельщиков появится вдруг пробирающий душу насквозь плакат: «Тихонов навсегда».

В этой фразе нет восклицательного знака. Нет надрыва и пафоса. Оттого она и пробирает насквозь. Шепот — он ведь убедительнее крика. А грустная улыбка — перекошенного от ярости лица.

Тихонов навсегда остался символом того «Спартака», который играл и дышал в такт, который не был, конечно, великой европейской командой — но, вне всяких сомнений, был самим собой. А «лица необщее выраженье» в нашем новейшем футболе такая большая редкость...

Тихонов до сих пор не устал что-то кому-то доказывать. Потому мы и не устаем изумляться его игровому долголетию.

Может быть, когда-нибудь изумимся еще не раз — уже на тренерской стезе? Тихонов, кстати, стал первым на моей памяти действующим игроком, который честно сказал, что в роли тренера видит себя диктатором. Обычно футболисты думают, что, сменив статус, обязательно будут демократами. Получается, как правило, наоборот.

Тренер-диктатор Тихонов? Уже интересно. Будем ждать. В конце концов, диктатор или демократ — не так важно. Важно, чтобы, помимо спортивной составляющей, был порядочным человеком. Чтобы не делал подлостей и не расставался с людьми так, как расстались с ним самим.

⚽ ⚽ ⚽

Жизнь потрясающим образом закольцовывает сюжеты. Первый из них: накануне сезона-2005 самый любимый спартаковскими болельщиками человек перешел в клуб к самому нелюбимому — Андрею Червиченко, возглавившему (как позже выяснится, всего лишь на сезон) «Химки». Иные отчаянные поборники спартаковской религии на Тихонова тогда ополчились: мол, как же он так мог, духовно предал наш клуб, пошел к супостату, его развалившему.

Но футболисты живут другими реалиями, нежели их поклонники. Даже те, кого судьба напрочь связала с тем или иным клубом. Тихонов не играл в «Спарта-ке» при Червиченко, экс-президент ему ничего плохого не делал, зато «Химки» предложили солидный контракт. И он его подписал, потому что за годы в Самаре устал от кочевой жизни и жить хотел дома, под Москвой. А тем из болельщиков, кто игрока за такой шаг осудил, один совет: поставьте себя на его место. И подумайте, Тихонов ли виноват, что отечественные ветераны сейчас в футбольной Москве не в почете: любят все больше иностранцев.

— МНОГИЕ СПАРТАКОВСКИЕ БОЛЕЛЬЩИКИ ВОСПРИНЯЛИ ВАШ ПЕРЕХОД БОЛЕЗНЕННО, ПОСКОЛЬКУ ОТНОСЯТСЯ К БЫВШЕМУ ПРЕЗИДЕНТУ КРАСНО-БЕЛЫХ, МЯГКО ГОВО-РЯ, БЕЗ ПИЕТЕТА,— СКАЗАЛ Я ТИХОНОВУ ВО ВРЕМЯ ИН-ТЕРВЬЮ. И УСЛЫШАЛ:

— Я НЕ БЫЛ В «СПАРТАКЕ» ПРИ ЧЕРВИЧЕНКО, НО, ДУ-МАЮ, ЗРЯ ОНИ НА НЕГО ОБИЖАЮТСЯ. ПО-МОЕМУ, ОН ДЕЛАЛ ВСЕ, ЧТО МОГ, НО ПОМЕШАЛО СТЕЧЕНИЕ ОБ-СТОЯТЕЛЬСТВ. ИЗ-ЗА ЭТОГО ПРИШЛОСЬ ПРОСТИТЬСЯ С РОМАНЦЕВЫМ И ПОЙТИ НА ДРУГИЕ ТРУДНЫЕ ШАГИ. БОЛЕЛЬЩИКИ — ЛЮДИ ЭМОЦИОНАЛЬНЫЕ, И ДЛЯ НИХ, МНЕ КАЖЕТСЯ, ЧЕРВИЧЕНКО ПОПРОСТУ ОКАЗАЛ-СЯ КРАЙНИМ.

— ПРИ НЕМ ВЕДЬ БЫЛ ВАРИАНТ С ВАШИМ ВОЗВРАЩЕНИ-ЕМ В «СПАРТАК»?

— ДА. АНДРЕЙ ВЛАДИМИРОВИЧ ХОТЕЛ ВЕРНУТЬ МЕ-НЯ — ПОДТВЕРЖДАЮ ДЛЯ СПАРТАКОВСКИХ БОЛЕЛЬщиков. Но они с президентом «Крыльев» Германом Ткаченко не сошлись по трансферной сумме. Вероятно, она действительно была завышенной. Мне кажется, можно было позволить мне вернуться в команду, где я провел столько лет, и доиграть в ней год-два до окончания карьеры.

Вряд ли можно было ожидать, что Тихонов скажет что-то другое,— во время интервью он был подчиненным Червиченко. Но сам факт этого перехода должен дать болельщикам понять: футбольный мир, по крайней мере для игроков, не делится на белое и черное. Случаются и полутона, и компромиссы, и оказываются способными совмещаться несовместимые, казалось бы, вещи и люди. И не стоит на них за это обижаться, потому что реальная жизнь куда сложнее созданного в воображении фанатов простого миропорядка.

Вот только фанаты никогда этого не поймут, потому что, по меткому наблюдению английского писателя, автора блистательной книги «Футбольная лихорадка» Ника Хорнби, жену поменять можно, а любимую команду — нельзя. Футбольное боление — это вирус, неизлечимая болезнь, когда ты смотришь на мир сквозь очки строго определенной расцветки и ничего не можешь и не хочешь с этим поделать. Но разве без них, этих упрямых, наивных, ортодоксальных людей, которых легко обмануть, которым невозможно что-либо логически доказать, зато кристально честных и преданных своему клубу до гробовой доски, было бы интереснее жить?

Во время поездки в Англию меня потрясла одна деталь: под полем стадиона «Гудисон парк», на котором принимает своих соперников ливерпульский клуб «Эвертон», захоронены сотни... урн с прахом болельщиков — тех, кто пожелал такой «загробной жизни». Вы представляете, что чувствуют игроки, бегая по полю-кладбищу, где даже с того света за ними наблюдают пристрастным взглядом? Убежден: будь у «Спартака» свой стадион и разреши клуб подобную невероятную практику, желающих нашлось бы немало. Поэтому, даже удивляясь ограниченности многих взглядов на то, что происходило и происходит с самым популярным клубом России, не надо забывать, с какой любовью и самоотречением эти взгляды выражаются.

⚽⚽⚽

А тому, что футбольная жизнь неоднородна и многоцветна, недавно мы получили самое свежее подтверждение. 8 апреля 2006 года в спартаковском семействе разразился чудовищный скандал: капитан команды Дмитрий Аленичев дал интервью «Спорт-экспрессу» под заголовком, который говорит сам за себя: «Старков — тупик для „Спартака"». Мнения мгновенно поляризовались, большинство болельщиков поддержали Аленичева. Но нашлось и немало противников позиции игрока, заявивших примерно следующее: «Аленичев поставил свою обиду выше интересов команды, взорвал обстановку в „Спартаке", навредил клубу, которому на словах так предан. Вот Тихонов — как ему было обидно, а ничего не сказал, стерпел, потому что он по-настоящему любит „Спартак"! Уж он-то бы так никогда не поступил!»

И вот корреспонденты «Спорт-экспресса» спрашивают у Тихонова, как он относится к «делу Аленичева».

— На матч «Спартак»—«Локомотив» ходил с сыном — мы оба были в красно-белых футболках с восьмым номером и фамилией Аленичев. На стадион пришли, чтобы поддержать Диму, как и многие болельщики. По-моему, по их реакции было видно, какую из сторон они поддерживают. Нельзя таких людей убирать из команды! Дима — честный и порядочный человек. При Старкове же команда не играет, а большую часть времени мучается на поле.

Эти слова Тихонова — еще один ответ тем людям, которые в безмерной и подчас слепой преданности команде не хотят видеть за ней человека. Может, и не стоит выстраивать в данном случае столь мудрую философию, и Тихонов попросту встал на защиту своего друга и бывшего одноклубника. Даже наверняка это так.

Но, думаю, вы уже получили немало доказательств того, что «Спартак» Тихонову по-прежнему дорог. И он, Тихонов, прекрасно понимает, что Аленичев выступил не из корыстных интересов, а потому что больно ему за потерявшую прежний фирменный росчерк, усредненную и обезличенную игру «Спартака». И что этой честной, вылившейся наружу болью Аленичев «Спартаку» не помешал, а только помог. Даже принеся в жертву самого себя.

У Тихонова, Аленичева, Титова, Бесчастных и многих других, где бы они сегодня ни играли,— особая группа крови. Красно-белая. Они мыслят о футболе и чувствуют его не как среднестатистические российские игроки, а как спартаковцы. Болельщики «Спартака» видят в них своих, тех, кто думает так же, как они,— потому и поддерживают в любой ситуации. Потому и пишут: «Тихонов навсегда».

Он есть, особый спартаковский образ мышления, и никто не убедит меня, тоже выросшего на философии «Спартака», что она — миф.

Если бы «Спартак» был таким же, как все, ему не поклонялись бы столько людей.

И не было бы в том числе этой книги.

ГЛАВА

3:

ФК «СКАНДАЛ»

«ИСТОРИЯ НЕ ТОЛЬКО из добрых героев состоит. Самое интересное, что злых помнят гораздо дольше».

Некоторые особо подозрительные болельщики «Спартака» по сей день уверены, что автора этих слов Андрея Владимировича Червиченко в их любимый клуб заслал... ЦСКА. С целью развалить команду изнутри. Экс-президент красно-белых, которому более чем свойствен эпатаж, периодически сам подбрасывает угольку в печку этой слегка маниакальной версии. То, будучи обижен на новое руководство «Спартака», публично признается, что в матче спартаковцев с армейцами будет болеть за последних. То получает из рук фанатов ЦСКА шарф с красноречивой надписью: «Дорогой наш **ЧЕ**ловек». И, обладая неплохим чувством юмора, подарок этот с удовольствием принимает.

Мне кажется, одной из основных причин той пропасти, которая пролегла между Червиченко и болельщиками, был разговор на разных языках. Для бывшего владельца и президента «Спартак» был бизнесом, временным увлечением, которому он, безусловно, на каком-то этапе отдавал много сил, времени и эмоций, но всю жизнь уж явно не посвящал (антиквариат и покупка на аукционах картин Айвазовского, казалось, значили для него гораздо больше). Для болельщиков «Спартак» и все, что с ним связано,— религия, а любое неосторожное, а уж тем более пренебрежительное слово на эту тему — святотатство. Вспомните, как мусульманский мир воспринял карикатуры в европейской прессе на пророка Мухаммеда, и спроецируйте такую реакцию на поклонников «Спартака» и Червиченко. Если в этой аналогии и есть какое-то преувеличение, то, уверяю вас, совсем небольшое.

А теперь подумайте, как спартаковский фанат может отреагировать на такие вот слова Червиченко в одном из многочисленных интервью «Спорт-экспрессу»: «Моя жена говорит: ты не мог себе подешевле геморрой купить?»

И людям уже неважно, что это говорит жена, а не сам Андрей Владимирович. Они прочитали слово — «геморрой». Их «Спартак», за которым они готовы на край света пойти,— «геморрой». Может ли быть, что это кощунственное слово произносит не враг какой-нибудь, не армеец или динамовец, а глава собственного клуба!? Наследник святого человека Николая Петровича Старостина!

Червиченко с детства за «Спартак» не болел, его мозги были устроены по-другому. Потому и не смог, став владельцем клуба, настроиться на болельщицкую волну. Когда этого нет, что называется, в крови, выручить может чуткость, искреннее желание понять и пропитаться, хитрость, в конце концов. Президенту ведь совсем необязательно говорить то, что он в действительности думает. Но Червиченко заигрывать ни с кем не захотел, он вплоть до своего последнего дня в «Спартаке» оставался таким, каким в него пришел. Что на уме — то и на языке. А с верующими людьми так нельзя. Если бы папа Римский назвал Ватикан «геморроем» — многим бы из католиков это понравилось, как вы полагаете?

То, что для болельщиков было окружено нимбом святости, для Червиченко запросто могло быть предметом торга и шуток. Характерный случай, изрядно повеселивший журналистов нашей редакции, произошел осенью 2005-го.

Под прицелами теле- и фотокамер встретились нынешний генеральный директор «Спартака» Сергей Шавло и Червиченко. Встреча эта, вообще-то крайне редкая (антагонизм прежней и действующей властей у красно-белых известен всем), была посвящена передаче «Спартаку» двух кубков, которые до той поры хранились в кабинете у Червиченко. Один из этих трофеев для любого отечественного поклонника футбола легендарен. Хрустальная чаша с фигуркой футболиста на верхушке вручалась победителю Кубка СССР каждый год начиная с 1936-го, была переходящей. «Спартаку» она досталась навечно потому, что он выиграл розыгрыш последнего союзного Кубка — 1991/92 годов. Клуб этим призом чрезвычайно гордился.

Почему, спросите, этот кубок хранился не в каком-нибудь клубном музее, какой имеет в Европе каждая уважающая себя футбольная команда, а в президентском кабинете? Точного ответа на этот вопрос нет, но, задаваясь им, я припоминаю один из слухов того времени, когда Червиченко только пришел в «Спартак». Комната, более или менее напоминавшая музей, тогда вроде бы была, но новый вице-президент якобы переоборудовал ее под массажный кабинет. Допускаю, что была в этом слухе определенная гипербола, но сама фабула для времен Андрея Владимировича характерна. «Спартак» и его регалии не были для него никакой святыней.

Так вот, о кубках. Когда владельцем «Спартака» был уже не Червиченко, а вице-президент компании ЛУКОЙЛ Леонид Федун, начался раздел имущества. Оказалось, в частности, что само здание клуба принадлежит не «Спартаку», и оно — вместе с кубками — осталось за бывшим президентом. Равно как и права на ряд игроков, в частности на капитана команды Егора Титова. Надо признать, что в трудный для футболиста момент, когда он был дисквалифицирован на год за употребление допинга (об этой истории разговор еще впереди), Червиченко выполнил перед ним все финансовые обязательства, и Титов отзывается о своем бывшем руководителе с уважением. Но Червиченко не собирался заниматься благотворительностью. И при передаче клуба новым хозяевам вдруг выяснилось, что «Спартаку» за собственного игрока надо платить. И немало.

Поначалу Червиченко просил, если не изменяет память, 8 миллионов. Торговались долго, и в итоге сошлись приблизительно на трех. Но вдобавок к ним прилагались два игрока для клуба первого дивизиона «Химки», где к тому времени работал экс-президент «Спартака». Один из них, серб Станич, переходить в низшую лигу категорически отказался, хотя и в «Спартаке» давно уже не играл. Взамен клуб не предложил ничего. А Червиченко в ответ отказался отдавать кубки.

Осенью 2005-го стороны в конце концов как-то договорились. И вот встречаются Червиченко и Шавло. Мой коллега по «Спорт-экспрессу» Алексей Матвеев предлагает им попозировать для торжественного снимка: бывший и нынешний руководители «Спартака» с двух сторон держат Кубок СССР.

И тут Червиченко бросает фразу, после которой еще долго никто ничего не мог отснять: «Нет, Леша, нужно сделать по-другому: мы с Шавло на снимке должны этот кубок друг у друга вырывать!»

Андрей Владимирович и после ухода из «Спартака» остался самим собой. Сразу появилось ощущение, что без него российской премьер-лиге чего-то стало не хватать. Но у меня как у человека, неравнодушного к «Спартаку», сразу возникла мысль: да, без

Червиченко скучно, но пусть он работает где угодно, только не в «Спартаке».

В Монако на матче за Суперкубок Европы (в нем каждый год встречаются новоиспеченные победитель Лиги чемпионов и обладатель Кубка УЕФА) 2005 года, в котором играли английский «Ливерпуль» и ЦСКА, Червиченко, уже более года как не президент «Спартака», но еще его акционер, был запечатлен в армейском шарфе. Вроде бы ко всему уже привыкли спартаковские поклонники, но этот факт вызвал у них бурю негодования: вот-де и показал свою истинную сущность наш бывший владелец. Впрочем, стоило повнимательнее присмотреться даже к черно-белому варианту этого фото, как становилось ясно: «роза» (так на фанатском сленге именуются шарфы) это не чисто армейская, а посвященная матчу за Суперкубок. На другой ее половине значилась символика «Ливерпуля».

Но почитатели «Спартака», которых от одной только фамилии Червиченко бросает в озноб, в таких подробностях разбираться не хотели. Для многих из них этот крепко накачанный человек с несколько гротескным (подозреваю, что умышленно) для президента футбольного клуба внешним видом — демонстративно расстегнутой верхней пуговицей рубашки и выглядывающей из-под нее волосатой грудью, с золотой цепью на шее, толстыми щеками, мощными губами, маленькими и не самыми добрыми на свете глазами — самый ненавистный из всех, кто ходит по планете Земля. Удивительное, если вдуматься, явление: наверняка ведь есть в их жизни люди, которые делали подлости лично им или их родным, уводили подруг, предавали, «кидали» на деньги. Но во времена червиченковского правления в «Спартаке» (да отчасти и сейчас) большинство этих фанатов были убеждены, что именно он, Червиченко, — главное исчадие ада, настоящий Воланд, по сравнению с которым все остальные, собственные недруги — незначительные чертенята. Такова природа футбольного боления.

Самое интересное, что всякий человек, которому доводилось подробно общаться с Червиченко один на один (и я в том числе), хотя бы в какой-то степени подпадает под его специфическое обаяние. Под его красноречие, выигрывающее за счет хорошего образования и не проигрывающее из-за грубоватых формулировок — потому что эти формулировки не лицемерны. Под его убежденность в собственной правоте и стремление до хрипоты спорить по любому предъявляемому ему упреку. Под его прямой взгляд в глаза — свои он никогда не опускает. По крайней мере, Червиченко — личность, и очень харизматическая. Он даже зарплату свою не побоялся в «Спорт-экспрессе» озвучить: 17 250 долларов в месяц. Не каждый в нашей стране способен на такие откровения.

Друзья Андрея Владимировича наверняка его очень любят. Даже я, не раз с ним «воевавший», ловлю себя на ощущении, что не могу испытывать к нему настоящей антипатии. Червиченко — яркий, колоритный человек, и это невозможно не оценить. Наверное, он просто оказался в неправильное время в неправильном месте. И вовремя не захотел этого понять, в чем во многом виноват сам. Как и в том, что дело с эффектным словом у него совпадало далеко не всегда.

⚽ ⚽ ⚽

Взаимная «любовь» с болельщиками началась у него еще осенью 2001 года. Червиченко, работавший в «Спартаке» уже год, к тому времени был назначен вице-президентом и стал публичной фигурой. Андрей Владимирович быстро войдет во вкус этой публичности.

Начиналась новая Лига чемпионов. В предыдущей «Спартак» для клуба из Восточной Европы выступил успешно — вышел из группы, опередив португальский «Спортинг» и немецкий «Байер», а во втором групповом турнире разгромил лондонский «Арсенал» — 4:1. О том потрясающем матче, проходившем в Лужниках в девятиградусный мороз и собравшем, несмотря на это, 80 тысяч зрителей, я уже рассказывал.

Десять месяцев спустя все было совсем иначе.

Утром 11 сентября 2001 года — да-да, именно в этот страшный день — «Спартак», его болельщики, а также репортеры несколькими самолетами летели в Прагу на стартовый матч новой лиги с местной «Спартой». Тогда мы еще не знали, что в память о жертвах теракта в Нью-Йорке игра будет перенесена. И обсуждали со знакомыми поклонниками клуба текущие новости.

Болельщики возмущались трех- и четырехкратным увеличением цен на билеты на домашние матчи Лиги чемпионов. Но еще больше их взбесила реакция еще не слишком знакомого им господина Червиченко, когда после одного из матчей они обратились к нему с этой претензией.

«Ничего страшного — лишний раз не уколетесь и не выпьете лишнюю бутылку водки!» — бросил им новый вице-президент «Спартака», и разговор на этом был закончен.

Фаны не верили своим ушам. С ними так не разговаривали никогда. Что этот человек вообще себе позволяет?! Болельщики со спартаковской гостевой книги в интернете тут же опубликовали открытое письмо на имя Романцева и Титова: «Неужели „Спартак" может называть себя народной командой, если он создает такие условия для посещения своих матчей?» По нашей национальной традиции люди верили в «доброго царя». Полагали, что Романцев, занятый творчеством в клубе и сборной, не в курсе ситуации, и надеялись на его вмешательство. Наивные.

Червиченко сразу дал понять, что на всю эту публику ему глубоко наплевать и церемониться с нею он не собирается. Публика — в силу своих возможностей — ему будет платить той же монетой.

Его вообще чрезвычайно раздражала вся «спартаковская общественность», которая поднимала невообразимый шум всякий раз, когда новый президент пытался переделать что-то на свой лад. Уже значительно позже, в середине 2003 года, председатель спортивного общества «Спартак» (не путать с футбольным клубом) Анна Алешина рассказывала мне:

— В НОЯБРЕ ПРОШЛОГО ГОДА У НАС СОСТОЯЛСЯ РАСШИ-
РЕННЫЙ ПРЕЗИДИУМ ЦЕНТРАЛЬНОГО И РОССИЙСКОГО
СОВЕТОВ ОБЩЕСТВА, ГДЕ ОДНИМ ИЗ ВОПРОСОВ БЫЛО
СОСТОЯНИЕ ФУТБОЛЬНОЙ КОМАНДЫ. ПРИ ЧЕМ, СПРО-
СИТЕ, ТУТ МЫ? ПРИ ТОМ, ЧТО ФУТБОЛЬНЫЙ КЛУБ
«СПАРТАК» КАК САМОСТОЯТЕЛЬНАЯ СТРУКТУРА ПО-
ЯВИЛСЯ ЛИШЬ ОКОЛО 15 ЛЕТ НАЗАД, ТОГДА КАК ОБЩЕ-
СТВО — В 1935 ГОДУ. ПЕРВЫЙ УСТАВ «СПАРТАКА»
ПРЕДПОЛАГАЛ РАЗВИТИЕ 27 ВИДОВ СПОРТА, СРЕДИ
КОТОРЫХ — ФУТБОЛ. ОСНОВАТЕЛЬ «СПАРТАКА» НИКО-
ЛАЙ СТАРОСТИН СОЗДАВАЛ НЕ ИСКЛЮЧИТЕЛЬНО ФУТ-
БОЛЬНЫЙ КЛУБ, А ОБЩЕСТВО, И ИМЕННО ОБЩЕСТВУ
БЫЛ ВРУЧЕН ОРДЕН ЛЕНИНА. В ПОСЛЕДНИЕ ГОДЫ
МЕЖДУ ОБЩЕСТВОМ И КЛУБОМ БЫЛ ЗАКЛЮЧЕН ДОГО-
ВОР, РАЗГРАНИЧИВАЮЩИЙ ПОЛНОМОЧИЯ, НО «СПАР-
ТАК» ИЗ-ЗА ЭТОГО НЕ ПЕРЕСТАЛ БЫТЬ «СПАРТАКОМ».
ПОТОМУ МЫ В НОЯБРЕ 2002-ГО И СОБРАЛИСЬ. УЧАСТ-
ВОВАЛИ В ЗАСЕДАНИИ, ЗАМЕЧУ, НЕ ТОЛЬКО ФУНКЦИО-
НЕРЫ, НО И ВЕЛИКИЕ СПОРТСМЕНЫ-СПАРТАКОВЦЫ:
ФУТБОЛИСТЫ СИМОНЯН, ПАРАМОНОВ, ЛОВЧЕВ, ХОК-
КЕИСТЫ СТАРШИНОВ, ЯКУШЕВ, ШАДРИН, ШАЛИМОВ,
ЛЕГКОАТЛЕТ БОЛОТНИКОВ, ПРЫГУН В ВОДУ ВАСИН.
ВСЕ БЫЛИ ОБЕСПОКОЕНЫ ТЕМ, ЧТО ПОСЛЕ ПРИХОДА
НОВОГО РУКОВОДСТВА КОМАНДУ ОКРУЖАЕТ МАССА

СКАНДАЛОВ. А ВЕДЬ «ПРОСТЫЕ» ЛЮДИ НЕ ВИДЯТ РАЗНИЦЫ МЕЖДУ ФУТБОЛЬНЫМ КЛУБОМ И ОБЩЕСТВОМ, ПОЭТОМУ ТЕНЬ ПАДАЕТ НА ВЕСЬ «СПАРТАК».

— И К ЧЕМУ ВЫ ПРИШЛИ?

— НА ПРЕЗИДИУМЕ, НЕ СКРОЮ, ПОДНИМАЛСЯ ДАЖЕ ВОПРОС ОБ ОФИЦИАЛЬНОМ ОТЛУЧЕНИИ ФУТБОЛЬНОГО КЛУБА ОТ ОБЩЕСТВА «СПАРТАК». НО ВЛАДИМИР ВАСИН И НИКИТА СИМОНЯН ПРЕДЛОЖИЛИ ДЛЯ НАЧАЛА СДЕЛАТЬ ВСЕ, ЧТОБЫ НЕ ДОВОДИТЬ ДЕЛО ДО СКАНДАЛА. В ИТОГЕ МЫ ПОПРОСИЛИ СИМОНЯНА И ПАРАМОНОВА ПЕРЕГОВОРИТЬ С РУКОВОДИТЕЛЯМИ ФУТБОЛЬНОГО КЛУБА, ИНИЦИИРОВАТЬ СОЗДАНИЕ ПРИ НЕМ ОБЩЕСТВЕННОГО СОВЕТА ИЗ ЗАСЛУЖЕННЫХ ВЕТЕРАНОВ. НО ТАМ НИ ИХ, НИ НАС ДАЖЕ СЛУШАТЬ НЕ СТАЛИ... СКАЗАНО НАМ БЫЛО И ТО, ЧТО ВСЕ БИЛЕТЫ БУДУТ ПЛАТНЫМИ, НИКАКИХ СКИДОК ДАЖЕ САМЫЕ ЗНАМЕНИТЫЕ СПОРТСМЕНЫ ОБЩЕСТВА НЕ ДОЖДУТСЯ.

— СУЩЕСТВУЮТ ЛИ ЮРИДИЧЕСКИЕ ОТНОШЕНИЯ МЕЖДУ КЛУБОМ И ОБЩЕСТВОМ?

— ДО 2001 ГОДА У НАС БЫЛИ ЦИВИЛИЗОВАННЫЕ ДОГОВОРНЫЕ ОТНОШЕНИЯ. ИМЕННО МЫ В 1998 ГОДУ РАЗРЕШИЛИ КЛУБУ СМЕНИТЬ ЭМБЛЕМУ И ЗАРЕГИСТРИРОВАТЬ НОВУЮ ЧЕРЕЗ РОСПАТЕНТ. ХОЧУ, КСТАТИ, ИСПРАВИТЬ ОШИБКУ, КОТОРАЯ БЫТОВАЛА В ПРЕССЕ,— БУДТО НА ИЗМЕНЕНИИ ЭМБЛЕМЫ ФУТБОЛЬНОГО КЛУБА НАСТОЯЛИ МЫ. НАОБОРОТ, ИНИЦИАТИВА ИСХОДИЛА С ПРОТИВОПОЛОЖНОЙ СТОРОНЫ. В КЛУБЕ НАМ СКАЗАЛИ, ЧТО ПРИ НОВОМ ЗНАКЕ ИМ БУДЕТ ЛЕГЧЕ ОТСЛЕЖИВАТЬ «ЛЕВЫЕ» ТОВАРЫ И НАКАЗЫВАТЬ ВИНОВНЫХ.

— Новый знак футбольного «Спартака», где в букву «С» был вписан мяч, острые на язык болельщики окрестили «беременным ромбом». За право его использования общество от клуба что-нибудь получило?

— Да, потому что для нас товарный знак — одна из немногих возможностей зарабатывать на существование. Вот мы и достигли с клубом официальной договоренности о том, что за право использовать новый товарный знак они должны ежегодно выплачивать нам от 5 до 10 тысяч долларов. Сами видите, по сравнению с бюджетом футбольного клуба сумма смехотворная. И до прихода в «Спартак» нового руководства она выплачивалась. В 2001 году прежний договор истек, а проект нового так и остался лежать на столе у нынешнего президента. Когда мы вместе с Симоняном пришли к Червиченко, то услышали: «Вы склоняете нас к сожительству. А мы этого не хотим. У вас нет денег, вы ничего не можете нам дать». Между тем указанная сумма как раз и представляла собой членские взносы футбольного клуба за право состоять в обществе. С тех пор отношения были прерваны.

Евгений Ловчев в те же дни высказался еще острее:
— Футбольный клуб, уверен, подрывает гордое имя «Спартака». Причем уже многие годы. Началось с

разговоров о том, что был продан полуфинал Кубка чемпионов 1991 года с «Марселем». Затем Николая Петровича Старостина пересадили с клубной красной BMW на «Жигули» (помню, как перед каким-то съездом общества в Измайлове увидел Ильина, старостинского постоянного водителя, на «новой» машине,— и был этим ошарашен). Потом — скандальная история с Есауленко, в которой нет причин не доверять Алексу Фергюсону. Убийство Нечаевой. «Дела» Аленичева, Сычева, Смирнова, Ващука.

Во время заседания президиума общества «Спартак» я заявил: мы, мол, закрываем глаза на то, что клуб к обществу давно не имеет никакого отношения. Симонян в ответ привел любимые слова Старостина: «Худой мир лучше доброй ссоры», пообещал свести руководителей двух структур — и выполнил обещание. Но никакого разговора с Червиченко не получилось. Он даже пригрозил Алешиной с Симоняном, что вообще запретит им пользоваться каким бы то ни было ромбом с буковкой «С»!

«...Склоняете к сожительству», угрозы в адрес великого Симоняна — высокие отношения между клубом и обществом, не правда ли? Такое поведение было типично для тогдашнего президента клуба и лишний раз доказывало, что такие понятия, как «строить отношения», «учитывать традиции», для Червиченко были ничем. Может, с точки зрения бизнесмена, не имевшего ранее отношения к футболу и «Спартаку», он и поступал логично. Но футбол — особый, ни с чем не сравнимый и ни на что не похожий мир. В него, как уже не раз говорилось и будет говориться, нельзя лезть со своим уставом. Он живет по своим законам даже в России уже больше ста лет — а, скажем, об Англии и говорить не приходится. Могу себе представить, если бы Роман Абрамович в «Челси» или Малкольм Глэйзер в «Манчестер Юнайтед» заикнулись о «геморрое» или «склонении к сожительству» — да их бы там на клочки разорвали!

Перечисляя скандалы, связанные с футбольным «Спартаком», Ловчев еще не знал, бомба какой силы взорвется через несколько месяцев. О допинге, впрочем, мы еще поговорим. А в реестр скандалов я бы внес еще один, который не получил широкой огласки. На стыке 1990-х и 2000-х киевское «Динамо» элементарно украло из спартаковской школы едва ли не с десяток мальчишек одного года рождения. Кто-то же в «Спартаке» помог украинцам это сделать, верно? Одного из тех парней, вскоре получивших украинское гражданство, звали Александр Алиев. В 2005 году, будучи форвардом сборной Украины, он станет вторым снайпером молодежного чемпионата мира. И лишь один гол уступит первому — прославившемуся уже на весь мир своей игрой во взрослой «Барселоне» аргентинцу Лионелю Месси.

Между тем Анна Алешина, резко критикуя Червиченко, лишь вскользь упомянула о более раннем факте, который нанес очень серьезную рану болельщикам. Когда кулуарно принималось (и доподлинно неизвестно, кем: Романцевым? Есауленко? Заварзиным?) решение о смене эмблемы, никто не удосужился изобразить хотя бы видимость интереса к общественному мнению. Ни о каких опросах и референдумах среди болельщиков «Спартака» на тему введения «беременного ромба» никто даже не заикался — людей поставили перед фактом. Возмутились все, но кому какое было до этого дело?

Это — еще один штрих к тому, как утрачивался дух былого «Спартака». Еще до Червиченко утрачивался — просто тогда это делалось более тихо, воровато и лицемерно.

✿ ✿ ✿

И все же вернемся в осень 2001-го. К тем самым временам, когда Червиченко резко поднял цены на билеты на матчи Лиги чемпионов, а возмутившимся фанатам заявил: «Лишний раз не уколетесь и не выпьете лишнюю бутылку водки».

Итак, 11 сентября 2001 года болельщики «Спартака» и журналисты летели в Прагу.

В том самолете мы оказались вместе со знаменитым телекомментатором Владимиром Маслаченко. Тем самым, что в 1988 году, комментируя финальный матч Олимпиады в Сеуле СССР—Бразилия и увидев, как в дополнительное время Юрий Савичев выходит один на один с голкипером бразильцев Таффарелом, крикнул в микрофон легендарную фразу: «Юрочка, ну забей, я тебя умоляю!» Юрочка забил, мы выиграли Олимпиаду, а тот крик Маслаченко котируется нынче в рейтинге комментаторских реплик ненамного ниже озеровского: «Такой хоккей нам не нужен!»

Колоссальный опыт Маслаченко, с которым мы тогда долго общались в самолете, позволил заранее разглядеть то, что произойдет со «Спартаком» в Лиге чемпионов.

«Мне не нравится решение клуба о двух- и трехкратном увеличении цен на билеты. Россия не из тех стран, где уместны подобные резкие движения, — говорил мэтр. — Вспомним, как в прошлом году переполненные Лужники вдохновляли спартаковцев на подвиги — например, в матче с „Арсеналом". Думаю, если „Спартак" в лиге будет собирать меньше 50 тысяч зрителей, это больно ударит по его игре. Из нее исчезнет страсть, без которой победы на таком уровне невозможны».

Спустя две недели «Спартак» проводил первый домашний матч — с голландским «Фейеноордом». Погода была идеальной — в Москве был невиданный для конца сентября и словно созданный для футбола 20-градусный рай. Болельщики, волею календаря не видевшие свою любимую команду 25 дней, должны были изрядно соскучиться по игре. Все обстоятельства, казалось, говорили за то, что в Лужниках будет аншлаг. Но вместо 84 тысяч человек до стадиона добрались 20 тысяч.

Матч закончился вничью — 2:2. Когда спартаковцы сравняли счет, им не хватило именно болельщиков — тех самых, которые год назад в схожих ситуациях гнали их вперед и заставляли не только отыгрывать-

ся, но и побеждать «Спортинг» с «Арсеналом». «Фейеноорд» не был добит именно потому, что трибуны заполнились лишь на четверть. Так, с неудачной попытки
заработать на болельщиках, на первый взгляд не имеющей отношения собственно к игре, началось падение
«Спартака» в Лиге чемпионов. То падение, которое год
спустя увенчивается дикими шестью поражениями в шести матчах с совсем уж сюрреалистической разностью
забитых и пропущенных мячей: 1—18.

⚽ ⚽ ⚽

Откуда же он взялся в «Спартаке» и зачем потребовался ему этот колоритный и самоуверенный
президент?

Зачастую автобиографии, которые излагают в
прессе бизнесмены, мало соответствуют тому, что было
на самом деле. Но уже одно то, что говорил о себе Червиченко, свидетельствовало о многом. В 2003 году он
рассказывал «Спорт-экспрессу»:

«Мой отец работал в ростовском обкоме партии.
Когда я учился в восьмом классе, его перевели в
Москву — в ЦК КПСС, в аппарат Суслова. Затем он
трудился в ЦК референтом вторых секретарей —
Медведева, Дзасохова. Работал вместе с Зюгановым. Сейчас он в Совете Федерации. Мама в Ростове возглавляла Дом кино, а в столице с Раисой
Максимовной Горбачевой они создали Фонд
культуры, в котором вместе и работали. Сам я пе-

РЕЕХАЛ ИЗ РОСТОВА В МОСКВУ В 18, В 19 ВСТУПИЛ В КПСС, А ПОСЛЕ УНИВЕРСИТЕТА УСТРОИЛСЯ НА РАБОТУ В ОДНО ИЗ ХОЗРАСЧЕТНЫХ ПРЕДПРИЯТИЙ, КОТОРЫМ РУКОВОДИЛИ БЫВШИЕ ЗАВЕДУЮЩИЕ ОТДЕЛАМИ ЦК ВЛКСМ. ОНИ БЫЛИ ТЕОРЕТИКАМИ, А НА ПРАКТИКЕ ОТВЕРГАЛИ ВСЕ МОИ ПРЕДЛОЖЕНИЯ И ЗАДУМКИ. „ТЫ НАС В ТЮРЬМУ УПЕЧЕШЬ",— ВСЯКИЙ РАЗ ПОВТОРЯЛИ ОНИ МНЕ. „А Я С ВАМИ ТАКИМИ ТЕМПАМИ НИЩИМ СТАНУ",— ПАРИРОВАЛ Я».

Итак, ясно: Червиченко — из тех самых детей советской номенклатуры, которые тверже всех держали руку на пульсе тотальной приватизации первой половины 1990-х. Дикой поры, когда люди становились богатыми за какие-то месяцы, но в любую секунду могли ждать выстрела из-за угла. Далеко не все, бросившиеся в этот омут, выплыли из него живыми и здоровыми. Но тем, кому это удалось, с тех пор о куске хлеба с маслом заботиться не надо.

— А первый миллион на чем заработали? — спрашивала Червиченко моя коллега по «Спорт-экспрессу» Дина Юрьева.

— На нефти, нефтепродуктах. Где-то в середине 1990-х. Лихое время было... Все просто: берешь топливо, везешь в аэропорт... Гораздо прозаичнее, чем кажется.

— Сколько у вас охранников?

— Личных — четверо.

— У вас много врагов?

— Хватает. В силу прямоты.

В том, что Андрей Владимирович и насчет врагов, и насчет прямоты не лукавит, вы имели уже достаточно возможностей убедиться сами.

По словам Червиченко, к тому моменту, когда его пригласили в «Спартак», он был коммерческим директором одного из подразделений нефтяной компании ЛУКОЙЛ. «Как-то раз я вернулся из отпуска и узнал, что наша компания ЛУКОЙЛ собирается спонсировать ЦСКА,— рассказывал он.— Я огорчился, поскольку был уже связан определенными коммерческими отношениями со „Спартаком". К тому же в начале 1990-х я восхищался игрой „Спартака", его духом, который помогал вырывать победы в, казалось бы, безнадежных ситуациях. А поскольку симпатии ЛУКОЙЛа были на стороне спартаковцев, а его главу Вагита Алекперова особенно радовал тот факт, что у ЛУКОЙЛа и „Спартака" одинаковые красно-белые цвета, переориентировать руководителей компании оказалось делом посильным. Весной 2000 года был подписан соответствующий контракт между компанией и клубом, а летом я стал его вице-президентом».

Пройдет какое-то время — и ЛУКОЙЛ не захочет иметь с Червиченко ничего общего. Некоторые деятели компании начнут даже отрицать, что он когда-либо в ней работал.

Одного во всей этой истории ни убавить, ни прибавить: Червиченко и его деньги на стыке веков оказались нужны «Спартаку». Поскольку так, как было раньше, продолжаться уже не могло.

Нынешний владелец «Спартака» Леонид Федун
в интервью «Спорт-экспрессу» рассуждал:

— ЗА СЧЕТ ЧЕГО СОСТОЯЛСЯ «СПАРТАК» В РОССИИ В
ТОМ ВИДЕ, В КОТОРОМ МЫ ЕГО ЗНАЕМ? ЗА СЧЕТ ТОГО,
ЧТО, КОГДА РАЗВАЛИВАЛСЯ СОЮЗ И ВСЕ СТОИЛО ГРО-
ШИ, ОЛЕГУ РОМАНЦЕВУ УДАЛОСЬ СОБРАТЬ В КЛУБЕ
ВСЕХ ЛУЧШИХ ИГРОКОВ ИЗ БЫВШЕГО СССР. Я НИКОГДА
С НИМ НЕ РАЗГОВАРИВАЛ И НЕ ЗНАЮ, КАК ТАКОЕ УДА-
ЛОСЬ, НО ЭТО БЫЛ ГЕНИАЛЬНЫЙ ХОД С ЕГО СТОРОНЫ.
ЕЩЕ И ПОТОМУ, ЧТО ОДНОВРЕМЕННО С ЭТИМ ПОЯВИ-
ЛАСЬ ЛИГА ЧЕМПИОНОВ. И МНОГОЛЕТНЕЕ, ЛИШЬ С НЕ-
БОЛЬШИМИ ПЕРЕРЫВАМИ, ПРЕБЫВАНИЕ В ЛИГЕ ДАВА-
ЛО ЕМУ ЗАРАБОТОК В СРЕДНЕМ ОТ 5 ДО 8 МИЛЛИОНОВ
ДОЛЛАРОВ В ГОД. ПО МЕРКАМ 1990-х ГОДОВ ЭТО БЫЛИ
ГИГАНТСКИЕ СУММЫ, КОТОРЫЕ ПРЕВОСХОДИЛИ БЮД-
ЖЕТЫ ОСТАЛЬНЫХ КОМАНД. ПОЭТОМУ «СПАРТАК» МОГ
ПОКУПАТЬ СИЛЬНЕЙШИХ ИГРОКОВ СТРАНЫ, ОДНОВРЕ-
МЕННО ПРОДАВАЯ ЛУЧШИХ НА ЗАПАД.
НО ПОСТЕПЕННО СИТУАЦИЯ СТАЛА МЕНЯТЬСЯ. НАЧАЛИ
ПОДТЯГИВАТЬСЯ БЮДЖЕТЫ ДРУГИХ КОМАНД. ВСПОМНИ-
ТЕ, НАПРИМЕР, ТАК НАЗЫВАЕМОЕ ВОДОЧНОЕ ЧЕМПИОН-
СТВО «СПАРТАКА-АЛАНИИ» ИЗ ВЛАДИКАВКАЗА, НА КО-
ТОРОЕ В СЕВЕРНОЙ ОСЕТИИ БЫЛИ БРОШЕНЫ ОЧЕНЬ
БОЛЬШИЕ ДЕНЬГИ. ТА СИТУАЦИЯ ПОКАЗАЛА, ЧТО ДЕНЬГИ
РЕШАЮТ В ФУТБОЛЕ ЕСЛИ НЕ ВСЕ, ТО ОЧЕНЬ МНОГОЕ.
С ДРУГОЙ СТОРОНЫ, БИЗНЕС ПО ПРОДАЖЕ ИГРОКОВ
ПРИВЕЛ К ТОМУ, ЧТО ЛУЧШИЕ СПАРТАКОВЦЫ ОКАЗАЛИСЬ
НА ЗАПАДЕ, А АДЕКВАТНОЙ ЗАМЕНЫ ИМ НЕ НАШЛОСЬ.

В итоге уже в начале XXI века возникла ситуация, когда «Спартак» понял: у него нет собственных ресурсов, чтобы достойно содержать команду. Понадобился человек, который принесет деньги. Так появился Червиченко.

⚽ ⚽ ⚽

Версия самого Червиченко в том же «Спорт-экспрессе» не сильно отличается от той, что представил Федун. Зато экс-президент с удовольствием развил тему и рассказал, какое наследство получил от предыдущего руководства «Спартака»:

— К тому моменту, как я здесь появился, финансовый крах не то что в дверях стоял — по этажам бродил. Если мы уж так глубоко копаем, не забывайте, что тот «Спартак», который все помнят, успешный и великий, входил в число двух сильнейших клубов, оставшихся на постсоветском пространстве после перестройки. Лучшие футболисты сразу пошли в эти два клуба: «Динамо» (Киев) и «Спартак». За счет Лиги чемпионов, в которую «Спартак» сразу попал, он стоял над всеми очень высоко. Благодаря огромным по тем временам деньгам от лиги (минимум 8 миллионов долларов в год) «Спартак» в финансовом плане был для других команд недосягаем. Проблемы начинаются тогда, когда подравнивается состоятельность команд. Тогда игрок уже не думает о том, что ему нужно обязательно идти в

«Спартак». Тогда игрок может выбирать: идти ему в «Спартак» или в ЦСКА. И в клубы вкладываются такие же, а иной раз и большие деньги. Проблема не во мне, а в том, что в нашем футболе появились равнозначные величины […]

Звезды так сошлись, что спад «Спартака» совпал с тем временем, когда я занял президентское кресло. Никто не знает, в каком состоянии был клуб, когда я пришел, и сколько было сделано […] Поток негатива, который идет в мой адрес, не соответствует истинной сумме плюсов и минусов Червиченко. С большим удивлением прочитал высказывания генерального директора «Динамо» Юрия Заварзина по поводу моих активов и пассивов в «Спартаке». Вообще-то последние годы Заварзина в нашем клубе принесли самому этому господину немалую материальную выгоду. А уходя, он оставил за собой 5 миллионов долларов долга банку «Пересвет», четыре уголовных дела, возбужденных по поводу исчезновения клубных средств, и пустое предприятие, которому не принадлежало ничего, кроме футболистов и гнилого автобуса. Даже зданием клуба владели какие-то третьи структуры, подконтрольные Заварзину. Тарасовкой — профсоюзы, стадионом — еще кто-то […]

А еще, например, клубу досталась… конголезская футбольная команда со стадионом. В комплекте, так сказать. Это было приобретение Заварзина. Я тогда заметил, что «народная команда» в Африке

НАМ НЕ НУЖНА, НО, РАЗ ОНА ОБОШЛАСЬ НАМ В 200 ТЫ-
СЯЧ ДОЛЛАРОВ, ХОРОШО БЫ С НЕЕ ПОЛУЧИТЬ ХОТЬ ЧТО-
НИБУДЬ ПОЛЕЗНОЕ. ОКАЗАЛОСЬ, ЧТО, КРОМЕ ГНИЛЫХ
МАТРАСОВ И СТАДИОНА, КОТОРЫЙ НЕ УВЕЗЕШЬ, У НЕЕ НИ-
ЧЕГО НЕТ. ТОГДА Я ПОПРОСИЛ ПРИВЕЗТИ В РОССИЮ ХОТЯ
БЫ ПАРУ МЕСТНЫХ ИГРОКОВ, ЧТОБЫ ВЕРНУТЬ КЛУБУ ХОТЬ
КАКИЕ-ТО ДЕНЬГИ. ТАК У НАС ОКАЗАЛСЯ МУКУНКУ.

Рассказ Червиченко — занятная иллюстрация к
тому, почему у «Спартака» вдруг не оказалось денег и
потребовались услуги самого Андрея Владимировича.
Не только в финансовом подъеме других клубов было
дело, ох, не только. К тому времени, как пришел Червиченко, «Спартак» из Лиги чемпионов никуда не исчез, и
солидные поступления в казну клуба продолжались.

Вот только как они использовались?..

30 января 2006 года в газете «Версия» было
опубликовано расследование, посвященное убийству
15 июня 1997 года генерального директора «Спартака» Ларисы Нечаевой. Были в этой публикации и моменты, связанные с финансовой деятельностью вер-
хушки клуба. До какой степени они соответствуют действительности, неизвестно, но процитировать издание,
специализирующееся на подобных материалах (а значит, наверняка тщательно отслеживающее их досто-
верность), возьмусь.

«В МАРТЕ 2003 ГОДА ГЕНЕРАЛЬНАЯ ПРОКУРАТУРА РФ
ВОЗБУДИЛА-ТАКИ ПО ПРЕДСТАВЛЕНИЮ ТОГДАШНЕЙ ФЕ-

ДЕРАЛЬНОЙ СЛУЖБЫ НАЛОГОВОЙ ПОЛИЦИИ (ФСНП) УГОЛОВНОЕ ДЕЛО В ОТНОШЕНИИ РУКОВОДСТВА ФК „СПАРТАК" — ПРЕЗИДЕНТА ОЛЕГА РОМАНЦЕВА, ЕГО ЗАМА ГРИГОРИЯ ЕСАУЛЕНКО, ГЕНЕРАЛЬНОГО ДИРЕКТОРА ЮРИЯ ЗАВАРЗИНА И ГЛАВНОГО БУХГАЛТЕРА ПАВЛА ПАНАСЕНКО. ОСНОВНЫЕ ПРЕТЕНЗИИ — УКЛОНЕНИЕ ОТ УПЛАТЫ НАЛОГОВ В КРУПНОМ РАЗМЕРЕ. СПАРТАКОВЦЫ В ПРОЦЕССЕ ВСЯКОГО РОДА ФИНАНСОВЫХ МАХИНАЦИЙ (О НИХ ТОЖЕ ПОДРОБНО ПИСАЛА „ВЕРСИЯ") ЗАДОЛЖАЛИ КАЗНЕ БОЛЕЕ 1,5 МИЛЛИОНА ДОЛЛАРОВ. ПРАВДА, ОБВИНЕНИЕ ПРЕДЪЯВИЛИ ОДНОМУ ГРИГОРИЮ ЕСАУЛЕНКО, РОМАНЦЕВ И ЗАВАРЗИН ПРОХОДИЛИ В КАЧЕСТВЕ СВИДЕТЕЛЕЙ [...] ДЕЛО ЭТО ДО ЛОГИЧЕСКОГО КОНЦА, КАК ВОДИТСЯ, НЕ ДОВЕЛИ [...] ВООБЩЕ, ГРИГОРИЙ ЕСАУЛЕНКО — ЛИЧНОСТЬ УНИКАЛЬНАЯ. ОН УСПЕЛ НАСЛЕДИТЬ НЕ ТОЛЬКО В РОССИИ, НО И В ЕВРОПЕ. ИСТОРИЯ С НЕУДАВШИМСЯ ПОДКУПОМ ГЛАВНОГО ТРЕНЕРА МЮ АЛЕКСА ФЕРГЮСОНА (ЕСАУЛЕНКО ПЫТАЛСЯ ДАТЬ ЕМУ ВЗЯТКУ — 40 ТЫСЯЧ ФУНТОВ ЗА ТРАНСФЕР АНДРЕЯ КАНЧЕЛЬСКИСА) ОБОШЛА ВЕСЬ СПОРТИВНЫЙ МИР [...]

УЖЕ ПОСЛЕ ТРАГИЧЕСКОЙ КОНЧИНЫ НЕЧАЕВОЙ РОМАНЦЕВ ПОДПИСАЛ ДОКУМЕНТ, В КОТОРОМ ДОВЕРЯЛ РАСПОРЯЖАТЬСЯ ДЕНЬГАМИ „СПАРТАКА" ВСЕ ТОМУ ЖЕ ЕСАУЛЕНКО И НОВОИСПЕЧЕННОМУ ГЕНДИРЕКТОРУ ЮРИЮ ЗАВАРЗИНУ. ПОЗДНЕЕ НА НАШУМЕВШЕЙ ПРЕСС-КОНФЕРЕНЦИИ, ПОСВЯЩЕННОЙ ОТСТАВКЕ РОМАНЦЕВА, ПРЕЗИДЕНТ КРАСНО-БЕЛЫХ АНДРЕЙ ЧЕРВИЧЕНКО РАССКАЗАЛ НАРОДУ, ЧТО ВСЕ ДАННЫЕ О ФИНАНСОВОЙ ДЕЯТЕЛЬНОСТИ ЗНАМЕНИТОГО КЛУБА В 1990-Е ГОДЫ БЫЛИ

ПОПРОСТУ СТЕРТЫ ИЗ КОМПЬЮТЕРОВ ЕГО ПРЕЖНИМИ ВЛАДЕЛЬЦАМИ [...]

ЕЩЕ РАНЬШЕ „ВЕРСИЯ" ОПУБЛИКОВАЛА ОБШИРНУЮ И ВЕСЬМА ЛЮБОПЫТНУЮ ПЕРЕПИСКУ ГОСПОДИНА ЕСАУ-ЛЕНКО С УПРАВЛЯЮЩИМ ШВЕЙЦАРСКОГО БАНКА ARZI BANK AG, ИЗ КОТОРОЙ СТАНОВИТСЯ ОЧЕВИДНО, КАК ШУ-СТРЫЙ ВИЦЕ-ПРЕЗИДЕНТ МАНИПУЛИРОВАЛ СПАРТАКОВ-СКОЙ ВАЛЮТОЙ. „ЕСЛИ ДЕНЕГ НА МОЕМ СЧЕТЕ НЕ ХВАТА-ЕТ, ПЕРЕВЕДИТЕ ДЕНЬГИ СО СЧЕТА «СПАРТАКА» НА МОЙ СЧЕТ,— ПРОСИТ ЕСАУЛЕНКО УПРАВЛЯЮЩЕГО БАНКОМ.— НО ПЛАТЕЖ В ЛЮБОМ СЛУЧАЕ ПРОВЕДИТЕ ОТТУДА". ПО-ХОЖЕ, РАЗНИЦЫ МЕЖДУ КЛУБНОЙ КАССОЙ И СВОИМ ЛИЧНЫМ СЧЕТОМ ТОГДАШНИЕ БОССЫ КРАСНО-БЕЛЫХ ПРОСТО НЕ ЗАМЕЧАЛИ».

Прочитав все это, хочется еще раз вспомнить слова Романцева, произнесенные в телезаявлении за день до финала Кубка России—2003 с «Ростовом»: «Надо вернуться к недавним добрым временам, когда в клубе каждый занимался своим делом и именно за это дело отвечал».

Замечательное распределение ролей было в футбольном клубе «Спартак» второй половины 1990-х годов, не правда ли?

Занятно, кстати, что Есауленко, в отличие от Романцева, на прощание с Константином Бесковым пришел. При том что слишком часто старается на публике не «светиться»: легальность его нынешнего статуса вызывает много разноречивых слухов.

Вроде бы Олег Иванович — человек футбола, а Григорий Васильевич... ну, вы сами понимаете. И на похороны великого тренера по логике должен был прийти Романцев. Но какая в нашей футбольной жизни может быть логика?..

Заварзин уже несколько лет работает в должности генерального директора в «Динамо» — клубе, как принято считать, правоохранительных органов. Успехов при нем эта команда не добилась никаких. Зато у нее появился щедрый «денежный мешок» — глава компании Fedcominvest Алексей Федорычев, который принялся вкладывать в «Динамо» многие миллионы. По расходам на покупку игроков в 2005 году бело-голубые опередили даже «Челси»! Кстати, именно из «Челси» Федорычеву удалось перед началом сезона-2006 выкупить капитана сборной России Алексея Смертина.

При этом в апреле 2006-го от футболистов просочилась информация, что они уже несколько месяцев не получают зарплату. Федорычев руководит командой из-за рубежа — из Монако, где постоянно проживает. Тоже ведь фантастическая ситуация, не находите? И то, почему «Динамо», пуская на ветер десятки миллионов долларов, из года в год играет на том же уровне, что «Ростов» и «Амкар», она объясняет достаточно внятно.

В Москве «на хозяйстве» остается Заварзин, которого несчастные болельщики «Динамо», последний раз выигрывавшего чемпионат в 1976 (!) году, давно уже уподобляют Альхену из «12 стульев» Ильфа и Петрова.

Выводы делайте сами. И вдумывайтесь, почему к началу XXI века «Спартак» оказался колоссом на глиняных ногах.

Впрочем, при Червиченко порядка в «Спартаке» больше не стало. Просто скандалы, которые в 1990-е годы оставались под ковром, теперь в силу характера нового владельца клуба становились достоянием общественности.

Андрей Владимирович пришел в «Спартак», полный уверенности, что уж он-то знает лучше всех, как делать бизнес и добиваться успеха. Может, в той сфере, где он работал прежде, так и было. Но Червиченко не знал и не учитывал специфики футбола вообще и футбола в России в частности.

То, что у него есть проблемы с пониманием игры, начало проясняться из его первых же интервью. Благо округлостью формулировок Червиченко себя не утруждал.

Его спросили:

— «Спартак» очень хотел приобрести Ролана Гусева, но, видимо, в ЦСКА полузащитнику предложили лучшие условия. Вам не обидно?

— Что значит «очень хотел»? Надо называть вещи своими именами: «Спартак» действительно хотел Гусева, но только в том случае, если уедет Василий Баранов, который, по-моему, игрок более высокого уровня, чем Гусев. Василий остался, и проблема отпала сама собой.

Называть в 2002 году Баранова более сильным игроком, чем Гусев, можно было только в случае, если на мир смотришь сквозь красно-белые очки. Гусев до сих пор успешно играет в ЦСКА и периодически приглашается в сборную России, Баранова же в «Спартаке» не было уже на следующий год. О нем последние пару лет известно лишь то, что он играет в команде второго дивизиона «Рязань-Агрокомплект».

Спартаковцы того времени рассказали мне, что на самом деле переговоры с Гусевым Червиченко вел. Более того, президент даже приезжал вести переговоры с Гусевым на тренировочную базу сборной России в подмосковный Бор. И Романцев, тогда главный тренер национальной команды, на тех переговорах вроде бы тоже был. Вот только Червиченко, на словах договорившись с Гусевым о сумме контракта, якобы предложил ему подписать чистый лист — мол, неужели ты, парень, самому «Спартаку» не доверяешь? Гусев, поколебавшись, предпочел принять солидное и конкретное предложение Евгения Гинера.

В 2003 году Червиченко вел переговоры с «Зенитом» о приобретении Андрея Аршавина, ныне — футболиста России номер один. И заявил следующее: «Аршавин — безусловно, талантливый игрок, но не совсем подходит под игровую модель „Спартака"». Трезвомыслящим болельщикам опять оставалось только за голову хвататься. Мало того что под игровую модель старого романцевского «Спартака» Аршавин подходил идеально, так к моменту произнесения этих слов у «Спартака» уже никакой модели не было вовсе.

Каким-то образом Червиченко, в отличие, скажем, от Евгения Гинера в ЦСКА, никак не удавалось сохранять в тайне факт переговоров с тем или иным известным футболистом. И Аршавин, и чех Иржи Ярошик, и хорват Ивица Олич, и бразилец Дуду (последние трое в итоге оказались как раз в ЦСКА) — все всплывало в прессе в самый ненужный момент. То ли самому Андрею Владимировичу, не думавшему, что сделка может сорваться, хотелось «пропиариться», то ли его подручные пробалтывались... В общем, настоящих секретов в том «Спартаке» не было и быть не могло. И, как следствие, не было и по-настоящему серьезных кадровых приобретений.

✪ ✪ ✪

В какой-то момент Червиченко начал подозревать, что его попросту обворовывают. И пошли его высказывания, которые не прекращаются до сих пор.

«Один из известных европейских футбольных деятелей на финале Лиги чемпионов сказал мне: „Если из десяти новичков не заиграл один — это успех селекции. Два — это ошибка, три — в клубе плохие работники. Четыре — значит, у тебя воруют деньги". Раньше подход был каким-то пацанским. Классный парень, берем, говорили мне. Брал. Перед сезоном — горячка, невероятные предложения и лихорадочные покупки. Покупал. „Эти люди не умеют играть в футбол",— заявлял тот же человек через какое-то время. А теперь в клубе 65 игроков, которые каждый месяц приходят в кассу и получают от 5 тысяч и более».

«Доверяешь людям, которые считаются специалистами, а потом получается, что люди за твой счет становятся богатыми».

«Оглядываясь назад, понимаю, сколько денег я просто подарил другим людям».

«Чернышов, Еленский и иже с ними — это одна компания. Есть такие люди, с которыми совершенно не хочется видеться и пересекаться. Они как раз из этой серии. Все чудо-покупки „Спартака" — их дело. Впрочем, и других „подвигов" хватает. Работали профессионально: тренер просит купить того или иного игрока, специалист просматривает его в деле, другой обговаривает условия сделки. Потом они мне вместе доказывают, что игрока необходимо купить. „Премиальные" за удачную сделку, наверное, делили вместе».

— Состояние, если честно, было такое, будто я на три года угодил в сумасшедший дом.

— Все это следствие коммерческой деятельности, которую вели за вашей спиной в «Спартаке»?

— Разумеется. Все там неплохо нажились. Информации у меня много, хотя за руку я никого не ловил. Но выводы для себя определенные делал и людей этих со временем из команды убирал.

— НЕПРИЯТНО БЫЛО УЗНАВАТЬ, ЧТО КОЕ-КТО ИЗ ВА-
ШИХ БЫВШИХ ПОДЧИНЕННЫХ КУПИЛ В МОСКВЕ РЕС-
ТОРАН?

— СЕГОДНЯ КУПИЛ, ЗАВТРА ПОТЕРЯЛ. ЖИЗНЬ — ОНА
ВЕДЬ ДЛИННАЯ, ВСЕХ РАССУДИТ. ПОВТОРЯЮ, ДОКАЗА-
ТЕЛЬСТВ У МЕНЯ НЕТ. ПОТОМ МНЕ РАССКАЗЫВАЛИ, ЧТО
СТАНИЧ ЭТОТ СТОИЛ 400 ИЛИ 450 ТЫСЯЧ ЕВРО. МЫ ЖЕ
ЗА НЕГО ОТДАЛИ 1700 ТЫСЯЧ. И КУДА ОСТАЛЬНЫЕ
ДЕНЬГИ ПО ДОРОГЕ РАЗОШЛИСЬ?

— СКАЖИТЕ ЧЕСТНО, СКОЛЬКО ВЫ ПОТЕРЯЛИ ДЕНЕГ НА
«СПАРТАКЕ»?

— НУ-У, ЛЕТ ПЯТЬ СРЕДНЮЮ КОМАНДУ ПРЕМЬЕР-ЛИГИ
МОЖНО БЫЛО БЫ НА НИХ СОДЕРЖАТЬ.

О том, как Червиченко с каждым днем все больше переставал верить своему окружению, слагаются
легенды. С какого-то момента он сам, не будучи про-
фессионалом в футболе, начал просматривать видео-
кассеты с игрой потенциальных новичков и выносить
вердикты. Дошло даже до того, что исключительно
футбольные вопросы, такие как тактика, президент тоже посчитал себя вправе решать. По свидетельству Сергея Юрана, он приходил к нему и Чернышову с макетом
футбольного поля и на полном серьезе показывал, как
на самом деле нужно играть.

Понятно, что делал он все это от безысходнос-
ти — видя, что денег он тратит все больше и больше, а
толку от этого все меньше и меньше.

За руку президенту, по его собственному признанию, никого поймать не удалось. А значит, и его обвинения в адрес бывших подчиненных не подкреплены настоящими доказательствами. Кого, спрашивается, должен упрекать руководитель, если ему не удалось создать структуру и подобрать людей, которые работали бы на общее дело, а не на свою личную выгоду?

Винить за собственную доверчивость и за вылетевшие в трубу деньги Червиченко может только себя. И его признание: «Рановато я занял столь ответственный пост — в смысле возраста. Жизненного опыта не всегда хватало» говорит о том, что в глубине души он это понимает.

Апломб, с которым бывший владелец и президент пришел в «Спартак», сыграл с ним злую шутку. Во-первых, он не знал и не собирался полностью осознавать, куда шел. «Вероятно, если бы я был родом из Москвы и с детства боготворил „Спартак“, то, скорее всего, не посмел бы этого сделать (возглавить клуб. — Прим. И. Р.), — говорил он. — Просто-напросто спасовал бы. Но в данной ситуации не комплексовал, не робел и при этом был уверен, что могу принести больше пользы, чем те, кто вплотную занимался делами „Спартака“ до меня».

Эти слова прозвучали еще в тот момент, когда «Спартак» был действующим чемпионом, а Романцев — главным тренером. Интервью называлось «Мечтаю выиграть Лигу чемпионов».

Беда последних лет в том, что вместе с большими деньгами в наш футбол приходят люди, которые не знают, куда и зачем они идут. Когда проходит время и они начинают это понимать, оказывается уже поздно.

Воинственное нежелание не то что выучить, а хотя бы прочитать устав монастыря, в который он поступил, его традиции и историю, обернулось не только десятками промахов с игроками, но и жесточайшим конфликтом с болельщиками. Червиченко прав: к моменту его появления в команде все предпосылки для кризиса в «Спартаке» уже были. Однако говоря и действуя, как слон в посудной лавке, он довершил тот процесс развала, механизм которого был запущен еще до него.

Говоря объективно, Червиченко не должен целиком отвечать за тот кризис, который разразился в «Спартаке» во время его правления. Но так вышло, что он стал его символом, олицетворением. Не уверен, кстати, что он по этому поводу сильно расстраивается. Вы же помните: «Злых героев помнят гораздо дольше».

⚽ ⚽ ⚽

К 2001 году «Спартак» отвык проигрывать и, что не менее важно, достойно воспринимать поражения. Это уже в следующие два-три года неудачи станут для девятикратного чемпиона России обыденностью — пока же ни новое руководство, ни тренеры, ни игроки не чувствовали, на пороге какой пропасти стоят. Любая критика воспринималась в штыки, тем более что к вечно озабоченному поиском врагов в верхушке «Спартака» Романцеву добавился взрывной и не привыкший к публичным разносам Червиченко. Сам будущий президент, как вы помните, признавался: взявшись за «Спартак», он не испытывал того давления и ответственности, которые чувствовал бы любой человек, преклонявшийся перед этой командой. А потому колоссальное внимание, которое приковано к «Спартаку», сверхмаксималистские требования болельщиков и прессы стали для Червиченко крайне неприятным сюрпризом.

Соответственно вели себя и его подчиненные — в том числе тренеры. Я ощутил это и на себе.

17 октября 2001 года «Спартак» был не просто побежден, а унижен в Мюнхене — 1:5 от местной «Баварии». «Как человек, всю жизнь причастный к „Спартаку", скажу: такого позора я не испытывал ни разу за свои 50 с лишним»,— говорил мне лучший футболист СССР 1972 года, многолетний капитан красно-белых Евгений Ловчев. И можно было только поражаться мужеству и преданности болельщиков «Спартака», добравшихся до мюнхенского «Олимпиаштадиона». За потрясающий послематчевый жест, когда, несмотря ни на что, они коллективно растянули шарфы с именем любимого клуба и стояли так несколько минут, им надо было поставить памятник. «You'll never walk alone!» («Ты никогда не будешь один!») — название легендарного гимна поклонников английского «Ливерпуля» в этот день полностью соответствовало поведению спартаковских фанов.

Тот матч стал апофеозом бездарной Лиги чемпионов (две ничьи, четыре поражения и последнее место в группе), которая через год, правда, покажется совсем не такой плохой. Но тогда-то мы еще помнили прошлый, 2000 год с победой в группе, разгромами «Спортинга» с «Арсеналом» — и ждали от «Спартака» того же!

Но в футболе, как и в жизни, все может измениться очень быстро. Ломать — не строить.

После матча с «Баварией» я опубликовал в «Спорт-экспрессе» крайне жесткий материал под заголовком «Детский мат». О «Спартаке» тогда в подобных тонах писать было не принято.

Евгений Ловчев в том материале говорил:

— Знаете, какой эпизод из своей жизни я все чаще вспоминаю, когда думаю о нынешнем «Спартаке»? В 21 год я как-то обиделся на тогдашнего главного тренера Никиту Симоняна, не поехал на предматчевый сбор, пошел на игру с ЦСКА по обычному билету. А потом со мной ночью два часа разговаривал Николай Петрович Старостин. И объяснял, что «Спартак» — это не Симонян и не Старостин, а нечто гораздо большее. Это — общность, единение людей одного вероисповедания. Когда недавно новые руководители клуба беспардонно взвинтили цены на билеты и Лужники опустели, я понял, что произошло нечто страшное: в «Спартак» пришли люди, не чувствующие себя с болельщиками единым целым.

Этой мыслью вкупе с весьма хлестким в лексике разбором игры был пронизан весь материал. «Все ясно стало уже после первого гола, который по элементарности можно уподобить шахматному детскому мату. Такие голы в Лиге чемпионов — нонсенс. Как и вся игра спартаковцев, из которых было жаль одного Бесчастных, выглядевшего одиноким волком в стальной клетке общекомандного безразличия». И так далее.

Кто-то, быть может, назовет подобные формулировки эмоциональным перехлестом. Я же не стыжусь ни одной из них. Футбол жив человеческими чувствами, и помимо разбора игровых нюансов мы, репортеры, на мой взгляд, должны передавать людям те ощущения, которые сами испытываем во время игры. Сухой, отстраненный, наукообразный анализ не вызовет отклика, болельщик решит, что мы высокомерно не хотим разговаривать с ним на равных, делиться своими суждениями — и равнодушно отложит газету. По-моему, гораздо лучше, когда «обратная связь» — этакий почтовый ящик газеты в интернете — завалена гневными откликами читателей, несогласных с твоим мнением и даже называющих твою статью заказной (ну не бывает у нас в стране толерантности к позиции, с которой не согласен!), чем когда они, читатели, молчат. Молчат — значит, не прониклись тем, что ты написал. Молчат — значит, ты сработал халтурно.

Конечно, журналист смотрит на игру с совсем другого ракурса, чем болельщик. Но журналист, который, садясь за компьютер, сознательно выжигает в себе душу и включает один только сухой разум, убежден, никогда не добьется настоящего читательского внимания. Да и внимания людей футбола тоже. Потому что, как мы увидели на примере того же Ловчева, у них тоже есть душа. Которая болит. Потому я и пишу материалы, подобные «Детскому мату», которые воспринимаются многими спартаковскими поклонниками как «заказ против „Спартака"». Ну и пусть воспринимаются — главное, чтобы безразличия не было! Мне самому, когда пишу, далеко не все равно — и читателям должно быть так же.

Через несколько дней после публикации «Спартак» играл на стадионе имени Эдуарда Стрельцова с махачкалинским «Анжи». По дороге на пресс-конференцию мы столкнулись со вторым тренером красно-белых Вячеславом Грозным. Он прилюдно начал мне угрожать физической расправой: мол, мы еще с тобой разберемся. Дело едва не дошло до рукопашной — нас с трудом растащили. Видимо, именно репортер был виноват в поражении от «Баварии» со счетом 1:5.

На последний домашний матч «Спартака» в той Лиге чемпионов — против чешской «Спарты» — пришли 3 тысячи зрителей. 3 тысячи — спустя 11 месяцев после 80 тысяч на игре с «Арсеналом» в девятиградусный мороз! В этой «умопомрачительной» посещаемости тоже, наверное, были виноваты журналисты. Как и в том, что по сравнению с сезоном 2000 года средняя посещаемость матчей «Спартака» в чемпионате России рухнула на внушительные 6 тысяч — с 20 333 до 14 121 зрителя за игру. И это уже невозможно было списать, как в Лиге чемпионов, на взвинчивание цен на билеты. Цены на матчах внутренних соревнований оставались прежними.

А история с Грозным спустя полгода получила неожиданное продолжение. Весной 2002-го «Спартак» был разгромлен — 0:3 — своим самым принципиальным оппонентом в России — ЦСКА. Играл действующий чемпион в тот день настолько безвольно, что не нанес ни одного удара в створ армейских ворот. Егор Титов произнес фразу, на которую очень болезненно отреагировали спартаковские болельщики: «Мы проиграли будущим чемпионам». (И ошибся: «золото» в том году выиграл «Локомотив».) Автор этой книги увенчал комментарий к матчу, переданный со стадиона, таким выводом: «Очень хотелось бы ошибиться, но, боюсь, матч против ЦСКА стал началом конца „Спартака“ в его нынешнем виде. В футболе, как и в жизни, не бывает ничего вечного». И оказался прав.

Через несколько минут после того, как этот репортаж был передан, при выходе из пресс-центра Лужников наши пути с Грозным вновь пересеклись. Но вместо ожидаемой, особенно на фоне такого поражения, агрессии тренер вдруг примирительно произнес: «Забудем старое». И попросил позвонить ему на следующий день.

Я позвонил. И услышал — с оговоркой, что на него ссылаться нельзя,— массу сенсационных вещей. В частности, «Спартак», по его словам, находится на грани кадровой революции, и среди прочих будет продан капитан Титов, который выходит на поле с одной мыслью: не получить травму и уехать за границу. Второй новостью было то, что вице-президент Червиченко в ближайшие месяцы должен сменить Романцева на посту президента.

Все это со ссылкой на «надежный клубный источник» было опубликовано. Хорошо, в заголовке хотя бы был знак вопроса: «В „Спартаке" грядет революция?»

Информация о назначении Червиченко, правда, подтвердилась. Зато о «наезде» на Титова и других ветеранов команды я вспомнил после того, как в 2005 году взял интервью у Андрея Тихонова. Бывший капитан красно-белых рассказал, как Грозный старался опорочить его и Титова в глазах Романцева, как «стучал» на них главному тренеру, искажая информацию, чтобы вытравить их из команды и освободить места для своих ставленников — Калиниченко и Безродного. В случае с Тихоновым, по его собственной версии, это сработало, с Титовым — нет.

Все совпадало. Похоже, Грозный использовал самую популярную спортивную газету России, чтобы, не называя собственного имени, подмочить репутацию Титова. Не скрою, даже задним числом неприятно было ощутить себя средством для этого «слива». Увы, без подобных проколов в репортерском деле обойтись нереально. Через нас проходит масса информации, и далеко не всегда можно отличить правду от выдумки — тем более когда она принадлежит официальному лицу. Случается, что под видом эксклюзивной информации тебя попросту используют в своих целях, и ты начинаешь это понимать уже значительно позднее. Научиться отделять зерна от плевел можно только с опытом.

Эта история тоже показательна для понимания того раздрая, который творился в ту пору в «Спартаке».

❀ ❀ ❀

«Признаюсь: я горжусь тем, что у нас, пожалуй, самая интернациональная команда премьер-лиги».

То, чем президент Червиченко в интервью в августе 2002 года гордился, со временем стало вызывать уже даже не гнев, не возмущение, а истерический смех болельщиков «Спартака». Да и русскоязычные игроки относились к происходящему примерно так же.

Егор Титов в интервью еженедельнику «Футбол. Хоккей» вспоминал:

— Подвезли целую пятерку в баскетбольных майках: «Майами Хит», «Лос-Анджелес Лейкерс». Потом они ели курицу и кости под кровать бросали. Придушить хотелось всех пятерых.

В конце 2005-го полузащитник Максим Калиниченко — один из очень немногих, кто сохранился в команде со времен Романцева до сих пор,— рассказывал мне:

«Сейчас уже не верится, через что нам в последние несколько лет довелось пройти. Вышла вот в „Спорт-экспрессе“ подборка с полным списком

ЛЕГИОНЕРОВ „СПАРТАКА" ИЗ ДАЛЬНЕГО ЗАРУБЕЖЬЯ —
СРАЗУ О МНОГОМ ВСПОМНИЛОСЬ. БОЛЬШИНСТВО ЭТИХ
ПАРНЕЙ Я ЧЕРЕЗ СВОЮ ПСИХИКУ ПРОПУСТИЛ. КАЖДЫЙ
РАЗ, КОГДА ПРИЕЗЖАЛА ОЧЕРЕДНАЯ ГРУППА ДЕТЕЙ ИЗ
МАЛООБЕСПЕЧЕННЫХ АФРИКАНСКИХ СЕМЕЙ, ДОХОДИ-
ЛО ДО МАРАЗМА. ЗАЯВЛЯЛИСЬ НЕ ТО ЧТО БЕЗ ФОРМЫ,
НО ДАЖЕ БЕЗ БУТС — БЕРИТЕ ТАКОГО, КАКОЙ ЕСТЬ! БЕЗ
ГЛАВНОГО ИНСТРУМЕНТА ДЛЯ ФУТБОЛИСТА, ПРЕДСТАВ-
ЛЯЕТЕ?! ВЫДАЮТ ЕМУ БУТСЫ, ОН ИХ НАПЯЛИВАЕТ, А ЧЕ-
РЕЗ ТРИ МИНУТЫ СНИМАЕТ, ПОКАЗЫВАЕТ КРОВАВЫЕ
МОЗОЛИ И ЗАЯВЛЯЕТ: „НЕ МОГУ ТРЕНИРОВАТЬСЯ". ПО-
СЛЕ ЧЕГО ПОЛОВИНУ СОДЕРЖИМОГО БАЗЫ С СОБОЙ
ВЫНОСИТ И УЕЗЖАЕТ ВОСВОЯСИ. И ТАКОЙ БЫЛ ДАЛЕКО
НЕ ОДИН. ОНИ ПРИХОДИЛИ И УХОДИЛИ, БУДТО НА КОН-
ВЕЙЕРЕ. ОТ ЭТОГО МОЖНО БЫЛО СОЙТИ С УМА. „СПАР-
ТАК" НА КАКОЕ-ТО ВРЕМЯ СТАЛ „ЗАТЕРЯННЫМ МИРОМ"
КОНАН ДОЙЛЯ».

Замечу, что последняя фраза не была художественным вымыслом журналиста. У Калиниченко — ис-
ключительный для футболиста лексикон, когда выраже-
ния «априори», «монархия», «эстетский гол» перестают
удивлять почти сразу, когда ответ на вопрос, можно ли
хотя бы теоретически после шести лет в «Спартаке» перейти в ЦСКА, начинается так: «Не я придумал послови-
цу „От тюрьмы да от сумы не зарекайся"». Но даже не
это главное. Красивые обороты у него не отвлекают от
смысла, а, наоборот, подчеркивают его. Слушая Калиниченко, ты незаметно оказываешься вместе с ним на поле.

Ликуешь и негодуешь, летаешь как на крыльях и падаешь от изнеможения, при этом каждое футбольное мгновение, каждую игру и тренировку пропускаешь через себя. И ни на секунду не становишься равнодушным. Хорошо бы ему когда-нибудь попробовать себя в роли телекомментатора. Но это — уже в послефутбольной жизни, до которой, надеюсь, еще далеко. Ведь в июне мы все порадовались за Калиниченко, отлично выступившего на чемпионате мира в составе сборной Украины: во встрече с Саудовской Аравией он забил гол и сделал две голевые передачи. Вскоре появились сообщения, что на Максима положил глаз «Манчестер Юнайтед»...

Так вот, таких людей в «Спартаке» «смутных времен» оставались единицы. А что в нем было, я однажды испытал на собственной шкуре. В форме трагикомедии.

Летом 2002 года «Спартак» пополнился очередными иностранцами, уже неизвестно какими по счету: Скарлеттом с Ямайки, Андрезиньью из Бразилии и Огунсаньей из Нигерии. В интересах читателей, болеющих за спартаковцев, было решено все же представить в «Спорт-экспрессе» безвестных заморских пришельцев. И вот Тарасовка на проводе. С нами разговаривают из холла базы, где один общий телефон на всех.

Вначале мой коллега Владимир Константинов по-португальски пообщался с Андрезиньью, после чего передал мне трубку со словами: «Сейчас подзовут нигерийца».

Я задал африканцу по-английски несколько вопросов. Получил банальные ответы. А когда поинтересовался, в каких нигерийских клубах он играл, вдруг услышал: «Я не играл в нигерийских клубах. Я играл в таком-то клубе на Ямайке».

«Как же повезло, черт возьми!» — восхитился я в первый момент. Вот это судьба! Нигериец, игравший на Ямайке! Надо бы узнать, как его туда занесло...

Но через пару секунд наступило протрезвление. Я понял, что вместо Огунсаньи мне подсунули... ямайца Скарлетта!

Я с ужасом представил, какой вышел бы конфуз, если бы наутро в газете появилось интервью с нигерийцем, игравшим на Ямайке. И, попросив собеседника подождать у трубки, сообщил коллегам: «Выяснилось, что уже пять минут разговариваю со Скарлеттом. Что делать?!»

Отдел футбола зашелся в гомерическом хохоте. Рабочий настрой испарился за какую-то секунду. Один из замов редактора сквозь приступы смеха выдавил: «Проси его... чтобы подозвал... нигерийца». И вновь захохотал. А мне было не до смеха. Я глубоко вдохнул и, всеми силами стараясь не засмеяться, сделал именно то, что просил зам. В вежливой реакции Скарлетта ощущались нотки недоумения.

Вскоре к трубке подошел Огунсанья. Разговор продолжался минуты три и неожиданно закончился фразой: «Тут кто-то ждет звонка и гонит меня от телефона. Если хотите, перезвоните завтра».

Но я не хотел. Главное — название прежней команды Огунсаньи и количество забитых им голов —

мне уже было известно. И к Ямайке, слава богу, отношения не имело.

Стоит ли говорить, что уже через полгода и Андрезинью, и Огунсаньи, и Скарлетта в «Спартаке» уже и след простыл? Та история стала для меня квинтэссенцией того, без преувеличения, идиотизма, который творился в клубе несколько лет. Того идиотизма, на котором многие работники «Спартака» сделали немалые деньги, а Червиченко, которого из раза в раз элементарно «разводили», причем сначала одни люди, потом другие и, наконец, третьи, те же самые деньги потерял.

Спустя четыре года Титов иронизировал:

— Я, например, видел большие перспективы у Огунсаньи.

— Серьезно?

— Конечно. У парня были все данные, чтобы не заиграть в «Спартаке», — и он полностью себя на этом поприще реализовал. Падал на каждом повороте, два гола нам привез. Такие «дарования» разгадываешь сразу...

Кто сейчас помнит эти фамилии: Гушо, Ристович, Алешандре (по словам Червиченко, этот бразилец был отправлен Романцевым восвояси за то, что... стриг ногти на ногах в раздевалке перед матчами), Стаменовски, Аджей, Эссиен Фло, Марсело Силва, Матич, Мазнов? Или, к примеру, Селкич — самое дорогое приобретение «Спартака» межсезонья 2002 года, не сыгравшее за основной состав ни единого матча... Все эти загадочные люди, между прочим, прошли через «Спартак» еще во времена Романцева, когда трансферами занимался друг детства Червиченко (их родители дружат уже более 50 лет) Александр Шикунов.

После этого вряд ли может удивлять фраза экс-президента в одном из интервью «Спорт-экспрессу»: «Я раньше жил в каком-то идеальном мире, где всегда спокойно и течет стабильный денежный поток. А здесь меня очень поразили кульбиты некоторых близких людей, вытворяющих такое, чего я от них никак не ожидал». Так стоит ли вообще говорить о роковой роли каких-то персоналий, в тот или иной момент работавших в клубе при Червиченко, если там в общем и целом царил феноменальный хаос?

И дело было не в одних легионерах — в конце концов, бразильцы Робсон, Маркао, Мойзес, камерунец Тчуйсе оставили о себе приятные воспоминания. Лучший бомбардир в истории сборной России Владимир Бесчастных, поигравший в Германии и Испании, даже называл Робсона лучшим партнером по атаке за всю карьеру. Романцев возился с ним с 1997 года и в конце концов сделал из второсортного поначалу бразильца очень полезного для команды игрока. Робсон привык к России и хотел остаться в «Спартаке», но руководство заявило, что в команде должны быть более высококлассные форварды, и отправило Максимку (такое прозвище получил южноамериканец) восвояси. А вместо него начали приходить Фло и десятки других...

«Пилили» не только на Скарлеттах — «пилили» и на россиянах, которых за эти годы через «Спартак» тоже прошла тьма. За тот же период позднего Романцева сквозь спартаковский двор промаршировала и толпа людей, владеющих русским: Щеголев, Куприянов, Бугаков, Грановский, Ирисметов, Мжаванадзе, Василюк, Гончаров... О том, что было дальше, и говорить не приходится.

«Приведу примеры тех, кто был куплен, но почти не выходил на поле, — кипятился позже Червиченко. — Трансфер македонца Мазнова обошелся нам в 850 тысяч долларов. Василюк стоил почти 1,5 миллиона долларов. Аджей и Огунсанья — по 750 тысяч каждый... Огунсанья сбежал в свою Африку и не возвращается — даже трансферный лист не нужен... Вильясеку не встретили в аэропорту, он просидел три дня в комнате без телефона, потренировался на снегу и махнул назад, в Чили».

Иногда в запущенные по всему миру сети попадалась действительно неплохая рыба. Но в обстановке общего бардака разглядеть ее было невозможно. Так, уже спустя месяц после прихода в «Спартак» был выгнан к чертовой бабушке бразилец Роберт, о котором Червиченко тогда в интервью высказался так: «Роберта — еще одно чудо селекции — сейчас тоже отправляем восвояси. Расчищаем завалы потихоньку». Через некоторое время Роберт станет лучшим бомбардиром чемпионата Мексики. Затем окажется в титулованном голландском ПСВ. И, наконец, забьет решающий гол в послематчевой серии пенальти четвертьфинала Лиги чемпионов—2004/05 против «Лиона».

Словом, чуть патриархальный — но тем и симпатичный, потому что соблюдал какие-никакие традиции, уклад прежнего «Спартака» был сметен нашествием многочисленной, разношерстной, но одинаково чуждой его духу армии. Раньше спартаковский футбол временами критиковали за архаизм («стеночки», «забегания», игру в мелкий пас) и нежелание что-либо менять в соответствии с велениями времени. Но, по крайней мере, было о чем спорить и что критиковать! В том, что делала на поле команда с 2002 года, найти красно-белые черточки было невозможно. Это был какой-то паноптикум.

Характерная история произошла с неплохим украинским полузащитником Эдуардом Цихмейструком — одним из немногих более или менее полезных приобретений «Спартака». Он пришел в команду в начале 2001 года из киевского «Арсенала», контракт с которым у него вроде бы закончился. На руках у Цихмейструка было одно соглашение, бывший клуб предъявил другое — действующее. Полгода «Спартак» платить не хотел, и Цихмейструк, тренируясь с командой и путешествуя на выездные матчи, не имел возможности выходить на поле. Но футболист терпел. Он очень хотел играть в «Спартаке» — и получил такую возможность в середине 2001-го, когда руководство красно-белых, обратившись в европейские инстанции, ничего не добилось и вынуждено было заплатить изрядную сумму компенсации. Эта история стала предтечей серии трансферных скандалов 2002—2003 годов, без которых «Спартак» времен Червиченко невозможно было представить...

Судьба Цихмейструка в клубе оказалась незавидной. Начал он хорошо, и стали даже поговаривать, что Тихонову на левом фланге наконец-то нашли замену. Но прошел какой-то год — и президент его выгнал. Полагал, наверное, что найдет кого-то лучше. Метко тогда высказался спартаковский болельщик в интернете: «Теперь у „Спартака" — ни Цихмейструка, ни денег за Цихмейструка».

Один из тогдашних спартаковцев рассказывал, что полузащитник подал в контрольно-дисциплинарный комитет РФС заявление о невыплате «Спартаком» обещанных по контракту «подъемных». Через день, однако, эту бумагу он аннулировал. При этом, по словам его одноклубника, денег Эдуарду так и не заплатили. Загадочная история вышла, не правда ли? Выводы делайте сами.

25 февраля 2002 года Александр Шикунов в интервью пообещал: «На опорном полузащитнике экономить не будем». В результате за последующий сезон Романцев, в своем стиле «резать мясо» выгнавший перед тем добротного игрока Виктора Булатова, перепробовал на этой позиции девятерых (!) футболистов: Титова, Кебе, Парфенова, Ананко, Баранова, Кудряшова, Ребко, Марсело Силву, Хлестова. В следующем, 2003 году через «Спартак» прошли семь (!) вратарей.

Такого не бывает. Но такое было. И где — в «Спартаке»!

Доходило до анекдота. На момент начала сезона-2003 основным голкипером красно-белых оказался

Абдельила Баги из Марокко — страны, где хороших голкиперов, как и во всей Северной Африке, не бывало отродясь. Публику пытались убедить, что Баги — самородок, и тогдашний пресс-атташе «Спартака» Алексей Зинин расстарался до такой степени, что к африканцу накрепко приклеилось прозвище Летающий Гепард.

Через пару туров с Гепардом все стало ясно. Летать-то он летал, да мячи при этом ловить забывал. И на выходы выскакивал непонятно когда, куда и зачем. Спартаковская часть редакции «Спорт-экспресса», давно уже находившаяся в состоянии перманентного истерического смеха, по инициативе корреспондента Алексея Матвеева начинала день с торжественного прослушивания марокканского гимна. А мне оставалось только издеваться в газете, причем во многом не над руководством «Спартака», а над самим собой, продолжающим переживать за эту команду: «Апельсины из Марокко» — одна из самых популярных повестей Василия Аксенова... Интересно, как бы он отреагировал, узнав, что 40 лет спустя из Марокко в Россию поедут не апельсины, а... вратари. И сразу в «Спартак»!

Не писать обо всем этом безобразии было нельзя. Мы в «Спорт-экспрессе» и писали. Да так, что осенью 2002 года технический директор «Спартака» Александр Еленский, общаясь с болельщиками команды в интернете, призвал ни много ни мало провести... митинг протеста у здания редакции. Глядите, мол, как издеваются над вашим любимым клубом эти продажные журналисты, у которых нет ни стыда, ни совести!

Болельщиков, для которых действительно любое слово критики клуба в прессе — как красная тряпка для быка (сами они, по их разумению, могут сколько угодно обсасывать недостатки любимой команды, но те, кто выносит их на общее обсуждение,— враги), настроить на определенный лад несложно. До митинга у стен редакции, конечно, дело не дошло, но пошумели тогда фанаты изрядно. Тем более что и клубная пресс-служба указания Червиченко выполняла с редким рвением. Правда, служебный гнев ее руководителя Алексея Зинина порой принимал комические формы. Мне врезалось в память словосочетание из его филиппики в «Советском спорте»: «Чернопиарщики долбасили...» Под «чернопиарщиками» подразумевался «Спорт-экспресс» вообще и ваш покорный слуга в частности. Вот только слова «долбасили» в русском языке, увы, нет...

Впрочем, вернемся к техническому директору, который предлагал провести митинг у стен редакции. Три года спустя Червиченко в прессе даже не намекнул, а прямо заявил, что пламенный трибун господин Еленский был причастен к «странным» трансферам. Даже если это и не так, карьеризм этого прыткого молодого человека не вызывал сомнений. До появления в «Спартаке» Еленский возглавлял полумифический профсоюз футболистов. С редакцией «Спорт-экспресса» он в то время очень дружил, звонил сам, регулярно давал информацию — только чтобы почаще мелькать со своим профсоюзом в печати. Кому из игроков он помог защитить свои права — неизвестно, зато как только его попросили помочь Дмитрию Сычеву в его войне против Червиченко (разве дело такого размаха — не мечта для главы профсоюза?), тут же переметнулся на противоположную сторону и пришел работать к Червиченко.

Журналисту «Спорт-экспресса», который в бытность Еленского во главе так называемого профсоюза помогал ему готовить материалы и считал его едва ли не другом, он больше не позвонил ни разу. Зато призвал к митингу у стен редакции. А меньше чем через год, как следует из слов Червиченко, из «Спартака» его попросили. За что — читайте выше.

Нет предела человеческому цинизму.

⚽⚽⚽

«Спартак» сползал в трясину постепенно — слишком велик был победный задел, созданный предыдущим поколением. Может, если перефразировать классика, чемпиона, как и раба, выдавливают из себя по капле? Или на соперников магия клуба, много лет выигрывавшего в России все и вся, действовала и после того, как истинная сила этого клуба улетучилась?

Во всяком случае, трудно увязать между собой два результата, показанных «Спартаком» в 2002 году: респектабельное третье место в чемпионате России и чудовищные 1—18 в Лиге чемпионов.

Эти 1—18 и стали водоразделом между двумя «Спартаками»: тем, что был раньше, и тем, во что превратился потом.

Впрочем, еще за несколько месяцев до 1—18 был чемпионат мира в Японии и Корее. Главным тренером сборной России был Романцев. Впервые за всю постсоветскую историю у нашей сборной был реальнейший шанс выйти из группового турнира и попасть в число 16 лучших команд мира. Жеребьевка получилась изумительной: более слабых соперников по группе, чем Япония, Бельгия и Тунис, представить было невозможно.

Тунис с грехом пополам одолели — 2:0 при весьма серенькой игре. Японии бесцветно проиграли — 0:1, и хотя немецкий арбитр Мерк не назначил пенальти в ворота хозяев за снос Семшова, жаловаться на это при вялой, тоскливой игре нашей сборной было даже как-то неудобно.

Хуже того, поражение от японцев спровоцировало беспорядки на Манежной площади Москвы, где тысячи людей смотрели матч на большом экране. Один человек был убит, десятки ранены, сотни машин, припаркованных близ Манежки, оказались сожжены и разбиты бейсбольными битами; на людей, стоявших на площади, обрушился град бутылок из-под пива, свирепствовали скинхеды. Даже мне и моим коллегам, находившимся в те дни в Японии, смотреть кадры телерепортажей из Москвы было страшно.

Знаменитый пианист Денис Мацуев рассказал мне спустя несколько лет: «В те дни в Москве проходил международный конкурс имени Чайковского. И тогда, на Манежной, побили скрипача из Китая. Ему дали несколько дней, чтобы поправить здоровье, — так он вышел и выиграл конкурс! А была там еще и трагикомичная ситуация. Член жюри на конкурсе скрипачей, тоже из Китая, жил в гостинице „Националь". То есть прямо в центре погрома. Он открыл окно, увидел, что на улице война, вник в суть. А ему нужно было идти судить в Большой зал консерватории. Что делать, чтобы не побили? Он попросил написать большую табличку на русском языке: „Я китаец", повесил ее на шею и без приключений дошел по Большой Никитской до Консерватории. Смех сквозь слезы».

Вполне возможно, и даже скорее всего, что погром состоялся бы при любом исходе матча. Во-первых, бейсбольные биты просто так на мирную площадь не приносят, во-вторых, сглупили московские власти, разрешившие продавать пиво в бутылках прямо на площади, в-третьих, по чьему-то недосмотру на Манежной был минимум милиционеров, которые ретировались, как только события приняли угрожающий масштаб (а подмога не успела). Но кто знает: сыграй наша сборная азартно и вдохновенно, захвати она внимание даже тех хулиганов, которые пришли в тот день на площадь, забей пару-тройку голов японцам — может, и не случилось бы бедствия, по крайней мере в таком масштабе? Классный футбол — он ведь создает потрясающую ауру, которая объединяет людей даже помимо их воли. А сборная России в тот день играла отвратительно.

Впрочем, она еще могла выйти из группы — если бы даже сыграла вничью с бельгийцами. Но и им команда Романцева проиграла — 2:3. Все, увы, было по делу. Мой коллега по «Спорт-экспрессу» Георгий Кудинов назвал то зрелище (а не романцевский футбол вообще, как рассудили болельщики—критиканы газеты) «футболом юрского периода», и у него были основания для такого хлесткого определения. Сам главный тренер, надев темные очки, демонстративно ушел со скамейки запасных в раздевалку после третьего гола, и вот это уж было совсем некрасиво. Как и попытка переложить ответственность на футболистов, о которых Романцев (естественно, не пришедший на пресс-конференцию) позже скажет, что с «этим поколением выиграть что-либо невозможно».

«Это поколение», между прочим, начало с того, что выиграло в 1990 году молодежный чемпионат Европы. Тогда его называли «золотым». Через 10—15 лет переименовали в «потерянное».

Но беда-то была в том, что Романцев в Японии сделал ставку как раз на «стариков»: Карпина, Онопко, Никифорова, тогда как молодежь выпускал совсем по чуть-чуть. А среднего поколения — того, на котором обычно держатся серьезные команды, не было вообще. И не только по объективным причинам.

«Гусев — это мой игрок!» — провозгласил Романцев на пресс-конференции в 2001 году.

Заявление звучало смело. Способный полузащитник Ролан Гусев к тому моменту был игроком вовсе не «Спартака», а московского «Динамо». В сборную Романцев его брал регулярно, и, скажем, в важнейшем выездном матче со сборной Швейцарии именно его прострел привел к победному голу Бесчастных.

Романцев настойчиво звал Гусева в «Спартак». Но в канун сезона-2002 полузащитник выбрал ЦСКА, который уже возглавил Евгений Гинер с его могучими финансовыми возможностями. В армейском клубе Гусев тут же стал одним из лидеров, и в первый же год, забив 15 голов, разделил с одноклубником Дмитрием Кириченко звание лучшего снайпера чемпионата. Но на первенство мира Олег Иванович Ролана не взял. Стоило только Гусеву перейти не в клуб Романцева, а в стан его прямых конкурентов, как «его игроком» он тут же быть перестал.

Словом, уже на чемпионате мира стало очевидно, что лучший тренер России 1990-х — в глубоком кризисе. Уход с поста президента «Спартака», который как раз во время чемпионата мира занял Червиченко, этот кризис удвоил. Тяжелые травмы Титова и Парфенова, выбившие их из строя до конца сезона,— утроили. «Дело Сычева», речь о котором пойдет ниже,— учетверило. В общем, к началу Лиги чемпионов сошлось все.

Болельщики, впрочем, видели, что происходит, еще до лиги. В начале сентября, в день домашнего матча с «Сатурном», поклонники красно-белых вывесили на стадионе плакат: «Тихонов навсегда». Матч, словно в подтверждение, был безвольно проигран. И виделась какая-то злая символика в том, что этот шепот — не крик! — болельщицкой души прозвучал в день дебюта на тихоновской позиции очередного гастарбайтера — Скарлетта с Ямайки. За несколько дней до того спартаковские тренеры попросили футболистов рассчитаться на «первый-второй» — чтобы получились два состава для двусторонней игры. Уже на втором игроке расчет прервался — половина людей не понимала, что нужно делать.

Романцев, с лета — наемный тренер, к лиге уже не владел ситуацией в команде. Болезнь спины (и не только) не позволила ему поехать с командой на ряд выездных игр. Еще после весеннего матча с «Уралом» игроки через СМИ (!) обратились к Романцеву с мольбой остаться в команде, хотя о его отставке в тот момент вроде никто и не говорил. Зато, как только он перестал быть президентом клуба, из «Спартака» вынуждены были уйти близкие к нему врач Юрий Васильков и пресс-атташе Александр Львов. Главный тренер незаметно (тут сказались и два года в сборной, когда контроль за положением дел в клубе был ослаблен) попал в изоляцию. Во многом он был виноват в ней сам. В конце концов, его никто не пытал раскаленным утюгом, чтобы Червиченко пришел в «Спартак». «Я сам привел в „Спартак" Червиченко и Шикунова»,— эти слова были произнесены в редакции «Спорт-экспресса» в отсутствие президента и технического директора клуба.

⚽ ⚽ ⚽

Первый матч лиги был проигран на выезде швейцарскому «Базелю» — самому, казалось, слабому из соперников «Спартака» по группе. Предстояли игры куда более сложные — с испанской «Валенсией» и английским «Ливерпулем». Кто мог знать, что «Базель» в итоге опередит «Ливерпуль», отправив последний в Кубок УЕФА? «Спартак», впрочем, эти «битвы гигантов» мало волновали: к концу турнира он, задрав голову, смотрел на всех трех соперников, как на Луну.

В день домашней игры с «Валенсией», ощущая неотвратимость вечернего апокалипсиса, группа неравнодушных к «Спартаку» журналистов отдела футбола «Спорт-экспресса» собралась в редакционном конференц-зале. То, чем с десяток взрослых людей увлеченно занимались последующий час, кому-то может показаться пустой тратой времени. Мы смотрели видеокассету «Спартак-1989». Словно наблюдая за матчами в прямом эфире, мы ахали от пасов Черенкова и голов Родионова, прорывов Пасулько и ударов Шмарова, лихой карусели Мостового с Шалимовым и бросков Черчесова, смотрели на благородные седины Николая Петровича Старостина и на молодое, свежее, улыбчивое лицо 35-летнего Романцева. А в качестве хеппи-энда было награждение медалями чемпионов СССР в концертном зале «Россия», во время которого болельщики исступленно скандировали фамилии каждого игрока (мы, вздохнув, пытались представить на их месте Фло Эссиена или Марсело Силву).

Это было ретро во спасение. За считанные часы до неминуемого разгрома от «Валенсии» (матч закончился со счетом 0:3) мы — люди, которых профессия вроде бы обязывает быть беспристрастными и смотреть на происходящее как бы со стороны,— при помощи «Спартака» образца 1989 года элементарно успокаивали нервы.

Это был своего рода наркотик, который ненадолго уводил в эйфорию от невыносимой реальности. «„Спартак", который мы потеряли» — так, перефразируя название говорухинского фильма, точнее всего можно было эту реальность отразить. Недаром Станислав Черчесов, вратарь «Спартака» в 1989 году, в 39-летнем возрасте вернувшийся из Австрии помочь родному клубу в 2002-м, Черчесов, который после самых безнадежных матчей говорил, что «нужно работать» и «есть такое слово — „надо"», после «Валенсии» не выдержал и коротко бросил журналистам: «Я впервые в жизни играл в такой безвольной команде».

В дни той Лиги чемпионов стало окончательно ясно: в «Спартаке» нет никакой смены поколений. Нет становления новой команды. Нет планомерного творческого процесса и кропотливой селекции.

Стало ясно и другое: в «Спартаке» развалена старая команда, а взамен ее не построено ни-че-го. «Если так продолжится дальше, через какое-то время 2002 год покажется болельщикам красно-белых вполне благополучным. Какой видится сейчас, к примеру, первая половина 1990-х поклонникам „Динамо"»,— написал я после «Валенсии». Может, это и дурной вкус — цитировать самого себя (телекомментатор Василий Уткин как-то раз остроумно назвал это явление «онанизмом самоцитирования»), но так уж вышло, что та оценка получилась точной. В следующие два года «Спартак» занял десятое и восьмое место и мечтать не смел ни о какой Лиге чемпионов.

И в день того матча с «Валенсией», и когда спустя пару недель приключился еще больший кошмар в Ливерпуле, я не видел никакого смысла бросать камень в «пианистов», то есть игроков. Беды в том «Спартаке» шли не от них, а от «композиторов». Как хор приютских старушек из «12 стульев» не способен спеть арии Паваротти, Доминго и Каррераса, так и гимн Лиги чемпионов оказался не для «Спартака» 2002 года с его подбором игроков и кадровой политикой.

⚽ ⚽ ⚽

Спустя две недели спартаковцы приехали в Ливерпуль.

Англия всегда была для них счастливой страной. В 1982 году команда Константина Бескова, с трудом выиграв домашний матч Кубка УЕФА у «Арсенала» — 3:2 (при том что по ходу игры было 0:2!), на лондонском «Хайбери» не оставила от знаменитого соперника камня на камне — 5:2. В концовке матча британская публика, знающая толк в футболе, стоя рукоплескала соперникам своих любимцев.

Год спустя в том же турнире была бита «Астон Вилла» из Бирмингема. Дома «Спартак» опять сыграл так себе — 2:2, и на последних минутах ответного матча счет был ничейным — 1:1. Если бы так все и закончилось, в следующий раунд вышли бы англичане — за счет лишнего гола на выезде, что является главным дополнительным показателем при прочих равных. Но в самом конце игры Федор Черенков, проводивший свой лучший сезон в карьере и однажды в той встрече уже забивший, поразил ворота «Астон Виллы» во второй раз! Небольшое лирическое отступление-воспоминание: мне, десятилетнему, родители из-за позднего времени не позволили смотреть тот матч по телевизору, отправив спать. Пришлось стоять под дверью и тихонечко подслушивать репортаж, ничем не выдавая своего присутствия. Когда Черенков забил второй гол и вывел «Спартак» в следующий этап Кубка УЕФА, я, конечно, сдержаться был не в силах. А отец, тоже счастливый до невозможности, не в силах был меня за такую вольность наказать.

В 1992 году «Спартак» попал в Кубке кубков на «Ливерпуль». На домашнем матче я, начинающий репортер, сидел уже в ложе прессы. Но был по-мальчишески счастлив, что попал на такую игру.

Десять лет спустя мы вспоминали те поединки против англичан с Владимиром Бесчастных. Форвард говорил: «Для большинства из нас тот Кубок кубков был первым международным турниром такого уровня. А потому мы сильно удивились, когда игроки „Ливерпуля“, выходя на ответный матч, по очереди били ногами в дверь нашей раздевалки. Видимо, настраивались таким образом на реванш или хотели нас запугать. А потом начали грубить на поле, что привело к рукопашной между Рашем и Онопко. Но у нас была такая команда, которую не запугаешь. Лучшая команда в моей жизни. И мы приехали в Ливерпуль не для того, чтобы отстоять домашнее преимущество в два мяча, а чтобы его увеличить».

Этот ностальгический рассказ — словно из какой-то другой жизни, чем та, в которой «Спартак» оказался десять лет спустя. Тогда, в 1992-м, в снег с дождем, бушевавшие над Лужниками, чудил знаменитый вратарь Гробелаар: сначала выбил мяч на ногу Карпину, а позже при исчерпанном лимите замен получил красную карточку и уступил место в воротах защитнику Бэрроузу. В отличие от Тихонова в матче с «Силькеборгом» Бэрроуз пропустил. А Гробелаар потом в раздевалке плакал. Ливерпульский тренер Сунесс хватал судью за грудки — в результате чего был вынужден наблюдать за ответным матчем с трибуны. Невероятный московский триллер закончился победой хозяев — 4:2 («Ради таких матчей и существует футбол!» — воскликнул в тот вечер один из лидеров «Ливерпуля» Стив Макманаман), а две недели спустя, в гостях, спартаковцы хладнокровно сыграли на контратаках — 2:0. Неуязвим был Черчесов. Из пустых ворот вынес мяч Хлестов. Бесчастных убежал от защитников и выдал Радченко идеальный голевой пас.

Черчесов, Хлестов и Бесчастных приехали со «Спартаком» и в Ливерпуль-2002. Но что могут сделать три ветерана, если поддержать их решительно некому? После окончания сезона Черчесов (которому, кстати, будут аплодировать трибуны «Энфилд Роуд», — столько раз он еще спасет «Спартак» от верных голов) уйдет сам. Хлестова и Бесчастных очень захочет оставить в команде Романцев, который, говорят, будет лично искать спонсора под новый контракт форварда. Настоящего бойца, который еще осенью 2001-го забивал гол за голом — как за клуб, так и за сборную, в составе которой сделал хет-трик в ворота Швейцарии. В канун ничего уже не решавшего домашнего матча со «Спартой» Бесчастных подчеркивал: «Я буду играть с полной отдачей, даже если на стадион придут два болельщика. Потому что это будут самые преданные болельщики „Спартака"». И в депрессивной обстановке безлюдных Лужников лучший снайпер в истории сборной России подтвердил слово делом, забив прекрасный гол. На следующий год им, грубо говоря, затыкали дыры, образовывавшиеся в составе из-за травм, и Бесчастных не отказывался играть ни на одной позиции. Потому и забил в 2002-м меньше обычного.

Но люди из прошлого «Спартака», не боящиеся высказать личное мнение, похоже, были президенту Червиченко не нужны. И Бесчастных, и Хлестову придется уйти. Эта история нагляднее всего покажет, что Романцев больше не решает в «Спартаке» почти ничего.

Впрочем, мы забежали на полгода вперед. Если заканчивать об истории взаимоотношений красно-белых с англичанами, то был еще, как вы помните, в 2000-м и памятный матч «Спартака» с «Арсеналом» при 80 тысячах зрителей в девятиградусный мороз, завершившийся со счетом 4:1 в пользу москвичей. Встречу в

Лондоне спартаковцы (единственный раз в истории игравшие тогда в черной форме), правда, проиграли — 0:1, но в истории противостояния с британцами все равно за явным преимуществом побеждал «Спартак».

Но, господи, что его ждало на легендарном «Энфилд Роуд»!

Его ждали две исчерпывающие цифры, которые не нуждаются ни в каких комментариях.

0:5.

На следующий день в ливерпульской газете Daily Post довелось прочитать крайне обидные слова. «С родины водки к нам приехал абсолютный мусор. Прошло три года с тех пор, как „Ливерпуль" вернулся на европейскую арену, и ни разу за это время на „Энфилд Роуд" не было столь слабой команды».

Эти слова были пощечиной — но пощечиной, нанесенной за дело.

Казалось, после «Валенсии» все со «Спартаком» стало ясно, и переживать за эту команду дальше означало понапрасну расходовать нервы. Но сердце к доводам разума прислушиваться не хотело. Как это — не расстраиваться, когда твоя команда терпит самое крупное поражение в европейской истории? Как это — спокойно взирать на то, что над футболистами из твоей страны издеваются даже ливерпульские резервисты, треть которых в тот день вышла в стартовом составе хозяев? Это издевательство и на нас, репортеров, до некоторой степени распространялось — английские коллеги смотрели на нас и наши муки с элементом насмешки. Как мы бы в схожей ситуации смотрели на журналистов из какого-нибудь Люксембурга. «Господи, зачем эти парни черт-те откуда сюда приперлись, чтобы писать об этом избиении младенцев?» — наверняка думали они.

Никогда прежде «Спартак» не проигрывал с разностью в пять мячей. Никогда за 37 лет выступлений в Европе «Спартак» не уступал в двух матчах подряд с крупным счетом (то есть в три и более мячей). А 14 кряду поединков в лиге без побед, да еще с уникальной разностью мячей 8—35? Устрашающих цифр можно было подобрать еще уйму. Особенно после того, как «Спартак» проиграл и три оставшихся матча группового турнира. И закончил его с абсолютным антирекордом Лиги чемпионов, который вряд ли кому-то когда-то удастся побить.

И уже трудно, очень трудно было поверить, что совсем недавно «Спартак» слыл штатным палачом английских команд. Что после 4:1 у «Арсенала» в Лужниках 2000-го (последней, кстати, до сегодняшнего дня победы красно-белых в Лиге чемпионов) Романцев заявил: «Сегодня для „Спартака" нет непобедимых соперников». Что, в конце концов, при том же Романцеве клуб трижды добирался до полуфиналов еврокубков — каждого по разу.

Все это тем не менее было. И совсем не в такой древности, чтобы иронизировать, подобно Андрею Макаревичу в его «Старом корабле»: «Чтобы не стать эдаким вот музеем, в нужный момент лучше пойти ко дну». «Спартак» был действующим и вполне добротным «судном» слишком недавно, чтобы было так просто примириться с его новым статусом — мальчика для битья.

Потому и было так больно, что теперь перед встречами «Спартака» в Лиге чемпионов сердце не начинало бешено колотиться в неповторимом ожидании большой игры. Больно, что тебе приходилось заранее себя уговаривать: знакомство с культовыми местами «Битлз» стоит заведомой порции мерзкой касторки, которую вольет в тебя очередное фиаско. Больно, наконец, что великодушный тренер-победитель Жерар Улье бросил красно-белым кость сострадания. Сказал, что веселый и играющий «Спартак» понравился ему гораздо больше гостившего на «Энфилде» неделей ранее «Базеля» — сухого и унылого. Вот только «Базель» сыграл в Ливерпуле 1:1, а мы — 0:5.

Подобное мы не раз слышали и знаем, как к этому относиться. Помнится, спартаковские тренеры в Воронеже после победы над местным «Факелом» с тем же счетом 5:0 недоумевали, как такая «играющая» команда может бороться за сохранение места в высшем дивизионе. И, дважды победив в 1999-м «Локомотив» по 3:0, они же расточали сопернику неумеренные комплименты. Зато стоило «Спартаку» проиграть «Локо» в первом круге первенства-2002, как на свет появилось скандальное (вновь скандальное!) послание руководства клуба тогдашнему президенту Российской футбольной премьер-лиги Виталию Мутко с бесцеремонными выражениями наподобие «спецназовец Маминов охотился на Титова» и «разнузданное поведение кандидата в сборную Измайлова, чьи объяснения необходимо заслушать на контрольно-дисциплинарном комитете». Понятно, что эти нелепые формулировки не Червиченко с Романцевым придумали, а ретивый пресс-атташе Зинин — но руководство клуба-то их подписало!

Знакомые коллеги рассказали, как уникально в программке к матчу в Базеле был представлен «Спартак». На фото, подписанном: «Главный тренер — Олег Романцев», был изображен его помощник Виктор Самохин, в числе вратарей значились давно ушедшие из команды Ристович, Гушо и Кабанов, в защите — Мжаванадзе, в атаке — Робсон и Василюк (всех их тоже след простыл), а россиянин Ананко был без номера и представлял... Македонию.

Невежество, скажете? Но почему мы должны презирать швейцарцев за это невежество, если для нас самих «Спартак» каждую заявочную и дозаявочную кампании тех лет становился какой-то terra incognita? И если на одного «сырого», но, по крайней мере, способного Мойзеса (тоже, кстати, проданного чуть больше года спустя) в команде появились десятки безнадежных Матичей?

Не потому ли двум героическим поклонникам «Спартака», прилетевшим в Ливерпуль из далекого канадского Калгари, пришла в голову мысль поместить на спартаковском секторе огромный портрет Николая Петровича Старостина? В тот раз не удалось — британцы не разрешили. Но патриарха с каждым днем крушения клуба вспоминали все чаще. Вспоминали и сравнивали.

Мы с коллегой по «Спорт-экспрессу» Евгением Дзичковским возвращались в Москву через Лондон. И, имея несколько часов в запасе, по единодушно принятому решению рванули через всю английскую столицу попрощаться с великим стадионом «Уэмбли», который со дня на день должны были снести. Побывать на матчах на «Уэмбли» нам так и не довелось, но упустить возможность сказать «прощай» арене, на которой Англия в 1966-м выиграла свой единственный чемпионат мира (чему и была посвящена бессмертная песня группы Queen «We are the Champions»), для нас, фанатов футбола, было преступлением. И мы выходили не на той станции метро (вместо Wembley Park — на Wembley Central) и шли напролом через мрачнейший «черный» район, где на магазинах висели угрожающие вывески вроде «Африканская национальная еда» (не человечина ли?), и наконец, обессилевшие, добирались до стадиона-легенды.

Я стоял и глядел на знаменитые башни-близнецы «Уэмбли», которым оставалось жить считанные дни. В такой торжественный момент, наверное, полагалось думать о всемирной футбольной истории.

Но из головы никак не шел «Спартак». И то унижение, которое мы все вместе с ним испытали в Ливерпуле.

Как к такому, черт возьми, можно привыкнуть?

Болельщики и не привыкли. На следующих матчах появился издевательский баннер: «1980-е — Черенков. 1990-е — Тихонов. 2000-е — Фло?».

Но самым знаменитым спартаковским слоганом этого времени стал другой: «Чемодан. Вокзал. Ростов!». Фанаты виртуально отправляли президента Червиченко на его родину и даже посвященный этому видеоклип на спартаковской гостевой в интернете создали.

Президент в ответ лишь ехидничал: «Заметьте: про чемодан орут, но билет до Ростова мне за свои деньги никто не предложил купить». И развивал тему: «В Ростове раньше существовала „брехаловка" — место, где футбольные болельщики проводили время под девизом „лишь бы не работать". В Москве, знаю, нечто подобное было возле стадиона „Динамо". Научно-технический прогресс позволил этим людям общаться в кабельных сетях. Мне говорят: вот интернетчики запустили в Паутине мультик про чемодан и вокзал с Ростовом... Ладно, говорю. Чем бы дитя ни тешилось — лишь бы денег не просило».

Некоторые интернет-болельщики «Спартака», явно переоценивающие свою роль в новейшей истории клуба, искренне убеждены, что убрали Червиченко из «Спартака» именно они. Возможно, я их разочарую, но это совсем не так. Фактор общественной нелюбви к бывшему президенту клуба, конечно, сказался, но куда важнее было то, что ФК «Спартак» при Червиченко превратился в ФК «Скандал». Когда скандальный имидж вышел за все возможные границы, более могущественные структуры добровольно-принудительным образом вынудили президента уйти. И продать контрольный пакет акций.

⚽ ⚽ ⚽

1—18 стали главным футбольным скандалом сезона-2002 для «Спартака». А еще чуть раньше был главный околофутбольный. Назывался он «дело Сычева». И громыхнул так, что волны прокатились по всей Европе. И задели отечественных творческих людей, знающих, как мало кто другой, человеческую природу.

В конце того года я беседовал о футболе с великим нашим актером, художественным руководителем МХТ имени Чехова, болельщиком «Спартака» Олегом Табаковым. И услышал:

— «СПАРТАК» — ЭТО БОЛЬ. И ТРЕВОГА. ТО, ЧТО ПРОИЗОШЛО С КОМАНДОЙ, НЕ СЛУЧАЙНО. БОЮСЬ, ЭТО НЕ АЛЛЕРГИЯ, НЕ ДЕТСКАЯ БОЛЕЗНЬ, КОТОРАЯ БЫСТРО ПРОЙДЕТ. ОЧЕНЬ НЕ ПОНРАВИЛАСЬ ИСТОРИЯ С СЫЧЕВЫМ. ПЛОХА-А-АЯ ИСТОРИЯ! ТОЛЬКО В ПЛОХОЙ ИСТОРИИ ВОЗНИКАЕТ ТАКОЕ ПОНЯТИЕ — «ЧЕСТЬ МУНДИРА». ЧЕСТЬ — ОНА И ЕСТЬ ЧЕСТЬ. ЛИБО ОНА ЕСТЬ, ЛИБО ЕЕ НЕТ. А «ЧЕСТЬ МУНДИРА» — ЭТО ИЗ ЛЕКСИКОНА БЮРОКРАТОВ. ЛЮДИ ДОЛЖНЫ, ПОДОБНО ХОЛДЕНУ КОЛФИЛДУ У СЭЛИНДЖЕРА, СТОЯТЬ НАД ПРОПАСТЬЮ ВО РЖИ И ЛОВИТЬ ДЕТИШЕК, БЕГУЩИХ НАВСТРЕЧУ ОПАСНОСТИ. А В ИСТОРИИ С СЫЧЕВЫМ ОНИ, НАОБОРОТ, В ЭТУ ПРОПАСТЬ ПОДТАЛКИВАЛИ.

— ЭТА ИСТОРИЯ — ПЛОХАЯ С ОБЕИХ СТОРОН?

— ВСЕГДА БЫВАЕШЬ НА СТОРОНЕ СЛАБОГО, А СЛАБЫМ В ЭТОЙ ИСТОРИИ БЫЛ МАЛЬЧИШКА. ПОРАЗИТЕЛЬНО

ОДАРЕННЫЙ. МНЕ КАЖЕТСЯ, ЕСЛИ БЫ СТОРОНЫ ДОГОВОРИЛИСЬ И СЫЧЕВ ВЕРНУЛСЯ В КОМАНДУ, БЫЛО БЫ ЗДОРОВО. И «СПАРТАК» СТАЛ БЫ НЕ ТАКИМ, КАКИМ БЫЛ В КОНЦЕ СЕЗОНА. ПОНИМАЮ, ЧТО СЕЙЧАС ЭТО УЖЕ НЕВОЗМОЖНО. ОТ ЭТОГО ГОРЕЧИ НА ДУШЕ ТОЛЬКО БОЛЬШЕ.

Так что же это была за история, если она заставила сокрушаться даже таких титанов, как Табаков? Люди подобного масштаба — они ведь подобного монолога о чем-то несущественном никогда не произнесут.

Восемнадцатилетний щупленький парнишка из тамбовского «Спартака» приглянулся Романцеву во время зимнего просмотра в начале 2002 года. Это была одна из немногих селекционных удач некогда могущественного тренера в последние годы его работы с командой. Уже на Кубке чемпионов стран СНГ юный нападающий показал, что не лыком шит, забив в финале классный гол киевскому «Динамо». Обратил тогда на Сычева внимание и главный тренер киевлян, маэстро тренерского корпуса Европы Валерий Лобановский, который через несколько месяцев уйдет из жизни, и в память о нем будет объявлена минута молчания перед финалом Лиги чемпионов. Такое признание, пусть и посмертное, красноречивее всяких титулов.

Но Сычев Лобановскому не достался — он уже принадлежал «Спартаку». Интересно, что до того парень, у которого были проблемы со здоровьем, не подошел ни донецкому «Шахтеру», ни питерскому «Зениту», да и в «Спартак» попал лишь после четвертого (!) просмотра. И сразу заблистал.

С начала сезона Сычев принялся забивать почти в каждом матче. Журналистов он дичился, вне поля держался застенчиво — но на газоне преображался и выдавал спектакль за спектаклем. Дошло до того, что Романцев, всегда избегавший комплиментов в адрес молодых и раздражавшийся, когда такие комплименты публично делались кому-то из его футболистов, произнес: «„Спартак" выезжает на Сычеве».

Произнес — и пригласил Сычева в сборную России, готовившуюся к поездке на чемпионат мира в Японию и Корею. Такой взлет 18-летнего юнца — за считанные месяцы из второй лиги до национальной сборной — вообще был беспрецедентным!

Впрочем, и этим дело не ограничилось. На мировом первенстве Сычев стал лучшим игроком нашей сборной. Выйдя на замену в матче с Тунисом при счете 0:0, он сначала принял участие в атаке, которая завершилась голом Титова, а затем заработал пенальти, реализованный Карпиным. Признание лучшим игроком этого матча потом материализуется в автомобиль «Порше», который Дмитрий получит в самый разгар скандала в «Спартаке».

В решающем матче с Бельгией Сычев, опять игравший не с первых минут, успел забить сам и подарить сборной последнюю надежду. Но не может вообще все на чемпионате мира — турнире для закаленных мужиков — зависеть от хрупкого подростка!

Но потряс Дима всю страну не только своей игрой. Уходя с поля после матча с Бельгией, он рыдал. Восемнадцатилетний мальчишка, убитый тем, что сборная не вышла из группы, по-настоящему плакал и не скрывал своих слез. Через несколько месяцев, в разгар скандала, отец Сычева Евгений приведет цитату из письма одной женщины в интернете: «Не верю, что Сычев из мальчика, который плакал после поражения сборной в Японии, мог так быстро превратиться в подонка и рвача. Это процесс долгий и целенаправленный».

Как рассказал мне Владимир Бесчастных, Сычев плакал и в тот момент, когда спустя два месяца забирал вещи со спартаковской базы...

Три года спустя мы будем беседовать с писателем-сатириком Виктором Шендеровичем, знающим наш футбол далеко не поверхностно и оценивающим его порой беспощадно. И вдруг он скажет: «Мне приятно было видеть плачущего мальчика Сычева на том злосчастном чемпионате. Я был так счастлив, что увидел эти слезы хоть у одного! При том что кого нельзя было упрекнуть, так это его. Эти слезы были прекрасны, потому что человек вышел, чтобы спасти Родину. С Родиной ничего — ни плохого ни хорошего — не случилось, но он вышел спасти Родину. Ни больше, ни меньше. И мне такое отношение было очень приятно. После этих слез я ему очень всерьез симпатизирую».

Вот как бывает: известный писатель (и тоже, между прочим, спартаковский болельщик) Сычеву всерьез симпатизирует, а очень многие поклонники «Спартака» считают его предателем. И готовы едва ли не шею ему свернуть, когда он выходит в составе «Локомотива» против красно-белых. И кричат ему, когда-то гордо носившему футболку с надписью «Кто мы? Мясо!», что есть мочи: «Иуда!»

Кто же прав?

✪ ✪ ✪

Бомба взорвалась 16 августа. За два часа до домашнего матча с «Аланией» президент «Спартака» Червиченко получил заявление Дмитрия Сычева о расторжении контракта с командой, заключенного до конца 2006 года, в одностороннем порядке.

Вечером того же дня Сычев отыграл последний матч в составе чемпионов России. Вернее, не матч, а первый тайм, после которого был заменен. По словам отца Сычева, технический директор клуба Шикунов сразу после ухода Дмитрия с поля похлопал его по плечу со словами: «Для тебя футбол закончен».

Романцев рассказывал:

— ЗА ЧАС ДО НАЧАЛА МАТЧА С «АЛАНИЕЙ» НА СТАДИОНЕ «ТОРПЕДО» В РАЗДЕВАЛКУ ЗАШЕЛ ПРЕЗИДЕНТ «СПАРТАКА» АНДРЕЙ ЧЕРВИЧЕНКО И ПОКАЗАЛ МНЕ ЗАЯВЛЕНИЕ ОБ УХОДЕ ИЗ НАШЕЙ КОМАНДЫ, ПОДПИСАННОЕ, ПО ЕГО СЛОВАМ, ДИМОЙ. Я ГЛАЗАМ СВОИМ НЕ ПОВЕРИЛ И ДАЖЕ ПЕРЕСПРО-

СИЛ: «НЕУЖЕЛИ ЭТО ЕГО ПОДПИСЬ?» УСЛЫШАВ УТВЕРДИ-
ТЕЛЬНЫЙ ОТВЕТ, ПЕРЕЖИЛ ТАКОЙ ШОК, КАКОГО ВРАГУ НЕ
ПОЖЕЛАЮ. «ДА ТАКОГО НЕ МОЖЕТ БЫТЬ!» — ДУМАЛ Я ПРО
СЕБЯ И ОДНОВРЕМЕННО РЕШАЛ, ВЫВОДИТЬ СЫЧЕВА ИЗ
СТАРТОВОГО СОСТАВА ИЛИ ОСТАВЛЯТЬ В НЕМ. УЖЕ ПОТОМ
ВЛАДИМИР ФЕДОТОВ, ЗАГЛЯНУВ КО МНЕ В БОЛЬНИЧНУЮ
ПАЛАТУ, ПРИЗНАЕТСЯ, ЧТО В РАЗДЕВАЛКЕ ПЕРЕД ИГРОЙ
СТРАШНО ИСПУГАЛСЯ ЗА МЕНЯ. «НА ВАС ЛИЦА НЕ БЫ-
ЛО!» — ГОВОРИЛ ОН. СЫЧЕВ НА ПОЛЕ ВСЕ-ТАКИ ВЫШЕЛ,
ОТЫГРАЛ ПЛОХО, И Я ЕГО ЗАМЕНИЛ. МАТЧ В ИТОГЕ МЫ ВЫ-
ИГРАЛИ, НО С КАЖДОЙ МИНУТОЙ Я ЧУВСТВОВАЛ СЕБЯ ВСЕ
ХУЖЕ И ХУЖЕ. ЧЕМ ВСЕ ЗАКОНЧИЛОСЬ — ИЗВЕСТНО: ЧЕРЕЗ
СЧИТАННЫЕ ДНИ Я ПОПАЛ НА ОПЕРАЦИОННЫЙ СТОЛ.

Действительно, Романцева госпитализировали в
1-ю клиническую больницу при администрации президента РФ в связи с обострением мочекаменной болез-
ни. Червиченко заявил журналистам, что Романцев оказался на больничной койке, так как близко к сердцу
принял случившееся с Сычевым. Нападающий тем временем забрал вещи из Тарасовки, чтобы уехать из нее
навсегда. А руководство «Спартака» в ответ решило
дисквалифицировать Сычева.

В интервью известному журналисту Леониду
Трахтенбергу Романцев едва ли не руки заламывал в
патетическом гневе: «Сычев, как модно сейчас выражаться, подставил прежде всего ребят. И мне обидно
теперь уже не столько за себя и даже вовсе не за себя,
сколько за них. Чем они виноваты перед тобой, Дима?!

А ты подвел их. Ты подвел „Спартак". Так, как ты, из команды не уходят. Прежде надо вернуть долг. Нет, не мне. Своим партнерам. Своему клубу».

Через несколько лет Романцев в другом интервью произнесет совсем иные, правда, так и не расшифрованные детально слова: «Узнав о том, что тогда происходило на самом деле, я зауважал Сычева еще больше».

Такое впечатление, что эти цитаты принадлежат двум разным людям. С Романцевым такое, впрочем, случалось нередко. Но в данном случае я склонен объяснять все не лицемерием, а действительно информацией, от которой Романцев в начале скандала был отсечен и которую получил гораздо позднее.

Червиченко сразу дал понять, что ни на какие компромиссы с футболистом и его окружением идти не собирается. «У меня, надеюсь, хватит здоровья и терпения, чтобы довести историю с Сычевым до логического завершения (имелось в виду длительное отлучение от футбола). Дабы другим неповадно было поступать так, как он».

Оставалось понять, что же все-таки произошло. Почему один из самых талантливых игроков России, еще недавно не помышлявший ни о каком уходе из «Спартака» и целовавший эмблему клуба после забитого гола, пошел на такой отчаянный шаг.

В информационной войне инициативу сразу захватил президент «Спартака». «Аппетит агента и отца футболиста стал непомерным, и именно они подтолкнули игрока, имя которого стало известно исключительно

благодаря „Спартаку", на столь неблаговидный поступок»,— заявил Червиченко. Отец Сычева, сыгравший
главную роль в решении сына, заговорил несколько
позже, но так, что мало никому не показалось.

Обе стороны ждали 4 сентября. В этот день должен был собраться контрольно-дисциплинарный комитет РФС, которому и надлежало поставить запятую после одного из слов известной дилеммы: «Казнить нельзя помиловать».

Почти три недели — срок достаточный хотя бы
для относительного прояснения картины. Она оказалась крайне запутанной.

Во-первых, было предано гласности заявление,
которое Сычев адресовал 21 августа председателю
КДК РФС Виктору Марущаку.

«В июне 2002 года в связи с принятием нового
Трудового кодекса РФ руководство ФК „Спартак"
(Москва) предложило мне перезаключить мой трудовой договор с клубом. Мне было предложено
подписать соответствующее соглашение и новый
трудовой договор. Условия предложенных документов существенно отличались от подписанных
мною 21.01.2002 трудового договора и приложения к нему. Я напомнил руководству клуба, что условия приложения не выполнены (фактически я
был обманут и не получил оговоренных подъемных в размере 10 тысяч долларов США), а также не
получил свой экземпляр трудового договора. Я

ПРЕДЛОЖИЛ РУКОВОДСТВУ КЛУБА ОБСУДИТЬ УСЛОВИЯ
МОЕГО НОВОГО ТРУДОВОГО ДОГОВОРА С МОИМИ ЗА-
КОННЫМИ ПРЕДСТАВИТЕЛЯМИ. НО НА ВСЕ МОИ ПРОСЬ-
БЫ, А ТАКЖЕ НА ПРЕДЛОЖЕНИЯ МОИХ ЗАКОННЫХ ПРЕД-
СТАВИТЕЛЕЙ РУКОВОДСТВО ФК „СПАРТАК" ОТВЕТИЛО
КАТЕГОРИЧЕСКИМ ОТКАЗОМ. СРАЗУ ПОСЛЕ МОЕГО ОТКА-
ЗА ПОДПИСАТЬ ПРЕДЛОЖЕННЫЕ КЛУБОМ ДОКУМЕНТЫ
РУКОВОДСТВО ФК „СПАРТАК" (МОСКВА) СТАЛО ОКАЗЫ-
ВАТЬ НА МЕНЯ СИЛЬНОЕ ПСИХОЛОГИЧЕСКОЕ ДАВЛЕНИЕ.
В СВЯЗИ С ПОСТОЯННЫМ ДАВЛЕНИЕМ НА МЕНЯ И НЕГА-
ТИВНОЙ ОБСТАНОВКОЙ, СОЗДАННОЙ РУКОВОДСТВОМ
ФК „СПАРТАК" (МОСКВА), Я ВЫНУЖДЕН БЫЛ 16 АВГУСТА
2002 ГОДА НАПИСАТЬ ЗАЯВЛЕНИЕ ОБ УВОЛЬНЕНИИ ПО
СОБСТВЕННОМУ ЖЕЛАНИЮ. В СВЯЗИ С ТЕМ, ЧТО МОЕ
ДАЛЬНЕЙШЕЕ ПРЕБЫВАНИЕ В КЛУБЕ НЕВОЗМОЖНО,
ПРОШУ БЮРО КДК РАСТОРГНУТЬ МОЙ ТРУДОВОЙ ДОГО-
ВОР С ФК „СПАРТАК" (НЕВЫПОЛНЕНИЕ КЛУБОМ УСЛО-
ВИЙ ТРУДОВОГО ДОГОВОРА) И РАЗРЕШИТЬ ПЕРЕХОД В
ДРУГОЙ КЛУБ».

Расчет людей, представлявших интересы Сычева, стал ясен. Четкого юридического механизма, позво-
ляющего решать трудовые конфликты в футболе, у нас
в стране не было. Нестыковки между трудовым и футбольным законодательствами помогли отыскать лазей-
ку, через которую игрок решил уйти из «Спартака». Согласно регламенту Международной федерации футбола — ФИФА, принятому и РФС, игрок не имеет права
без обоснованных причин разрывать в ходе сезона кон-

тракт с клубом. Но если все же решается на это, подвергается дисквалификации сроком на четыре месяца (в особых случаях — до шести месяцев), а его будущий клуб платит прежнему компенсацию.

В номере «Спорт-экспресса» за 31 августа президент УЕФА Леннарт Юханссон подтвердил: «Пока УЕФА не имеет возможности применить серьезные санкции к игроку, отказывающемуся выходить на поле за свой клуб». Более того, главным принципом нового регламента ФИФА является то, что игрок в спорных ситуациях страдать не должен. Отсюда и невозможность длительной дисквалификации.

В «Спартаке» то ли не хотели видеть, что ситуация складывается не в пользу клуба, то ли (что вероятнее) решили: КДК будет выносить вердикт «не по законам, а по понятиям».

Нельзя исключать, что так бы и случилось. Но еще в начале 2002 года Червиченко успел всерьез поссориться с всесильным президентом Колосковым, заявив по поводу одного из предыдущих конфликтов: «РФС не желает защищать интересы своей страны, своих клубов, своего чемпионата. Но мы в любом случае пойдем до конца. Задача — показать, что в России нет... идиотов, с которыми можно делать все, что угодно».

После таких слов легко предположить, что Колосков, имевший влияние на КДК, поступил просто, сказав: действуйте согласно регламенту. И не более того.

Позже Колосков скажет: «В футболе есть очень хорошее понятие — пауза. Она важна. Не разобравшись детально, нельзя проводить какие-либо шумные мероприятия... Пожалуйста, пример: Романцев выступил с заявлением, что „Спартак" никогда не платил и не будет платить подъемных и что Сычев обманывает. А на КДК выяснилось, что это совсем не так».

Тезис о неприятии так называемых подъемных Романцев культивировал много лет. Возможно, он искренне считал, что их не платят, а те, кто в «Спартаке» «сидел на деньгах», не хотели расстраивать большого тренера. Но уж в таких-то ситуациях президент клуба и главный тренер должны разработать единую согласованную позицию! Иначе потом их будут подозревать в обмане даже там, где они говорят правду.

Кроме того, руководство «Спартака» занялось откровенным популизмом. В худших советских традициях было даже организовано «письмо ветеранов», где Сычева разве что с землей не сравняли. При том что для знающих людей ситуация была очевидна: Червиченко платит ветеранам «Спартака», людям очень небогатым, хотя бы какие-то деньги, и нежелание подписывать подобный документ обернется для них потерей единственного источника дохода.

Червиченко прилагал все усилия, чтобы решить дело в свою пользу. Вначале на сторону клуба перешел (по терминологии отца Сычева — предал) бывший неформальный агент футболиста Алексей Соколов, начинавший процесс в противоположном лагере. Более того, он приехал в больницу, куда лег на обследование Сычев (по словам отца, Дима находился на грани нервного срыва), с человеком в форме генерала МВД. Из госпиталя футболисту пришлось срочно исчезнуть.

Потом той же дорогой, что и Соколов, проследовал юрист Александр Еленский, на которого вышла сторона игрока, и за какие-то дни превратился из главы профсоюза игроков в технического директора «Спартака». Кроме того, голоса специалистов, клеймивших Сычева, звучали куда громче, чем их оппонентов. На стороне Дмитрия из действующих игроков выступил только его будущий партнер по «Локомотиву» Сергей Овчинников, а из людей более старшего поколения — Анатолий Бышовец и Александр Бубнов. Все они всегда отличались подчеркнутой самостоятельностью суждений.

По инициативе Червиченко 15 остальных президентов клубов премьер-лиги подписали меморандум, в котором обещали не претендовать на Сычева и не позволять ему во время дисквалификации тренироваться в их клубах. Президентов можно было понять: контрактная система в России, как выяснилось, далека от совершенства, и при большом желании любой игрок может на нее наплевать. Пожертвовав собой лишь на считанные месяцы. При этом, к примеру, президент «Крыльев Советов» Герман Ткаченко заметил: «Я лично против антисычевской вакханалии, за которую ответственны и мои коллеги из „Спартака"».

Президентам клубов кровь из носа было нужно, чтобы в войне руководства «Спартака» и Сычева победил клуб. Но деньги оказались слабее власти. 4 сентября игрок был дисквалифицирован на четыре месяца, после которых имел право играть за кого угодно — после выплаты сравнительно небольшой компенсации. Президенты клубов тут же выразили недоверие КДК, считая, что под российский футбол заложена бомба. Но их никто слушать не стал. Колосков сразу и жестко дал понять, что решение окончательное и обжалованию не подлежит. Насчет бомбы президенты, кстати, погорячились. С тех пор прошло четыре года, и ни одного аналога «дела Сычева» в России больше не было.

«Спартак» в последний момент предлагал компромисс, но теперь уже семья Сычевых, возмущенная, по выражению отца, «травлей» игрока, любые полюбовные соглашения отвергла.

⚽ ⚽ ⚽

А вот что говорил Евгений Сычев.

«15 августа Диму вызвали в кабинет Червиченко. Там были также Шикунов, Романцев и Федотов. Вчетвером устроили ему форменный перекрестный допрос. Зачем отец приехал, чего хочет? В конце сказали, что если он намерен продолжать играть, то должен обязательно подписать все бумаги. Иначе у него будут большие проблемы. Дима отказался наотрез. Как мне кажется, давление на сына происходило не из-за контракта как такового, а потому, что руководство клуба задалось целью привязать Диму на ближайшие пять лет, связать его по рукам и ногам на тот случай, если он вдруг по какой-то причине откажется от взаимоотношений со „Спартаком“».

— ОЧЕНЬ ЖАЛЕЮ, ЧТО НА ЗАСЕДАНИИ КДК НИКТО НЕ ОБРАТИЛ ВНИМАНИЯ НА НАШИ СЛОВА О ТОМ, ЧТО, ПО НАШЕМУ МНЕНИЮ, КОНТРАКТ ФАЛЬСИФИЦИРОВАН. В ТОЙ ЧАСТИ, КОТОРАЯ КАСАЕТСЯ СТАТЬИ 7 «ОСОБЫЕ УСЛОВИЯ». НЕ ИМЕЯ НА РУКАХ СВОЕГО ЭКЗЕМПЛЯРА КОНТРАКТА, ПРО КОТОРЫЙ РУКОВОДИТЕЛИ «СПАРТАКА» СКАЗАЛИ, ЧТО ВЫДАВАЛИ ЕГО ДИМЕ, МНЕ ПРИШЛОСЬ ОБРАТИТЬСЯ В РФПЛ К БОРИСУ БОБРОВУ. ЭТО БЫЛО 15 ИЮЛЯ. ВИДЕЛ СВОИМИ ГЛАЗАМИ, ЧТО ВСЯ ГРАФА «ОСОБЫЕ УСЛОВИЯ» ПЕРЕЧЕРКНУТА БОЛЬШОЙ БУКВОЙ Z. А В ТОМ КОНТРАКТЕ, КОТОРЫЙ РУКОВОДИТЕЛИ «СПАРТАКА» ПРЕДСТАВИЛИ В СРЕДУ НА КДК, ЭТА ГРАФА БЫЛА ВСЯ ЗАПОЛНЕНА. ОТ РУКИ. МОЖЕТЕ ПОСМОТРЕТЬ САМИ И ПОЙМЕТЕ, ОТКУДА ВЗЯЛИСЬ 6 МИЛЛИОНОВ.— С ЭТИМИ СЛОВАМИ ЕВГЕНИЙ СЫЧЕВ ПОЛОЖИЛ ПЕРЕДО МНОЙ (КОРРЕСПОНДЕНТОМ «СПОРТ-ЭКСПРЕССА» ЕЛЕНОЙ ВАЙЦЕХОВСКОЙ.— ПРИМ. И. Р.) КСЕРОКОПИЮ ЭТОГО ДОКУМЕНТА.— В СЛУЧАЕ РАСТОРЖЕНИЯ НАСТОЯЩЕГО КОНТРАКТА В ОДНОСТОРОННЕМ ПОРЯДКЕ ПО ИНИЦИАТИВЕ ФУТБОЛИСТА […] СУММА КОМПЕНСАЦИИ, ПОДЛЕЖАЩАЯ ВЫПЛАТЕ ФК «СПАРТАК» КЛУБОМ, В КОТОРОМ ФУТБОЛИСТ ПРОДОЛЖИТ СВОЮ ФУТБОЛЬНУЮ КАРЬЕРУ, УСТАНАВЛИВАЕТСЯ В РАЗМЕРЕ, ЭКВИВАЛЕНТНОМ 5 МИЛЛИОНАМ ЕВРО […] ФУТБОЛИСТ ОБЯЗУЕТСЯ САМОСТОЯТЕЛЬНО ВЫПЛАТИТЬ КОМПЕНСАЦИЮ ЗА ОДНОСТОРОННЕЕ РАСТОРЖЕНИЕ НАСТОЯЩЕГО КОНТРАКТА В РАЗМЕРЕ, ЭКВИВАЛЕНТНОМ 1 МИЛЛИОНУ ЕВРО.

МНЕ ТРУДНО ПРЕДСТАВИТЬ ФУТБОЛИСТА, КОТОРЫЙ В ТРЕЗВОМ УМЕ ПОДПИСАЛ БЫ ТАКИЕ УСЛОВИЯ.

«Обычно люди клянутся самым дорогим, что у них есть,— здоровьем детей. Именно поэтому скажу: да, я клянусь, что в упомянутой вами статье и вообще во всем договоре, который Дима подписывал, со всеми приложениями, и речи не было ни о какой компенсации. А уж тем более о гигантской сумме 6 миллионов евро!»

«Я не могу не верить своим глазам, а потому считаю, что в лиге произошла подмена документа. Более того, к заседанию появилась и та самая ведомость на выдачу контрактов игрокам. В ней стояла подпись сына, которую он не делал».

«Ему ежедневно, причем в жесткой форме, говорили: если ты не подпишешь новый контракт, у тебя в „Спартаке“ будут проблемы. Дошло до того, что Дима за помощью и защитой обратился ко мне [...] В какой-то момент просьбы перешли в требования, ему обещали закрыть дорогу в сборную, лишить места в основном составе клуба [...] После того как он удачно сыграл на чемпионате мира, в „Спартаке“ решили связать его новым контрактом по рукам и ногам».

«Иногда кажется, что слоган „Кто мы? Мясо!“ в руководстве клуба понимают по-своему. Для этих людей футболисты — мясо, которое следует или продать, или закабалить».

⚽ ⚽ ⚽

Сычев-старший, как видим, пошел далеко: он обвинил Червиченко не просто в нарушениях условий договора (о чем шла речь в заявлении Дмитрия), а ни много ни мало в подделке контракта. Более того, ту же подделку он инкриминировал и РФПЛ. Александр Еленский в ответ заявил: «Первое, что приходит на ум,— „дело Сычева" заказано кем-то из наших клубов». Жизнь покажет, что он был не прав.

В какой-то момент заочная дискуссия сторон перешла в плоскость юридических нюансов. Сергей Базанов — юрист, помогавший Сычевым,— говорил одно, знаток права из «Спартака» Еленский возражал, потом первый так же убедительно отвечал второму. В конце концов пережевывание деталей этой неприглядной истории смертельно надоело всем. Оставалось только ждать, чем закончится дисквалификация, куда и за сколько отправится игрок.

И тут Сычев выдал еще один фортель. Тренируясь с киевским «Динамо», он подписал с этим клубом личный контракт, о котором никто не знал. Ближе к концу декабря Дмитрием вдруг заинтересовался «Марсель». «Спартак», который морально уже готовился отдавать Сычева в Киев за копейки, воспринял предложение французов, как манну небесную, и уже через пару дней футболист подписывал контракт на побережье Средиземного моря. Между тем одновременное подписание двух контрактов является грубейшим нарушением законов ФИФА.

В «Марселе», когда узнали, что на Сычева претендует еще и «Динамо», которое не собирается сдаваться без боя, схватились за голову. Не платить же помимо «Спартака» еще и Киеву! Конфликт, правда, разрешился без нового скандала. Выяснилось, что с киевлянами Сычев подписывал контракт еще до истечения срока дисквалификации, а значит, он нелегитимен. Форвард остался в «Марселе», который, по неофициальной, но опубликованной в прессе информации, заплатил «Спартаку» около 3 миллионов евро.

Во Франции у Сычева не сложилось. Рано еще было мальчишке, да еще после такого стресса, уезжать за границу. Спустя год это поняли и «Марсель», и сам нападающий. И когда московский «Локомотив» предложил французам за Сычева 5 миллионов, те согласились.

Возвращение игрока в российский чемпионат оказалось триумфальным. В 2004 году «Локомотив» стал чемпионом России, а сам Сычев был признан лучшим игроком первенства («Спартак» в том сезоне финишировал восьмым). В 2005-м, пока он был в строю, «Локо» лидировал в первенстве, но тяжелая травма колена, полученная в августе в Казани, парализовала всю команду. До конца чемпионата она скатилась с первого на третье место. Сычев вернулся в апреле 2006-го и тут же забил два важнейших гола в победных матчах с ЦСКА и «Москвой». Несмотря ни на что, он остается классным нападающим.

«Ты нашел свою команду», — вывели баннер в его поддержку поклонники «Локо». А восторженные юные поклонницы, которыми изобилует болельщицкая база этого клуба (существует даже такой термин —

«Локо-герлз»), объявили его секс-символом наряду с Динияром Билялетдиновым и Маратом Измайловым.

И только фанаты «Спартака», так и не простившие Сычеву ухода из команды посреди сезона и не захотевшие понять причин этого ухода, по-прежнему находят для него только уничижительные характеристики. Несмотря на то что Червиченко они не любят гораздо больше, Сычев для них остался Иудой. А уж когда он забивает «Спартаку», как в первом круге чемпионата-2005 («Локо» выиграл 2:1),— Иудой вдвойне. Многие спартаковские фаны в интернете иначе как, извините, «Сучевым» его по-прежнему не называют.

Таков фанатский максимализм. Не знаю, переживает ли Дмитрий, когда слышит все это. Но, совершая в середине 2002 года решительный шаг, он не мог не понимать последствий. Судя по тому, как Сычев играет, прошлое на него не давит.

⚽ ⚽ ⚽

Я далек от мысли идеализировать Сычева и особенно людей, которые стояли за ним и его отцом. Все подобные дела в нашей стране делаются отнюдь не в белых перчатках. Никто не знает, какой у этих людей был интерес в уходе Сычева-младшего из «Спартака» и какие обязательства были (а может, и остаются) перед ними у Сычева-старшего. Лучше, наверное, всего этого и не знать.

Но тогдашнее руководство «Спартака», вступив с Сычевым в открытый конфликт и, как говорится, пойдя «на принцип», во многом разрушило будущее команды. Судя по всему, методы жестких уговоров действовали на других молодых футболистов, и к Дмитрию, уже блеснувшему на чемпионате мира, Червиченко и его окружение отнеслись по привычке точно так же.

А он не «прогнулся». В ответ на «распальцовку» клуба он призвал на помощь отца и его знакомых, которые ответили своей еще более жесткой «распальцовкой». В этом конфликте не было ни одной правой стороны, просто одна сила оказалась сильнее другой. А «Спартак» лишился, по российским меркам, прекрасного игрока, вокруг которого можно было строить команду. И который по сей день, будь то в «Локомотиве» или в сборной, ни разу не давал повода обвинить себя в равнодушии.

Сычев-старший в какой-то момент попытался отделить «Спартак» от его руководства: «Ничего, кроме благодарности, к команде „Спартак" ни я, ни Дима не испытываем. Для любого молодого игрока пройти такую замечательную футбольную школу очень полезно, ответственно и почетно. Вот только адресовать эти добрые слова руководству клуба, к сожалению, не могу».

Но было уже поздно: болельщики этих слов слышать не захотели. В их сознании 1—18 тесно переплетены с тем, что «Спартак» в канун той Лиги чемпионов лишился Сычева и не мог уже заменить его никем. Они убеждены: если и можно было решать свои проблемы таким способом, то только в межсезонье, а не посреди года, поставив команду в тупиковое положение. Может, и так. А может, многого в этой истории мы не знаем. И не узнаем никогда.

> Бывший партнер Сычева по «Спартаку» Максим Калиниченко говорил мне в конце прошлого года: «Мне всегда жалко, когда уходит хороший футболист. И об уходе Димы Сычева начал жалеть сразу. Там многое было замешано: и не человеческий, а строго юридический подход, и работа агентов и родителей […] У Сычева своего мнения в той истории, думаю, было 5–10% от общего. Решали другие люди, и нашла коса на камень. А болельщики его до сих пор простить не могут, что лишний раз доказывает: от любви до ненависти один шаг. Червиченко? Лично к нему у меня никакой антипатии нет. Но сам факт, что „Спартак“ свалился именно при нем, наверное, говорит о многом. Возможно, бывший президент доверился не тем людям».

«Дело Сычева» не только лишило «Спартак» едва ли не самого штучного товара в футболе — отличного форварда. «Дело Сычева» чудовищно подмочило имидж клуба в глазах и его собственных болельщиков, и всех остальных. На общее обозрение оказались выставлены тонны грязного белья, которое ни в коем случае нельзя было выносить за пределы ФК «Спартак».

Случилось непоправимое. И пошел обвал. Серия последующих скандалов, уже в 2003 году, накатилась на «Спартак» снежным комом.

❂ ❂ ❂

В декабре 2002 года, под покровом ночи спартаковские эмиссары без шума и пыли вывезли из Киева в Москву опытнейшего защитника Владислава Ващука. Переход игрока из киевского «Динамо» в «Спартак», может, и не стал такой бомбой, какой был бы во времена их самого крутого противостояния в 1980-е годы,— но и сейчас он имел оглушительный эффект. «Я допускал, что не все будут от этого в восторге, но никак не думал, что начнется такая истерия»,— скажет Ващук.

Футболисту и его семье довелось выслушать немало обвинений в предательстве, а порой и угроз. Потому и действовали посланцы Червиченко, соблюдая конспирацию,— иначе из Киева игроку уехать бы попросту не дали. Ващук был одним из основных игроков команды—лебединой песни Валерия Лобановского, которая вышла в полуфинал Лиги чемпионов, потом стал капитаном «Динамо».

В ноябре 2002-го Ващук оказался на свадьбе спартаковца и игрока сборной Украины Дмитрия Парфенова. После перехода пойдет гулять версия, что Титов, Парфенов и Ващук обо всем договорились там, на свадьбе. Но киевлянин эту версию опровергнет, сказав, что определился лишь в середине декабря, после того как президент «Динамо» Игорь Суркис предложил ему новый контракт с более низкой, чем прежде, зарплатой. Впрочем, какая разница?

Позже, уже разочаровавшись в Ващуке, Червиченко сошлется на то, что за него поручился его приятель Егор Титов. Этого не будет отрицать и сам Ващук.

Но, во-первых, что это за дело, когда игроков в считающую себя солидной команду набирают... сами игроки? А во-вторых, совет советом, но сразу взять и положить вторую в команде зарплату человеку, который на момент прихода в «Спартак» лишь восстанавливался после тяжелейшей операции на колене, — такое могло прийти в голову только неопытному руководителю. Которым, несмотря уже на четвертый год пребывания в «Спартаке», оставался Червиченко.

Но это было лишь полбеды. Вскоре после появления Ващука в «Спартаке» — а точнее, когда руководство киевского «Динамо» убедилось, что возвращаться на Украину защитник не собирается, — на белый свет вдруг всплыл совсем другой контракт Ващука, нежели тот, который игрок показал в «Спартаке». По версии киевлянина, он приехал в роли свободного агента, и денег за него платить не надо. По версии «Динамо», Ващук... продлил контракт на полтора года, и если «Спартак» хочет его приобрести, то должен заплатить компенсацию, и немалую.

Ващук клялся и божился, что этого нового контракта в глаза не видел. Правда, украинская Профессиональная футбольная лига подтвердила, что имеет его копию от 4 ноября 2002 года. Но бывшего капитана

«Динамо» и это остановить не могло. Он объявил через прессу, что подает заявление в прокуратуру с просьбой дать оценку подлинности документа.

Почти через год Червиченко скажет: «Не оценив ситуацию, я стал искать правды там, где ее не найдешь». А потом добавит: «Ващуку нужно было лучше вспоминать, что, когда и с кем он подписывал, чтобы не вводить всех в заблуждение». Эти слова четко дадут понять, кто в «деле Ващука» оказался победителем.

Словом, это было «дело Сычева» наоборот. Если российский форвард обвинял в подделке документа «Спартак», то киевский защитник — тех, кто со «Спартаком» вел тяжбу. Ни в одном из случаев подделку контрактов доказать не удалось — иначе развитие событий было бы еще более серьезным. Но для мощного резонанса на всю Европу хватило и того, что произошло.

Первая реакция президента «Спартака» была как всегда бурной и оптимистичной. «Мы убеждены в собственной правоте [...] У меня нет сомнений, что соответствующая комиссия ФИФА разберется с „делом Ващука" и поставит в нем точку [...] Наш технический директор Еленский вылетает в Швейцарию».

Вместо того чтобы, не доводя дело до третейских судей, сесть за стол переговоров с руководителями киевского «Динамо» и пусть не сразу, но достичь компромисса (а он все равно был бы найден, потому что Ващук играть в Киеве не собирался), Червиченко раздул скандал до мировых масштабов. «Спартак» и «Динамо» должна была рассудить ФИФА — Международная федерация футбола. Заседание в Цюрихе 4 февраля открыл не кто иной, как первое лицо мирового футбола, президент ФИФА Йозеф Блаттер.

Крикунов, особенно из Восточной Европы, где сам черт ногу сломит, в Западной Европе не любят. Весомых доказательств, что киевляне привезли «филькину грамоту», «Спартак» представить не смог. Разговор о «деле Ващука» продолжался девять (!) часов. Завершилось все полюбовно — после оба президента нахваливали друг друга. Только почему нельзя было решить это на территории бывшего Союза, не устраивая вселенский шум?

В общем, несмотря ни на каких Еленских и уверенность в своей правоте, «Спартаку» пришлось платить деньги «Динамо». Какие — неизвестно (стороны решили не афишировать то, о чем договорились), но, исходя из слов Червиченко, «не пять копеек». Дело было проиграно, а к репутации клуба-скандалиста в Европе прибавился еще один балл. Знала бы Европа, что это только «цветочки», а впереди «ягодки» — допинг.

Но закончим о Ващуке. В «Спартаке» у него явно не пошло. Последствия операции на колене сказывались еще долго, и если при Романцеве он все-таки выдал пару сильных матчей, то отношения с Андреем Чернышовым разладились после первых же оплошностей.

Вскоре после своего назначения главным тренером Чернышов посетил редакцию «Спорт-экспресса». И не для печати, по-человечески попросил нас не ставить Ващуку низких оценок за матчи — очень уж человек переживает. Мы пошли навстречу. Но вскоре последовал матч в Раменском, где Владислав, хоть и забил мяч со штрафного, совершил две ошибки, стоившие «Спартаку» голов, и к тому же был удален с поля. И тут выяснилось, что терпение Чернышова имеет свои пределы. Чернышов выставил Ващука на трансфер.

Возможно, все-таки не стоило списывать игрока со счетов. Позже, транзитом через одесский «Черноморец», он... вернется в киевское «Динамо», отвоюет там место основного игрока и много лет спустя получит приглашение в сборную Украины и даже поедет на чемпионат мира-2006 в Германию. Но что сделаешь, если во время спартаковского сезона об этом не могло быть и речи?

При том что играл Ващук неважно, позиции в раздевалке команды у него были крепкие. Огромный опыт, полуфинал Лиги чемпионов за плечами и, конечно, дружба со спартаковскими ветеранами Титовым, Парфеновым — все это позволило киевлянину стать одним из самых авторитетных в команде футболистов «Спартака» 2003 года.

Вернее, одним из самых влиятельных. Ващук, как и Титов с Парфеновым, имел доступ в кабинет Червиченко на Спартаковской улице. И, рассказывают, после выставления Чернышовым Ващука на трансфер (фактически это отказ в доверии и отчисление из основного состава) ведущие игроки в очередной раз пошли «через голову» молодого тренера Чернышова к президенту Червиченко.

Итогом стало то, что Ващука с трансфера сняли и в команду вернули. Играл он все равно мало, но тем самым Червиченко ясно показал, что роль Чернышова в клубе весьма ограниченна. Авторитет тренера среди игроков это, видимо, подорвало окончательно: кто будет слушать человека, зная, что можно пойти в вышестоящую инстанцию (а в команде такие новости разлетаются за минуты) и все уладить?

Позже Червиченко не станет скрывать, что ведущие игроки ходили к нему с просьбой убрать Чернышова. Официально это будет именоваться «главный тренер не смог найти взаимопонимания с футболистами». Походы к президенту с кляузами на тренера — еще одна отличительная черта «Спартака» этих времен. В чем-то игроки наверняка были правы, да и руководитель должен знать о том, что происходит в команде, не только от тренера (история с Аленичевым и Старковым спустя три года это подтвердит). Но когда при «живом» Чернышове по всей Москве ходят разговоры, как лидеры «Спартака» ходили к Червиченко его чуть ли не снимать,— по-моему, о разумной структуре клуба это не говорит.

Потом Червиченко с Ващуком рассорятся. По словам игрока, президент даже обвинит его в том, что это он... привез допинг из Киева. Возможно, именно это нелепое обвинение подтолкнет Ващука к тому, чтобы весной 2005 года согласиться дать мне интервью для печати о том, как в «Спартаке» 2003-го употребляли допинг.

А тогда последовал осенний вердикт Червиченко:

«ВАЩУК В СЛЕДУЮЩЕМ СЕЗОНЕ ВЫСТУПАТЬ У НАС НЕ БУ-
ДЕТ [...] СЕГОДНЯ ТОЛЬКО СЛЕПОМУ НЕ ВИДНО, ЧТО ВЛАД
НЕ ИГРАЕТ НА УРОВНЕ ИГРОКА „СПАРТАКА"».

КОЛИ ТАК, СТОИЛО ЛИ ОГОРОД ГОРОДИТЬ? СТОИЛО ЛИ,
НЕ ПОДУМАВ, РАЗУДАЛО ШВЫРЯТЬ СЕРЬЕЗНО ТРАВМИ-
РОВАННОМУ ФУТБОЛИСТУ ВТОРУЮ ЗАРПЛАТУ В ТАКОЙ
КОМАНДЕ, КАК «СПАРТАК»? И УСТРАИВАТЬ СКАНДАЛ НА
ВСЮ ЕВРОПУ? ЗАРПЛАТА ИГРОКОВ — ЭТО ВЕДЬ ОЧЕНЬ
ТОНКАЯ ВЕЩЬ. ПЕРЕГНЕШЬ ПАЛКУ, ПЕРЕПЛАТИШЬ ЧЕ-
ЛОВЕКУ, КОТОРЫЙ ИГРАЕТ НА БОЛЕЕ НИЗКОМ УРОВ-
НЕ,— СРАЗУ НАЧНЕТСЯ РОПОТ В КОМАНДЕ. ЧТО МНЕ И
МАКСИМ КАЛИНИЧЕНКО В КОНЦЕ 2005-ГО ПОДТВЕР-
ЖДАЛ: «РАНЬШЕ КОМАНДУ НЕ СОВСЕМ ФУТБОЛЬНЫЕ
ЛЮДИ ВОЗГЛАВЛЯЛИ. ПЫТАЛСЯ, СКАЖЕМ, ДОКАЗАТЬ,
ЧТО НЕ ДОЛЖЕН ПОЛУЧАТЬ ЗАРПЛАТУ В ДЕСЯТЬ РАЗ
МЕНЬШЕ ТЕХ, С КЕМ ИГРАЮ НА РАВНЫХ. А МНЕ ОТВЕЧА-
ЛИ СТРОГО ЮРИДИЧЕСКИ: „ПОДПИСАЛ КОНТРАКТ —
ВЫПОЛНЯЙ"».

Кто каких денег в действительности стоит, Червиченко не знал. А надежных людей, на которых он без
риска быть обманутым мог бы опереться, не нашлось.
Президент метался, прислушиваясь то к одному совет-
чику, то к другому, то к третьему. Так же и с зарплатами
футболистам, которых те друг от друга не скрывали.
И это тоже вызывало у Червиченко удивление. Видимо,
в его прежнем бизнесе все было иначе.

Второй зимний скандал вокруг трансферов — с полузащитником Дмитрием Смирновым — привел к исходу по-настоящему трагическому. В январе 2003 года у подъезда собственного дома был убит прекрасный в прошлом нападающий и замечательный человек Юрий Тишков. К моменту гибели он начинал карьеру футбольного агента и пытался с чистыми руками войти в бизнес, где в России — страх и ужас.

По крайней мере, именно такую версию Черви- ченко выдвинул в интервью «Спорт-экспрессу»:

— ЭТОГО ФУТБОЛИСТА МЕНЯ ПРОСИЛ ПРИОБРЕСТИ РО- МАНЦЕВ. ПРИХОДИТ ЮРА ТИШКОВ И ГОВОРИТ: «НА ОС- НОВАНИИ РЕШЕНИЯ КДК СМИРНОВ — СВОБОДНЫЙ АГЕНТ, ПОСКОЛЬКУ ЕМУ В „ТОРПЕДО-МЕТАЛЛУРГЕ" НЕ ВЫПЛАТИЛИ ЗАРПЛАТУ. НЕ ХОТЕЛИ БЫ ЕГО ПРИОБРЕС- ТИ?» — «ХОТЕЛ БЫ, КАКОВА ЦЕНА ВОПРОСА?» — «ТА- КАЯ-ТО». ПОЛУЧАЮ ОФИЦИАЛЬНОЕ ПОДТВЕРЖДЕНИЕ ОТ КДК. ПО РУКАМ. ОТДАЮ ДЕНЬГИ, ЗАБИРАЮ СМИР- НОВА. ДАЛЬШЕ НАЧИНАЕТСЯ ВОЗНЯ, В РЕЗУЛЬТАТЕ КО- ТОРОЙ УБИЛИ ЧЕЛОВЕКА.

— СЧИТАЕТЕ, УБИЙСТВО ТИШКОВА СВЯЗАНО С ЭТИМ ПЕ- РЕХОДОМ?

— ЭТО МОЕ ЛИЧНОЕ МНЕНИЕ. В ЧЕМ В ИСТОРИИ СО СМИРНОВЫМ МОЯ СКАНДАЛЬНОСТЬ? В ТОМ, ЧТО ОТ- ДАЛ ДЕНЬГИ, СМИРНОВ СТАЛ ФУТБОЛИСТОМ «СПАРТА- КА», И Я НАЧАЛ ЗАЩИЩАТЬ ПРАВА КЛУБА НА НЕГО?

ИЛИ Я ДОЛЖЕН БЫЛ ОТДАТЬ ДЕНЬГИ, ПОТОМ СКАЗАТЬ: ОЙ, ИЗВИНИТЕ, ЗАБЕРИТЕ СМИРНОВА, МОЖЕТ, ВАМ ЕЩЕ В НАГРУЗКУ ТИТОВА ПОДАРИТЬ?

Может, в том скандале Червиченко и не был виноват. Но так уж вышло, что к тому времени в «Спартаке» уже давно одна громкая история цеплялась за другую. И «дело Смирнова» было пришито общественным мнением к толстенной папке с прочими шумными «делами». Тем более что оно (если это действительно так) привело к такому страшному исходу для молодого — чуть за 30 — парня. Тишкова мне довелось хорошо знать лично, и о его порядочности могу судить не с чужих слов. Что творилось на Донском кладбище в тот зимний день, жутко даже вспоминать. Проститься с другом через океан примчался даже игравший тогда в США Игорь Симутенков.

Дело об убийстве Тишкова, как и следовало ожидать, превратилось, выражаясь милицейским языком, в «висяк». Хотя учитывая, что речь стопроцентно идет о профессиональной деятельности, люди в погонах при желании могли бы разобраться в нем быстро.

А насчет того, что Червиченко в этом скандале совсем не виноват, можно и поспорить. Стремление сэкономить, падкость на футболистов, ставших бесплатными по решению КДК, — заслуга для российского менеджера сомнительная. В положении, когда несколько месяцев не выплачивается зарплата, в нашей стране периодически оказываются почти все. Воспользоваться финансовыми перебоями у соперника, чтобы вытащить оттуда нужного игрока, — с точки зрения бизнеса, наверное, вещь выгодная, но пользуются ею далеко не все и не всегда. Особенно в полном объеме. Чаще случаются компромиссы: старый клуб понимает, что новый может футболиста отсудить, но, чтобы не дошло до скандала, находят некое среднее (или не среднее) арифметическое между тем, за что хотят продать одни, и тем, за что хотят купить другие.

«Спартак» никакого компромисса искать не хотел. «Мы готовы заплатить сумму по так называемой сетке без учета возрастного коэффициента. По нашим подсчетам, эта сумма составляет от 30 до 40 тысяч долларов. Однако руководителей „Торпедо-Металлурга" это не устраивает. Они хотят 700 тысяч»,— говорил Червиченко.

«Торпедо-Металлург», в предыдущем сезоне называвшийся еще «Торпедо-ЗИЛ», не платил Смирнову премиальные с начала второго круга, а в сентябре перестал выдавать и зарплату. В межсезонье команда сменила название и хозяев. Те, кто пришел, готовы были вернуть футболисту все долги. Но Смирнов (как и еще двое его партнеров), желая уйти в команду классом выше, сразу после окончания сезона подал заявление в КДК о невыполнении контракта и 18 декабря стал свободным. «Торпедо-Металлург» подал апелляцию, но проиграл: 29 декабря КДК подтвердил свое первоначальное решение.

Но «Тор-Мет» решил идти до конца, не желая задаром терять перспективного футболиста, который вырос в клубе. Не согласившись с решением КДК, бывшие «автозаводцы» и будущие «горожане» (еще через год клуб переименуют в «Москву») подали иск в Хамовнический суд Москвы. Это было беспрецедентно: считалось, что профессиональные спортсмены юридически подчиняются только спортивным органам и их споры могут разрешать специализированные, а не общегражданские суды.

Тем не менее дело было принято к рассмотрению, и 9 января судья Л. В. Деднева вынесла решение, согласно которому Смирнов должен был вернуться в прежний клуб. Смирнова и его доверенных лиц при этом о дате суда не известили. Футболист, по его собственным словам, узнал о вердикте спустя неделю из прессы.

Естественно, со стороны «Спартака» последовало обжалование и новое длительное заседание. В результате суд дал клубам отсрочку до 24 марта — на случай, если они договорятся между собой.

И они договорились. Это произошло в Палате по разрешению споров Профессиональной футбольной лиги в последний день, когда разрешалась заявка футболистов на сезон,— 13 марта. «Мы со „Спартаком" нашли цивилизованные методы решения спора, учтя интересы футбола, игрока и двух клубов»,— сказал генеральный директор «Торпедо-Металлурга» Юрий Белоус. Конкретизировать, опять же, никто не стал. Но, судя по всему, и здесь желаемыми для «Спартака» 30—40 тысячами не обошлось.

И вновь возник вопрос — зачем было скандалить, если оказалось возможным договориться? Зачем было доводить дело до иска в гражданский суд — пусть и предпринял этот шаг «Торпедо-Металлург»? Ведь еще «дело Сычева» показало, что несоответствие гражданских и спортивных законов способно завести любое спортивное дело в полнейший юридический тупик. Зачем было наступать на грабли? А если бы не договорились?

Было два варианта. Или у Червиченко мало денег, или ему из принципа, из склада характера хотелось пошуметь. Цель при этом была одна — взять игрока как можно дешевле. Крайне сомнительно, что это удалось, зато и в России, и даже в Европе «Спартак» приобрел имидж базарной бабки, которая по любому поводу истошно голосит, вызывая милицию.

А Смирнов, как и Ващук, в «Спартаке» не заиграл. И не потому, что он плохой игрок. Романцеву, например, он нравился. Просто в том «Спартаке», цитадели хаоса, заиграть было невозможно.

⚽ ⚽ ⚽

От «Спартака» уже стали ждать скандалов. И клуб оправдывал ожидания.

В одном из первых туров сезона-2003 красно-белые встретились с ЦСКА. «Спартак» на эмоциях играл гораздо сильнее, чем почти во всех последующих матчах, и вел в счете 2:1. В этот момент самый вроде бы авторитетный судья России Валентин Иванов высосал из пальца пенальти в спартаковские ворота. Армеец Семак в чужой штрафной первым подтолкнул спартаковца Абрамидзе, а затем упал и сам — но арбитр был непреклонен. ЦСКА сравнял счет, а на последней минуте его новичок чех Иржи Ярошик забил победный мяч.

И началось.

На пресс-конференцию даже не вошел, а ворвался... Червиченко, которого там никто не ожидал увидеть: президенты клубов на подобные пресс-таймы ходить не обязаны.

«НАШИ БОЛЕЛЬЩИКИ МЕНЯ ЧАСТО СПРАШИВАЮТ, СУЩЕСТВУЕТ ЛИ ЗАГОВОР ПРОТИВ „СПАРТАКА"... СЕГОДНЯШНИЙ ЭПИЗОД С НАЗНАЧЕНИЕМ ПЕНАЛЬТИ УБЕДИЛ НАС, ЧТО... КОЛОСКОВ И ЕГО ОКРУЖЕНИЕ АБСОЛЮТНО НЕ ЖЕЛАЮТ БОЛЬШЕ ВИДЕТЬ „СПАРТАК" НА ВЕРШИНЕ ФУТБОЛЬНОЙ РОССИИ. ОН ЛИЧНО ПРИЕХАЛ УБЕДИТЬСЯ В ТОМ, ЧТО СУДЬЯ ВАЛЕНТИН ИВАНОВ ВЫПОЛНИТ ВСЕ ДИРЕКТИВЫ, ПОСКОЛЬКУ АРБИТРЫ, КАК ВЫ ЗНАЕТЕ, ПОДЧИНЯЮТСЯ ЛИЧНО КОЛОСКОВУ И ИСПОЛНЯЮТ ВСЕ ЕГО ПРИХОТИ... МЫ — ЛЮДИ В ЗДРАВОМ УМЕ, ТРЕЗВОМ СОЗНАНИИ. И НАМ НЕ ОСТАЕТСЯ НИЧЕГО, КРОМЕ КАК ПРИЗНАТЬ, ЧТО ОРГАНИЗОВАНА КАМПАНИЯ ПРОТИВ „СПАРТАКА".

— ЗНАЧАТ ЛИ ВАШИ СЛОВА, ЧТО ВЫ ОБЪЯВЛЯЕТЕ ВОЙНУ КОЛОСКОВУ?

— Разве я об этом сказал? Я сказал, что в нашем футболе существует ситуация, о которой знают все. О том, что судьи судят или за деньги, или по указке свыше. Но только все прячут глазки, как девушка в 17 лет, которая говорит „ой-ой-ой“. А дальше мы докатимся до того, что наш футбол будет проигрывать не только Албании (за несколько дней до того сборная России уступила там 1:3.— Прим. И. Р.), но, думаю, сборной... Улан-Удэ.

— При счете 2:1 Титов не забил с пяти метров. Если бы „Спартак“ повел 3:1, судье удалось бы выполнить „заказ“?

— А вы знаете, как они работают? Они в принципе работают двусторонне: получилось здесь, берут здесь, не получилось, берут там. У них — „в одну калитку“. Играют же две команды: одна все равно принесет».

Последнее заявление Червиченко было особенно интересно, так как косвенно означало: он тоже не брезгует «подношениями» арбитрам. Кроме того, пошли разговоры, что разгневанный президент «Спартака» ворвался в судейскую и отвесил Иванову приличного тумака. Так это или нет, не выяснилось: судья промолчал.

А президент РФС молчать не стал. Вскоре после шумной пресс-конференции, где эмоций было гораздо больше, чем фактов, в «Спорт-экспресс» пришел факс, подписанный Колосковым.

«Признаюсь, обвинение в мой адрес со стороны господина Червиченко не было для меня такой уж неожиданностью. В конце 2002 года это были обвинения в просычевской позиции и антироссийской деятельности, теперь же — в нежелании видеть „Спартак" на вершине (по выражению Червиченко).

Вспоминаю прошлый сезон. Тот же господин обвинил прессу в том, что она мешает „Спартаку" быть на вершине, что журналисты целенаправленно работают против „Спартака", обвиняя руководство клуба в некомпетентности и разрушении спартаковских традиций. В результате несколько журналистов и даже целые издания были объявлены врагами „Спартака". Однако проваленное выступление „Спартака" в Лиге чемпионов подтвердило справедливость критических замечаний в адрес руководства клуба.

В этом сезоне у „Спартака" другой враг — президент РФС. Это он, злодей, инструктирует судей, чтобы они любой ценой не допускали „Спартак" на вершину, более того, лично приезжает на игры, чтобы проконтролировать, как выполняются его требования. Более абсурдного обвинения в свой адрес за 23 года работы в футболе я не слышал. Я видел послематчевые интервью господина Червиченко по ТВ, и у меня сложилось впечатление, что он был трезвым и в здравом уме (что он и подтвердил перед журналистами),— значит, это в самом деле его убеждение.

ВСЕ ЭТО БЫЛО БЫ ОЧЕНЬ СМЕШНО, ЕСЛИ БЫ НЕ БЫЛО ТАК ГРУСТНО. ГРУСТНО И ОБИДНО. ЗА „СПАРТАК".

ПЛОХОМУ ТАНЦОРУ ВСЕГДА ЧТО-НИБУДЬ МЕШАЕТ. Я ИМЕЮ В ВИДУ, КОНЕЧНО ЖЕ, НЕ ФУТБОЛЬНУЮ КОМАНДУ. ОНА ИГРАЕТ ХОРОШО».

Итак, война? Война амбициозного президента «Спартака» и всемогущего, как было на тот момент, президента РФС?

Как бы не так. К войне против многоопытного футбольного функционера Червиченко оказался не готов. На пресс-конференции после матча с ЦСКА прозвучал ничем не подкрепленный наскок, который не получил ровным счетом никакого продолжения. Видимо, нашлись у Колоскова рычаги, чтобы заставить Червиченко замолчать.

Судейство «Спартака» в последующих матчах того сезона оставляло желать много лучшего: так, первый пенальти команда пробила только осенью, когда бесперспективность ее положения уже была очевидной. Но, более того, Червиченко сам публично выбросил белый флаг. А как иначе можно воспринимать его ответ на вопрос «Спорт-экспресса» 6 ноября: «Как вы отреагируете, если Колосков выдвинет свою кандидатуру на выборах президента РФС?»

— Выступим в поддержку,— сказал Червиченко.— Считаю, что руководителя уровня Вячеслава Ивановича в нашей стране на данный момент нет. За плечами этого человека громадный опыт. Он имеет весомый авторитет в ФИФА. К тому же не забывайте, что, в отличие от многих других стран, в России нет государственной поддержки самой популярной игре. Поэтому РФС тянет на себе весь груз по развитию футбола. А это непросто, поскольку страна у нас громадная.

Что это, по-вашему, если не полная и безоговорочная капитуляция?

Ларчик открывался просто. В сентябре у господ Колоскова и Червиченко была длительная секретная встреча, посвященная зревшему тогда исподволь, но не выплеснувшемуся еще на публику допинговому скандалу. После нее тональность высказываний президента «Спартака» и поменялась на 180 градусов. Впрочем, о ней, как и обо всем остальном, связанном с «делом Титова»,— в следующей главе.

☻ ☻ ☻

И это еще не все о чудовищном сезоне 2003 года.

В последнем туре «Спартак» встречался с «Торпедо-Металлургом» — тем самым, с которым в межсезонье бился за Смирнова. Красно-белым, обретавшимся на унылом десятом месте, не нужно было ничего. «Металлургам» во что бы то ни стало необходима была победа — иначе они вылетали из премьер-лиги.

За два дня до матча Червиченко убыл из Москвы. Вместе с семьей, на отдых в Арабские Эмираты. Незадолго до того прямо сказав в интервью: «Чемпионат заканчивается, в нем начинается мутная вода, я не хочу ни слышать, ни видеть такие вещи. Решил на последнюю игру уехать в Дубай».

Президент «Спартака» дал понять, что все понимает. То, что во втором тайме того матча большинство футболистов команды, почти как в «Старике Хоттабыче», прямо на поле заболели корью, его вряд ли удивило. Есть, согласитесь, что-то странное в том, что человек, который платил игрокам отнюдь не пособия по безработице, не пожелал лично понаблюдать за их поведением в сомнительных обстоятельствах. В игре, которую задолго до ее начала окружал целый шлейф порочных слухов.

За руку, конечно, никто никого не ловил — это вам не Италия, где после сногсшибательного расследования выявилось сразу 19 (!) договорных игр в сезоне-2004/05, в большинстве которых замешаны гранды — «Ювентус», «Милан», «Фиорентина». Но болельщика-то не проведешь. Большая часть стадиона, вывесившая портрет Николая Старостина с подписью: «Он все видит» и скандировавшая: «Позор!», иллюзий насчет честности поединка явно не питала.

И «Спартак» безропотно проиграл.

Окончание первенства-2003 получилось для клуба таким же постыдным, как и весь сезон. Худший в российской истории и третий по рейтингу мрака в истории «Спартака» вообще. Во внутриредакционном мартовском прогнозе на сезон, признаюсь, поставил красно-белых на четвертое место. Но развал империи оказался еще более стремительным.

Словосочетание, лучше всего характеризовавшее впечатление о том сезоне «Спартака», — броуновское движение. Хаос во всем — в тренерах, в футболистах, в игре, а главное — в управлении. Скандал на скандале: Ващук, Смирнов, Колосков, допинг, при том что не забыто еще «дело Сычева». Три тренера — а ведь за предыдущие 50 лет в «Спартаке» по ходу сезона даже два работали только однажды, в 1967-м. Твердое второе место после владикавказской «Алании» по количеству задействованных игроков — 37, а в сумме за последние два года — аж 75. Сравните с 46 (22 за сезон) армейцами, 49 (27) локомотивцами и даже 58 (27) зенитовцами. Одна сага о семи вратарях чего стоила!

«Спартак» 2003 года выглядел, как слесарь-интеллигент Виктор Полесов из «12 стульев» — до невозможности шумный, суетливый, всегда громогласно присутствующий там, где что-либо происходит, и точно знающий, как все надо правильно сделать. Но как до этого дело доходит — куда-то стремительно исчезающий.

Не правы были те, кто утверждал, что Андрею Червиченко безразличен «Спартак». Ни в коем случае. Все люди, когда-либо лично общавшиеся с экс-президентом клуба, имели все основания утверждать прямо противоположное. Да и было бы странно, если бы человек, вложивший в «Спартак» большие деньги, не хотел бы сделать как лучше.

Но для этого нужно было иметь стопроцентно надежную управленческую команду. Между тем на протяжении как минимум двух лет — начиная с 2002-го, а то и с 2001-го — все околофутбольные разговоры по поводу «Спартака» крутились, грубо говоря, вокруг одного: «А кто привез этого?», «А кто „наварил" на трансфере того?». Червиченко в этом смысле можно было сочувствовать — но в том и состоит искусство руководителя, чтобы создать структуру, в которой тема корыстного обогащения подчиненных не стояла бы на повестке дня.

Увы, он, образованный и красноречивый человек, так ничего и не понял.

— Согласны с тем, что мы все — очевидцы трагедии великого клуба? — спросила его моя коллега по «Спорт-экспрессу» Дина Юрьева на исходе сезона.

— В чем суть трагедии? — по-одесски (а вовсе не по-ростовски) вопросом на вопрос отреагировал Червиченко.

Дальше можно было не продолжать.

Но Андрей Владимирович продолжил. Сказал, например: «Наша беда, считаю, в том, что мы слишком успешные». Или вот что: «Послушайте, я в 2000 году пришел и за это время выиграл две золотые медали, одну бронзовую и Кубок страны. Покажите хоть одного функционера, кто за три года такое выиграл!»

В те же дни я разговаривал с Олегом Табаковым. Великий артист сказал: «Увы, не думаю, что „Спартак" быстро поднимется. Так не бывает. Кризис слишком глубок».

— Вам интересна борьба за «бронзу» между «Рубином» и «Локомотивом», Олег Павлович? — спросил я театрального мэтра за тур до конца чемпионата.

— Да ну! Для меня такая интрига сродни выбору, какие ноги красивее — толстые и кривые или тонкие и кривые. А за теми, кто борется за выживание, и вовсе следить нехорошо. Это все равно что подсматривать за инвалидами.

Сравните подходы президента и болельщика. У одного — «слишком успешные». У другого — «подсматривать за инвалидами». Президент, однако, не был настроен слушать болельщиков. Даже самых знаменитых.

Но даже не в том была главная беда того сезона, что «Спартак» занял унизительное для себя десятое место.

А в том, что великая фраза Андрея Петровича Старостина «Все потеряно, кроме чести» нуждалась в пересмотре. Теперь она должна была звучать так: «Все потеряно. Даже честь».

В следующей части книги — апогей того, как эта честь терялась.

4.

БРОМАНТАНОВЫЙ
КОШМАР

4 СЕНТЯБРЯ 2003 ГОДА футболистов «Спартака» Егора Титова и Юрия Ковтуна, находившихся в расположении сборной России на базе в Бору, вызвали в комнату к новому главному тренеру Георгию Ярцеву. На следующий день национальная команда должна была отправиться в Дублин на отборочный матч чемпионата Европы—2004 против Ирландии.

По свидетельству очевидцев, в комнате помимо ее хозяина также присутствовали тогдашний президент Российского футбольного союза Вячеслав Колосков и вице-президент Никита Симонян. Но говорили не они, а Ярцев. Тренер, планировавший включить обоих футболистов в стартовый состав, безжизненным голосом объявил, что в их организмах найден запрещенный препарат и произошло это во время проверки «для внутреннего пользования», которую по просьбе РФС провела московская антидопинговая лаборатория.

Немой сцены в исполнении игроков не было. Они, конечно, надеялись, что «проскочат», но к тому моменту здоровье Титова, Ковтуна и их одноклубников уже четко давало понять, что всех игроков «Спартака», ни о чем не предупреждая, «кормили» допингом. В Бору было озвучено его название: бромантан. Психостимулятор, который, по словам экспертов, был изобретен советской военной фармакологией для наших солдат в Афганистане.

Игрокам строго-настрого наказали молчать, и в Ирландию с командой они все-таки полетели. Но уже там, перед матчем, Титов получил «микротравму», а Ковтун заболел «ангиной» — и кашлял, как рассказывают, не переставая. Одновременно и также по причинам «сугубо объективного характера» не смогли выйти на поле в Ирландии все спартаковцы из молодежной сборной — Павлюченко, Павленко и Белозеров. А спустя пять дней президент «Спартака» Андрей Червиченко отправил в отставку главного тренера Андрея Чернышова, его помощника Сергея Юрана и одного из врачей команды Анатолия Щукина, которых нанял на работу всего тремя месяцами ранее. Все, кто был облечен какими-то полномочиями, логическую связь между этими событиями категорически отрицали.

Тогда бомба не взорвалась. Официальным лицам российского футбола, разумеется, не нужен был скандал, которого при «вскрытии» было бы не избежать. Не на высоте оказались и мы, журналисты: слухи, активно гулявшие в коридорах столичных редакций, ни у кого не нашлось хватки превратить в обоснованную публикацию. На риторические вопросы кое-кто решился. На ответы — никто.

Но когда борьбу с болезнью подменяют сокрытием правдивого диагноза, час беды обязательно пробьет.

Для Титова он наступил 15 ноября 2003 года, когда в его допинг-пробе после домашнего стыкового матча с Уэльсом за право поехать на европейское первенство в Португалию были найдены следы бромантана. 22 января 2004 года лучший футболист России 1998 и 2000 годов был дисквалифицирован на год и, вернувшись, с огромным трудом пытался стать собой прежним. И до конца, наверное, так и не стал. Известный спортивный врач Зураб Орджоникидзе сказал мне: «В РГУФКе (Российском государственном университете физической культуры. — Прим. И. Р.) успешно защитили диссертацию, доказывающую, что один месяц (!) полного простоя в большом спорте равнозначен инфаркту миокарда в обычной жизни. Так что можно представить, как тяжело Титову, который пропустил целый год».

Олег Романцев как-то сказал: «Титов — самый талантливый футболист, с которым мне когда-либо доводилось работать». А ведь работать Романцеву довелось с целой россыпью талантов — от самого Федора Черенкова до Александра Мостового. За Титова после блестящей Лиги чемпионов—2000/01 предлагала чуть ли не 20 миллионов долларов мюнхенская «Бавария». Но самое главное, Титов — воспитанник и один из символов клуба. Единственный футболист из сегодняшнего «Спартака», кто играл за основной состав в 1995-м, при жизни основателя клуба Николая Старостина, а будучи мальчишкой, однажды проник на секретную тренировку Константина Бескова и со счастливой улыбкой на лице рассказывает об этом до сих пор. Шестикратный чемпион страны. Игрок, который никогда не уходил и, видимо, не уйдет из «Спартака». Инфантильный, доверчивый, частенько плывущий по течению — но, главное, добрый, веселый и располагающий к себе человек.

То, что допинговый обух обрушился именно на Титова, стало для спартаковских болельщиков дикой, невероятной новостью, сотрясшей привычный для них окружающий мир. Да и для самого Егора — тоже.

Внятного официального расследования по поводу того, что же в действительности случилось в «Спартаке» летом и осенью 2003-го, мы так и не дождались. На сезон отлучили от футбола жертву — Титова, на два года дисквалифицировали (а потом досрочно амнистировали) тогдашнего спартаковского главврача Артема Катулина — и баста. Копать глубже никто не захотел.

Но остались люди, на которых варварски экспериментировали. И которые до поры до времени молчали — но при первой же возможности решили заговорить. «Мы были подопытными кроликами», — жестко сформулировал в разговоре со мной полузащитник «Спартака» 2003 года Максим Деменко.

Зимой 2005-го в стенах редакции «Спорт-экспресса» родилась идея собственного журналистского расследования «дела Титова», которое в действительности было «делом „Спартака"», а в результате апелляции Федерации футбола Уэльса едва не стало «делом сборной». Чужих заслуг присваивать себе не собираюсь, а потому могу даже назвать имя человека, который эту тему придумал,— первый заместитель главного редактора Владимир Гескин. Моисеич — а в редакции мы называем его только так, по отчеству,— это вообще бесперебойный генератор самых интересных идей, порядочнейший человек, к которому в нашей газете тянутся все более или менее творческие личности. Периодически кому-то из нас перепадают результаты таких вот гескинских озарений.

Когда в интернете я знакомился с мучительными попытками разных всезнаек понять, какая же структура и за сколько «заказала» мне бромантановые разоблачения,— долго смеялся. Какая же паранойя сидит внутри нашего человека, давно уже не верящего в чистоту журналистских намерений! После этих строк наверняка ведь найдутся и те, кто почешет затылок,— а Гескину-то сколько «занесли» за то, чтобы он бросил мне идею?

Дураков в нашей стране, к сожалению, еще слишком много, и ничего с этим не сделаешь. Отвечать им — себя не уважать. Когда читаешь их интернетовские упражнения в хамстве и попытках самоутвердиться за твой счет, реакция может быть только одна — внутренняя убежденность в своей честности. Когда она есть — никакое оскорбление не проймет.

Три месяца я положил на то, чтобы разобраться, каким образом и какими людьми был нанесен удар карьере и репутации одного из лучших футболистов страны, воспитанника и символа «Спартака». Я встречался с десятками участников и свидетелей каждого из этапов этой истории, «переваривал» те тонны правды, полуправды и откровенной лжи, которые выслушивал. Отдельное спасибо директору Антидопинговой инспекции Олимпийского комитета России Николаю Дурманову, чья экспертная оценка помогла часть этой лжи опознать.

Большинство действующих лиц соглашались высказаться на эту тему, но только не под диктофон, с отказом от прямого цитирования. Иного, в общем-то, и ждать не стоило — скорее, удивило то, что сразу два спартаковца-2003, Деменко и защитник Владислав Ващук, дали мне полноценные интервью. И когда я зачитывал им готовые тексты, никто не отказался от сказанного.

— Я готов публично рассказать обо всем, что знаю, чтобы люди, которые «кормят» игроков допингом и при этом ничего нам не говорят, в следующий раз боялись разоблачения,— сказал Деменко.

— Как наказывают людей, которые делают других инвалидами? — добавил Ващук.— Мне даже страшно вникать — но я знаю, что через какое-то время все это скажется на нашем здоровье. Но мы не будем видеть глаз тех людей, которые нам давали запрещенные препараты. Если ты даже сгниешь и умрешь, они, может, об этом и не узнают — и уж точно не будут сильно переживать. Надо сделать так, чтобы люди боялись творить такие вещи. Иначе они будут повторяться.

Когда я обращался ко многим другим собеседникам и объявлял тему, реакция почти всегда была схожей: «А зачем?»

Да затем, чтобы люди узнали правду — или хотя бы ту ее часть, которую удалось по крупицам восстановить. Затем, чтобы подобное никогда не повторилось.

⚽ ⚽ ⚽

Расследование под заголовком «Бромантановый „Спартак"» было опубликовано 29 апреля 2005 года и вызвало колоссальный резонанс. Новый президент РФС Виталий Мутко публично пообещал провести жесткое официальное расследование с оргвыводами и весь последующий год грозно предупреждал, что оно вот-вот завершится. Правда, это «вот-вот» продолжается до сих пор.

В редакцию «Спорт-экспресса» для часовой беседы со мной приезжала съемочная группа телепрограммы «Первого канала» «Человек и закон», хотя результат этих съемок вышел совсем не таким, как я ожидал. Цель сюжета мне преподносили как рассказ о допинговой истории, и меня как автора расследования просили рассказать о подробностях. На выходе же получился материал, обвиняющий во всех смертных грехах Андрея Червиченко. От «дела Титова» сюжет лишь отталкивался, а ряд моих слов, вырвав из контекста, авторы программы использовали в совсем других целях. Возникло отвратительное ощущение предвзятого, действительно заказного сюжета, для которого меня попросту вслепую использовали. Как вы уже заметили, я без особого восторга отношусь к периоду работы в «Спартаке» Червиченко — но такие методы его разоблачения, для кого-то, видимо, естественные, мне претят. Кстати, Ващук в одном из интервью рассказал, что его приглашали на ту же передачу, он было согласился — но навел справки и узнал, для чего все делается, после чего от участия в «Человеке и законе» успел отказаться. У меня, увы, таких информаторов не нашлось.

Лавина писем читателей доказала, что трехмесячные труды были не напрасными. Многие, конечно же, как всегда бывает в таких случаях, заподозрили меня в «заказе» — но никто не мог четко сформулировать, в чьем именно, потому что, как вы сами увидите, абсолютно все участники этого постыдного дела получили на орехи.

Новое руководство «Спартака», в общем-то, весьма адекватное, обиделось, что я не попросил, допустим, нынешнего владельца «Спартака» Леонида Федуна высказать собственную оценку ситуации недавнего прошлого,— иными словами, лишний раз жестко отмежеваться от предшественников. В этом, может быть, они и были правы: от чудовищного допингового скандала пострадал имидж не только игрока Титова или экс-президента Червиченко, но и всего «Спартака». Но мне хотелось по возможности перестраховаться — в расследование было вложено столько времени и сил, что даже малейшая перспектива какого-либо давления на руководство газеты со стороны официальных лиц, заранее узнавших о публикации, была для меня невыносима. Я, что называется, дул на воду.

История, развернувшаяся годом позже вокруг знаменитого интервью Дмитрия Аленичева «Старков — тупик для „Спартака"», покажет, что сделал это я не зря. На наших журналистов, готовивших ту «бомбу» к печати, пресс-атташе клуба Владимир Шевченко на полном серьезе обидится, что они заранее ему о ней не сообщили. Впрочем, подробнее об этом — в следующей части...

Иных болельщиков оскорбил заголовок «Бромантановый „Спартак"». Мол, не на конкретных людей, а на весь клуб поставлено клеймо, от которого уже не избавиться.

По-моему, такая позиция — ханжество. В 2003 году «Спартак» действительно был «бромантановым» — тут не было никакого передергивания фактов. Репутацию клубу испортил не журналист, который лишь описал реально происходившие события, а сам клуб и люди, которые тогда в нем работали. Вообще-то, по правде говоря, удивительно, что после шокировавшей общественность публикации «виновниками торжества», которые посадили игроков на допинг, не занялись компетентные органы.

Это произошло бы в любой цивилизованной стране. Но у нас как всегда всем все «по барабану»...

Мне было приятно, когда сам Титов в интервью моему коллеге по «Спорт-экспрессу» Александру Кружкову, отвечая на вопрос: «Узнаем ли мы когда-нибудь всю правду об этой истории?», сказал: «А ваш коллега Игорь Рабинер почти все об этом написал в апрельском материале „Бромантановый «Спартак»“. Разве что поставил тогда не точку, а многоточие. Он не написал, кто конкретно виноват во всей истории».

И действительно, почему я не расставил все точки над i?

Во-первых, безапелляционная расстановка таких «точек» при отсутствии неопровержимых документов чревата судом и миллионными исками. Во-вторых, по моему глубокому убеждению, виноваты в этой истории не один и не два, а десятки людей — кто по злому умыслу, кто по чудовищному дилетантизму. Вот и пошел я по пути не прямых обвинений, а максимального сбора фактов. Их и изложил читателю, дав ему достаточную, мне кажется, пищу для размышлений и собственных выводов.

В «Спорт-экспрессе» материал вышел в сокращенном примерно на треть виде. Никаких подводных камней тут не было — чистая технология. Под публикацию было отведено и так немало места — целый газетный разворот плюс вступление на первой полосе. Но и в такие объемы текст не влез, и редакции пришлось делать довольно значительные купюры.

На страницах этой книги купюр не будет.

❂ ❂ ❂

Шла 59-я минута матча «Динамо» — «Спартак», когда главный тренер красно-белых Андрей Чернышов произвел замену — вместо Деменко вышел Ващук. А мгновениями позже произошла странная сцена, которая, будь замечена кем-то посторонним, вызвала бы, мягко говоря, недоумение.

Вместо спартаковской скамейки запасных Деменко со стеклянными глазами зачем-то отправился на… динамовскую. Спустя секунды хороший знакомый Максима с динамовской стороны вежливо вытолкал его оттуда — но тем, кто стал свидетелем этой картины, дальнейшие события и слухи вокруг «Спартака» уже не казались сколько-нибудь удивительными.

— Да, было такое,— грустно отреагировал Деменко на напоминание о его походе на скамейку запасных «Динамо».— Все было как в тумане. Вижу, что показывают табличку с моим номером, аплодирую трибунам, а далее — короткий провал в памяти. Потом наши меня спрашивают: «Дема, а чего ты пошел туда, на динамовскую скамейку?» Не знал даже, что ответить. Был в какой-то прострации. То в жар, то в холод бросало.

Тот матч «Спартак» проиграл — 2:3. Но совсем не с горя вечером после игры Деменко, как и большинству других спартаковцев, было худо. По имеющейся информации, ветераны команды — Титов, Ковтун и другие — отправились поужинать в один из московских ресторанов. Выпили по кружке пива, после чего с ними началось что-то жуткое. Игроков затрясло, руки пошли ходуном. Кто-то в ту ночь, уже приехав домой, так и не смог сомкнуть глаз, кто-то с трудом заснул лишь под утро, а Деменко, в ресторан не ходившего, не на шутку тошнило и била лихорадка. Что-то отдаленно похожее с футболистами после предыдущих матчей уже случалось — но с такой дьявольской силой их колотило впервые. На следующий день едва ли не половина основного состава к условленному времени в Тарасовке не появилась. Не было сил доехать.

— Сам я в той игре с «Динамо» вышел на замену, а давали таблетки чаще всего тем, кто появлялся в стартовом составе,— вспоминает Ващук.— Ребят и после того, и после некоторых других матчей трясло так, что до шести утра они не могли заснуть. Все бодрствовали, было такое ощущение, будто энергия откуда-то изнутри, извините, перла. Помню, как Егор и Юра (Титов и Ковтун.— Прим. И. Р.) рассказывали мне об этом. А бывало, что игроки вообще не засыпали, потому что рано утром нужно было куда-то ехать, а до этого времени заснуть не удавалось. Как в таком состоянии можно было тренироваться и играть, представляете?

— Потом, когда выяснилось все про допинг, стало понятно, откуда ноги росли,— говорит о бессоннице Деменко. — А тогда нервничал, не понимал ничего. Ночь наступает, спать пора — а совсем не хочется. Ощущаешь какое-то перевозбуждение. В лучшем случае засыпаешь под утро. Дня четыре или пять такое было, и не только со мной. На отсутствие сна жаловались многие ребята, с которыми никогда такого не было. Из-за этого мы постоянно ощущали себя на грани нервного срыва.

— А еще доводилось слышать, что после того самого матча с «Динамо» лично вам ночью было очень плохо.

— Это факт. Тошнило — помню точно. Естественно, возникли определенные подозрения. Прихожу к доктору Катулину, спрашиваю. Он отвечает, что ничего запрещенного не дает. А то, что с нами происходит, — может быть, от больших нагрузок. Откуда мы могли знать, что это не так?

— Вам тоже было плохо? — спрашиваю Ващука.

— Я очень скрупулезно отношусь ко всем препаратам, которые дают врачи, и если вижу что-то незнакомое, стараюсь не принимать. В Киеве нам, помню, даже запрещали самовольно брызгать что-то в нос во время простуды... Но что-то запрещенное как минимум разок спартаковские доктора «вкатили» и мне, несмотря на весь мой опыт.

— Что заставило вас сделать такой вывод?

— КАК РАЗ В ТО ВРЕМЯ, КОГДА НАС НАЧИНАЛИ «ЧИСТИТЬ», Я РЕШИЛ ПОЙТИ НА НЕЗАВИСИМОЕ ОБСЛЕДОВАНИЕ, О КОТОРОМ В «СПАРТАКЕ» НЕ ЗНАЛИ. В РЕЗУЛЬТАТЕ ДОКТОР МНЕ СООБЩИЛ, ЧТО НА ПЕЧЕНИ ОБРАЗОВАЛИСЬ «ЗЕРНА» И СВЯЗАНО ЭТО ИМЕННО С ДОПИНГОМ. И, КАК ЗАПРЕЩЕННЫЕ ПРЕПАРАТЫ ИЗ ОРГАНИЗМА НИ ВЫЧИЩАЙ, ТАКОЙ УДАР ПО ЗДОРОВЬЮ УЖЕ НЕОБРАТИМ. РАССКАЗАЛ ОБ ЭТОМ ТОГДАШНЕМУ ПРЕЗИДЕНТУ КЛУБА АНДРЕЮ ЧЕРВИЧЕНКО. НО ОН, К МОЕМУ УДИВЛЕНИЮ, НИКАК НЕ ОТРЕАГИРОВАЛ: РАЗБИРАЙСЯ, МОЛ, САМ. МЕЖДУ ТЕМ У МЕНЯ ОСТАЛИСЬ БУМАГИ С МЕДИЦИНСКИМ ЗАКЛЮЧЕНИЕМ ТОГО ОБСЛЕДОВАНИЯ И ЕГО ДАТОЙ. ТАК ЧТО, ЕСЛИ ЭТО КОМУ-ТО ОКАЖЕТСЯ ИНТЕРЕСНО, ОХОТНО ИХ ПРЕДОСТАВЛЮ.

Тему подорванного здоровья подхватывает и Деменко:

— Я пропустил из-за травм весь 2004 год и напрямую связываю это с тем допинговым беспределом, который с нами устроили. Организм ведь перестает чувствовать порог опасности. У меня произошел разрыв боковой связки колена и вдобавок мениск. Лечился много месяцев, и врач в какой-то момент даже засомневался: «Что-то слишком долго». На мое предположение, что это может быть связано с той историей, он ответил: да, вполне возможно. А еще я помнил фразу Владимира Федотова, которому пришлось расхлебы-

:268

вать ту кашу, которую заварили до него, — выводили-то допинг, уже когда он был назначен главным тренером. Когда я только получил ту травму колена, Григорьич сказал: «Максим, неужели на тебя так подействовали эти проклятые таблетки, этот допинг?»

⚽ ⚽ ⚽

Сразу после известия о положительном допинг-тесте перед вылетом в Дублин главный врач «Спартака» Артем Катулин срочно приехал в Бор. Там Титов с Ковтуном, по имеющимся данным, незаметно отвели его в сторону. И, как выразился один из источников, «взяли за горло». Только тогда Катулин якобы впервые подтвердил то, что вместе со своим помощником Анатолием Щукиным на протяжении двух месяцев отрицал: да, они давали игрокам допинг. Впрочем, доктор, согласно тем же данным, заверил футболистов, что в течение семи-десяти дней все его следы полностью выветрятся.

Футболисты не могли знать того, что сообщил мне источник в Московском антидопинговом центре: «Даже следы приема одной таблетки бромантана в 50 миллиграммов можно найти в организме через 40 дней после приема» (правда, подобного мнения придерживаются далеко не все специалисты). Между тем игроки свидетельствуют, что на протяжении двух месяцев, начиная со встречи против «Черноморца» в Новороссийске, перед началом и в перерыве каждого матча врачи выдавали футболистам стартового состава крохотные белые таблеточки, которые характеризовали как «соли» и «минералы». Ни до, ни после ни один из игроков таких таблеточек больше не видел.

Об этом говорили те игроки, кто высказывался не под диктофон. Уточняю у Деменко:

— Перед матчем вам давали какие-то таблетки?
— Да. По-моему, желтые и белые. Но о желтых я знал, что это витамины. А вот белых раньше не видел. Я как дисциплинированный футболист принимал все, что давали, потому что привык доверять врачам. При Романцеве и докторе Юрии Василькове все было нормально, витамины были витаминами и ничем другим. Никогда в жизни не мог предположить, что позже, с другими тренерами и врачами, нас могут так подставить. Если уж возникла у докторов такая бредовая идея, они, по крайней мере, были обязаны подойти к нам и объяснить, что нам дают и чем это грозит. И вот тогда бы ответственность уже лежала на футболистах, и каждый мог бы пенять только на себя. Но нас обманули.

Вопрос Ващуку:
— Правда ли, что игрокам давали таблетки прямо перед выходом на поле, а порой и в перерыве?
— Да, так и было. Но не всем, а только тем, кто выходил в стартовом составе.

— Вы сами какой-то эффект чувствовали?

— Никакого. Может, дело было в том, что в период
    руководства Чернышова я редко попадал в чис-
    ло первых 11.

Часть игроков убеждены что запрещенные препараты прекратили давать после игры с «Динамо»,—
мол, футболисты пожаловались на плохое самочувст-
вие, и наверху решили, что хватит. Но есть основания
полагать, что это не так. До поездки сборной в Ирландию была ведь еще встреча с «Шинником». Один из
источников в команде свидетельствует: именно после
победы в Ярославле штаб команды устроил короткую
«летучку», на которой доктор Щукин якобы сказал:
все, с бромантаном надо заканчивать — скоро евро-
кубки, и слишком велик риск попасться. И главный
тренер Чернышов якобы решил: действительно надо
заканчивать.

Так это или нет, точно уже не узнает никто —
тем более что эту информацию другие источники категорически опровергли. Но то, что как раз спустя полто-
ры недели после матча с «Динамо» у Титова и Ковтуна
нашли бромантан,— факт, пускай в свое время и заре-
тушированный. Нашли бы и у остальных — если бы
только захотели проверить.

До роковой для Титова домашней встречи сборных России и Уэльса с момента матча против «Шинника» прошло не 40, а 86 дней. Варианта два. Либо фут-

болистов летом «кормили» чудовищными порциями бромантана, либо в дальнейшем, несмотря на смену руководства команды, этот процесс не остановился. Первая версия, впрочем, куда вероятнее.

⚽⚽⚽

Итак, 4 сентября Титову и Ковтуну сообщают о допинге, но они летят со сборной в Ирландию. Что же происходило в недельном промежутке между этим матчем и встречей «Спартака» с «Торпедо» — промежутке, когда и был уволен Чернышов? Хронику событий восстанавливает Деменко.

— Перед матчем сборной России в Ирландии нам, спартаковцам, сказали, что наши лидеры Титов с Ковтуном не будут играть там из-за отравления. Потом смотрим — три наших одноклубника в молодежной сборной на поле тоже не вышли. Слухи в команде пошли уже тогда. А когда ребята вернулись, состоялось общее собрание. На нем выступил главный врач «Спартака» Артем Катулин. И сказал: есть, мол, предварительная информация, что у Егора с Юрой обнаружен допинг. Но подождите, не паникуйте, наверное, это какое-то недоразумение. Мы думали — может, действительно случайность, ошибка? Но в те же дни всю команду повезли на допинг-тест — как я понимаю, для внутреннего пользования, потому что на публику потом ни-

ЧЕГО ТАК И НЕ ВЫШЛО. ТАМ-ТО, НА ЭТОМ ТЕСТЕ, И ВЫ-
ЯСНИЛОСЬ, ЧТО ВСЕМУ ОСНОВНОМУ СОСТАВУ «СПАР-
ТАКА» ДАВАЛИ ЗАПРЕЩЕННЫЕ ПРЕПАРАТЫ.

Ващук подтверждает:

— ПОСЛЕ ТОГО КАК ТИТОВА И КОВТУНА В СПЕШНОМ ПО-
РЯДКЕ «ОТЦЕПИЛИ» ОТ МАТЧА СБОРНЫХ ИРЛАНДИИ И
РОССИИ, КАК И СПАРТАКОВСКИХ ИГРОКОВ РОССИЙСКОЙ
«МОЛОДЕЖКИ», В «СПАРТАКЕ» НАЧАЛАСЬ СТРАШНАЯ СУ-
МАТОХА. МЫ В СРОЧНОМ ПОРЯДКЕ СДАЛИ АНАЛИЗЫ, И
ВЫЯСНИЛОСЬ, ЧТО ДОПИНГ ДАВАЛИ ВСЕЙ КОМАНДЕ.
ДОКТОРА НИЧЕГО НЕ ГОВОРИЛИ, СМОТРЕЛИ ДРУГ НА
ДРУГА ИЗУМЛЕННЫМИ ГЛАЗАМИ — МОЛ, САМИ НЕ ПОНИ-
МАЕМ. ТРЕНЕР И ПРЕЗИДЕНТ ТОЖЕ УВЕРЯЛИ, ЧТО НЕ В
КУРСЕ. ЛИЧНО У МЕНЯ ЭТО ВЫЗВАЛО ТАКОЕ ОЩУЩЕНИЕ,
ЧТО ВСЕ ОБО ВСЕМ ЗНАЛИ, ЧТО СТАРАЛИСЬ ИЗОБРАЗИТЬ
ПОЛНЕЙШЕЕ НЕВЕДЕНИЕ.

Непонятно во всем этом одно. Трое спартаковцев из молодежной сборной как дружно не вышли на
матч с Ирландией, так же дружно появились в стартовом составе несколько дней спустя во встрече со Швейцарией — правда, с одинаково проигрышным итогом.
Есть, конечно, версия самого Чернышова — что Павлюченко не играл в Британии из-за того, что «висел» с
желтой карточкой (то есть если бы получил еще одну,
был бы дисквалифицирован), Павленко в этот момент
не проходил в основной состав, а Белозерова берегли

для более важного, по мнению руководства «молодежки», поединка со Швейцарией. Но есть версия одного из ее футболистов, согласно которой все трое в Ирландии должны были играть в стартовом составе, и только по прибытии в раздевалку их отозвали в сторону и тихо сообщили: «Вы не играете».

Между матчами с Ирландией и Швейцарией «молодежку» тоже, говорят, проверяли на допинг. То есть как получается — на тесте для «Спартака» у них запрещенные препараты нашли, а для «молодежки» — нет? В одни и те же дни? Поистине загадочна страна Россия и ее одна-единственная антидопинговая лаборатория.

В особенности все это загадочно потому, что футболистам неофициально рассказывали: доза бромантана у Титова и Ковтуна превышала минимально возможную в 20 (!) раз — врачи «Спартака» делали ставку на опытных игроков. Вначале вроде бы планировалось вообще давать препарат только им, поскольку молодые могут набрать форму и без того, через матчи. Но потом доктора, видимо, вошли во вкус.

Ващук рассказывает:

— Потом мы пытались проанализировать, какую тактику избрали наши лекари. Обменялись информацией — и все стало ясно. Главной их задачей было то, чтобы препарат применяли опытные игроки. Потому что за ними тянется

МОЛОДЕЖЬ — ЕСЛИ ВЕТЕРАНЫ ЧТО-ТО СДЕЛАЛИ, ЗНА-
ЧИТ, ТАК И НАДО.
— Выходит, ВЕРНА ИНФОРМАЦИЯ, что Титову говорили: это очень полезная штука, подай как капитан
команде пример!
— По сути дела, да. Риторика была такая: всем надо
быть вместе. Говорят, что необходимо принять,— значит, это должны делать все, а ветераны — подать молодым пример.

И Титов принимал. А вслед за ним — и другие.
Логика, по словам игроков, была следующей: за многие
годы работы в «Спартаке» врача Юрия Василькова футболисты привыкли безгранично ему доверять. И авто-
матически перенесли это отношение на новых врачей — при том что Катулин, например, Василькова из
команды фактически выдавил, и все это видели. Едва
пришедшего Щукина игроки вообще толком не знали.
Откуда же такая доверчивость?

Когда Титова дисквалифицируют, он, говорят,
будет очень злиться на себя за свою инфантильность.
Но таков образ мышления нашего футболиста, которого с детства, по сути, кормят с ложечки. То, что думать
надо своей головой, они начинают понимать только на
собственных ошибках.

Иностранцы воспитаны по-другому. И ни док-
торская риторика, ни капитанский пример на спартаковских легионеров не действовали. Один футболист

рассказал мне, что, к примеру, бразилец Мойзес и сенегалец Кебе, получив от врача таблетку, незаметно ее выбрасывали. Македонец Митрески, по словам Деменко, таблеток тоже не принимал. По рассказу Ващука, просить темнокожих легионеров ложиться под капельницу врачи перестали очень быстро — поняли, что бесполезно.

И если у легионеров тоже был найден-таки допинг (список игроков вы прочитаете чуть ниже), говорить это может только об одном. О том, что спартаковцев пичкали запрещенными препаратами не только через таблетки. И не одним бромантаном. Николай Дурманов, когда я описал ему симптомы, поразившие спартаковцев после матча с «Динамо», тут же воскликнул: «Это не бромантан!»

Ни на секунду не собираюсь ставить слова Дурманова под сомнение — но он, профи, мог не учесть одного нюанса, который мне довелось услышать от других специалистов. И учитывая явный дилетантизм происходившего, он не выглядит невероятным. Спартаковцев могли-таки кормить именно бромантаном. Но... просроченным. Почти десять лет назад препарат сняли с производства, и вполне возможно, что с тех пор «лекарство» могло сохраниться, а рецепты со сроками годности — исчезнуть.

Другой спортивный врач, впрочем, придерживается иной точки зрения по сравнению с Дурмановым:

— Бромантан был придуман для десантных операций, чтобы люди 24 часа в сутки могли не спать. Отсюда и бессонница игроков «Спартака». Эффект — вроде 20 чашек кофе. Этакий военный экстази, приводящий к тому, что организм оказывается разбалансирован. Так что симптомы удивления не вызывают.

Специалисты объединяют две эти точки зрения. Вроде бы, когда был разработан бромантан, планировалось, что его эффект будет именно таким. Но на деле — не сработало. «Открытие века» оказалось мыльным пузырем. В какой-то момент военные медики в бромантане разочаровались. Если бы они вовремя оповестили об этом спартаковских «кормильцев»!

В чем Дурманов, скорее всего, безоговорочно прав — так это в том, что в «Спартаке» 2003 года в ходу был не только бромантан. Об одной из процедур, проводившихся при помощи капельницы, мне рассказал игрок «Спартака». Препарат называется гемодез. По рассказу футболиста, перед матчами спартаковцам таким образом очищали печень от шлаков.

Николай Дурманов говорит:

— ГЕМОДЕЗ КАТЕГОРИЧЕСКИ ЗАПРЕЩЕН С ТОГО МОМЕНТА, КАК В СПИСОК ЗАПРЕЩЕННЫХ ПРЕПАРАТОВ ВНЕСЛИ ЭПО — ЭРИТРОПОЭТИН И, СООТВЕТСТВЕННО, БЫЛИ НАЛОЖЕНЫ ОГРАНИЧЕНИЯ НА УРОВЕНЬ ГЕМОГЛОБИНА В КРОВИ. ТО ЕСТЬ С 2001 ГОДА ИЛИ ДАЖЕ ЧУТЬ РАНЬШЕ. ДЛЯ ТОГО ЧТОБЫ ГЕМОГЛОБИН БЫЛ НЕВЫСОКИМ И НЕ ВЫЗЫВАЛ ПОДОЗРЕНИЙ У ДОПИНГ-СЛУЖБ, В КРОВЬ ДОБАВЛЯЮТ РАСШИРИТЕЛИ ПЛАЗМЫ, ЧЕМ И ЯВЛЯЕТСЯ ГЕМОДЕЗ.

Кстати, по словам Дурманова, с 2005 года запрещен ввод спортсменам любого препарата — даже легального — при помощи капельниц. Любые манипуляции с кровью теперь считаются нелегальными. А учитывая, что в соответствии с требованиями ВАДА (Всемирной антидопинговой ассоциации) планируется резко увеличить число внесоревновательных проверок, нашим футбольным клубам есть о чем задуматься.

Версия с капельницей нашла живой отклик у Деменко:

— НЕ УБЕЖДЕН, ЧТО ДОПИНГ МЫ ПОЛУЧАЛИ ЧЕРЕЗ ТАБЛЕТКИ. НА ЭТУ МЫСЛЬ НАВЕЛ РАЗГОВОР С ИГОРОМ МИТРЕСКИ. КОГДА МЫ ВСЕ УЗНАЛИ, ЧТО У НАС ДОПИНГ, ЕСТЕСТВЕННО, НАЧАЛИ РАЗГОВАРИВАТЬ ДРУГ С ДРУГОМ НА ЭТИ ТЕМЫ. ДО ЭТОГО СТАРАЛИСЬ ОБСУЖДАТЬ СВОИ ПРОБЛЕМЫ ТОЛЬКО С ВРАЧАМИ, ТАКОВ УЖ НАШ МЕНТАЛИТЕТ,— НО ТУТ ВСЯКОЕ ДОВЕРИЕ К НИМ БЫЛО ПОТЕРЯНО. ТАК ВОТ, МИТРЕСКИ МНЕ СКАЗАЛ, ЧТО НИ РАЗУ НЕ ПРИНИМАЛ ТАБЛЕТОК, КОТОРЫЕ ДАВАЛИ ВРАЧИ. НО ДОПИНГ У НЕГО ВСЕ РАВНО НАШЛИ! И МЫ ПРИШЛИ К ВЫВОДУ, ЧТО ЗАПРЕЩЕННЫЕ ПРЕПАРАТЫ НАМ ВВОДИЛИ ЧЕРЕЗ КАПЕЛЬНИЦУ, С НЕОТОНОМ, КОТОРЫЙ НЕЗАДОЛГО ДО ИГРЫ ВЛИВАЮТ ФУТБОЛИСТАМ ДЛЯ УКРЕПЛЕНИЯ СЕРДЕЧНОЙ МЫШЦЫ. СКОРЕЕ ВСЕГО, В КАПЕЛЬНИЦУ ПОДМЕШИВАЛИ РАСТВОР С КАКИМ-ТО ВЕЩЕСТВОМ, КОТОРЫЙ ПОТОМ И УХОДИЛ В ВЕНУ. ХОТЯ И ВЕРСИИ С ТАБЛЕТКАМИ ТОЖЕ ИСКЛЮЧАТЬ БЫ НЕ СТАЛ.

РАЗ ДАВАЛИ ОДИН ЗАПРЕЩЕННЫЙ ПРЕПАРАТ — БРО-
МАНТАН, ЗНАЧИТ, МОГЛИ ДАВАТЬ И ЛЮБЫЕ ДРУГИЕ.

— КАКИМ ОБРАЗОМ, ДУМАЕТЕ, ВАС «ЗАРАЗИЛИ» — ЧЕ-
РЕЗ ТАБЛЕТКИ ИЛИ КАПЕЛЬНИЦУ? — ИНТЕРЕСУЮСЬ У
ВАЩУКА.

— ЧЕРЕЗ ТАБЛЕТКИ. В «СПАРТАКЕ», В ОТЛИЧИЕ ОТ МНО-
ГИХ МОИХ ПАРТНЕРОВ, Я НЕ «КАПАЛСЯ» ВООБЩЕ. ПО-
ЧЕМУ? В КИЕВСКОМ «ДИНАМО» ЕСЛИ И ВВОДИЛИ КА-
КИЕ-ТО ВИТАМИНЫ ЧЕРЕЗ КАПЕЛЬНИЦУ, ТО ТОЛЬКО ПЕ-
РЕД МАТЧАМИ ЛИГИ ЧЕМПИОНОВ. «СПАРТАК» В ТОМ
ГОДУ В ЛИГУ НЕ ВЫШЕЛ, ИГРЫ КУБКА УЕФА БЫЛИ ЕЩЕ
ВПЕРЕДИ, А ЛОЖИТЬСЯ ПОД КАПЕЛЬНИЦУ ПЕРЕД МАТ-
ЧАМИ ЧЕМПИОНАТА РОССИИ Я СМЫСЛА НЕ ВИДЕЛ И ОТ
ЭТОЙ ПРОЦЕДУРЫ ОТКАЗЫВАЛСЯ. ЕЩЕ МОГУ ВАМ ПОД-
ТВЕРДИТЬ, ЧТО ПОД КАПЕЛЬНИЦУ НЕ ЛОЖИЛИСЬ ТЕМ-
НОКОЖИЕ ЛЕГИОНЕРЫ. ПО ЭТОМУ ПОВОДУ ВРАЧИ К
НИМ ДАЖЕ НЕ ПОДХОДИЛИ.

⚽——————————————————————————

✿ ✿ ✿

После того как проверка в сборной обнаружи-
ла допинг у двух спартаковцев, официальный тест
РФС выглядел бы логичным. Источник в тогдашнем
руководстве «Спартака» сказал мне: «Проверь нас
кто-то по-настоящему, команду запросто могли отправить в турнир коллективов физкультуры, лишить
профессионального статуса».

Действительно, могли. Мне стал известен список игроков, которые упомянуты Катулиным во внутри-

клубной объяснительной записке. Это те футболисты, кому, по словам врача, давалась пищевая добавка «Омега-3», в которой после увольнения доктора Щукина в его комнате в Тарасовке якобы и был обнаружен бромантан. Итак, в допинг-лист вошли: Титов, Ковтун, Ващук, Кебе, Калиниченко, Белозеров, Хрман, Станич, Деменко, Павлюченко, Луизао, Концевой, Митрески. Давалась «добавка», по сообщению главврача, 12 июля перед четырьмя матчами. Причем встреча с «Динамо», когда футболисты, судя по всему, получили лошадиную дозу бромантана (или чего-то еще), отчего-то в этом списке не упоминалась.

Итак, тест РФС мог бы все расставить на свои места. Но он... не состоялся. Вернее, по нашей информации (официально подтвержденной Деменко и Ващуком), проверка все-таки была, но проводил ее не РФС, а... сам «Спартак». Президент Червиченко таким образом хотел узнать о масштабах допингового эксперимента. А узнав, немедленно сменил руководство команды. Исполнять обязанности главного тренера стал Владимир Федотов, при котором начался обратный процесс — выведения бромантана из организмов игроков.

В интервью газете «Версия» (№4, 2004) Колосков признал: «Еще в сентябре у нас была информация, что в «Спартаке» „балуются“ допингом».

Так почему же, если информация была, не обрушился на «Спартак» карающий меч Российского футбольного союза? Ответ я получил сразу из нескольких источников, подтвердивших один и тот же факт.

Вскоре после того, как Ярцев огласил Титову и Ковтуну «приговор» — то ли прямо на следующий день, то ли после возвращения из Ирландии,— в РФС состоялась длительная беседа тет-а-тет Вячеслава Колоскова и Андрея Червиченко. Ясно, что именно на ней высокие договаривающиеся стороны решили замять скандал. Почему он не был нужен президенту «Спартака» — понятно, а Колоскову, помимо всего прочего, в декабре предстояла отчетно-перевыборная конференция, и взорвавшаяся допинговая бомба вряд ли сработала бы в пользу титана аппаратных интриг.

Кроме того, по словам источника в РФС, последующие кадровые оргвыводы в «Спартаке» стали результатом не только гнева Червиченко на подчиненных, но и этой встречи в верхах (Колосков, согласно этой информации, требовал также уволить Катулина и вроде бы был возмущен, что этого не произошло). Если это так, то президент РФС ко всему прочему воспользовался случаем, чтобы покончить с совместительством Чернышова, которое к тому времени уже ударило по результатам молодежной сборной.

Можно ли осуждать Колоскова за то, что оставил всю эту историю под сукном? С формальных позиций — безусловно. Трудно представить, чтобы, например, подобный сговор мог состояться в Англии или Германии. Одна из главных задач федерации — блюсти чистоту нравов и безжалостно наказывать тех, кто ведет нечестные игры. Мало того, дисквалифицируй тогда РФС Титова, скажем, на полгода — и все прошло бы для игрока и сборной куда менее болезненно, чем в итоге получилось. В УЕФА и ВАДА по достоинству бы оценили то, как внутри страны ведется борьба с допингом, добавлять бы к наказанию ничего не стали — и уже к началу сезона-2004 Титов был бы в строю. И на чемпионат Европы в Португалию преспокойно бы поехал.

Но, с другой стороны, представляете, что бы началось, раскрути тогда Колосков не только персональное дело Титова и Ковтуна, но и дело всего «Спартака»? Какие последствия это имело бы для самого популярного клуба страны и его «инфицированных» не по своей вине игроков? И какие беспорядки после изгнания, скажем, команды из премьер-лиги (а до этого дошло бы наверняка) могли бы устроить его болельщики, число которых — миллионы?

Надо быть очень отважным человеком, чтобы на все это решиться. Многолетний опыт чиновничества в Советском Союзе подобные качества, даже если они и были, убивал в зародыше. Поэтому, констатируя ошибку экс-президента РФС, не возьмусь метать в него громы и молнии. Если, конечно, в полюбовной договоренности Колоскова и Червиченко не было такого пункта, как «цена вопроса». Но вот этого мы уж точно никогда и ни при каких обстоятельствах не узнаем.

Возникают вопросы и о том, могла ли та сентябрьская информация не дойти до ведомства Николая Дурманова. А если дошла — почему не были приняты меры?

— Существуют документы, официальные протоколы. Только на их основе можно что-то говорить. Их не было — а значит, и обсуждать нечего,— отрезал Дурманов.

При всем к нему уважении — не слишком ли формальный подход в свете того, что в итоге всеобщего бездействия разразилось «дело Титова»?

⚽ ⚽ ⚽

Вернемся, однако, к самому допингу. Во всех своих интервью (в частности, газетам «Известия» за 16 апреля 2004 года и «Трибуна» за 23 апреля 2004 года) господин Катулин утверждает, что бромантан, как показало внутриклубное расследование, входил в пищевую добавку «Омега-3», закупленную его коллегой Щукиным. Я попросил Николая Дурманова дать экспертный комментарий на этот счет. Он получился весьма образным.

⚽ ——————————————————————

— ПРЕДСТАВЬТЕ СЕБЕ МЕРТВЕЦКИ ПЬЯНОГО ЧЕЛОВЕКА, КОТОРЫЙ УТВЕРЖДАЕТ, ЧТО ОПЬЯНЕЛ НЕ ОТ ВОДКИ, А ОТ… ДЕТСКОГО ПИТАНИЯ. ЗАЯВЛЕНИЕ НАСЧЕТ «ОМЕГИ-3» — ПРИМЕРНО ТО ЖЕ САМОЕ. ВЕДЬ «ОМЕГА-3» — ЭТО, ПО СУТИ, РЫБИЙ ЖИР. И БРОМАНТАН МОЖЕТ ПОПАСТЬ В ЭТУ ДОБАВКУ ТОЛЬКО В ОДНОМ СЛУЧАЕ: ЕСЛИ РЫБКУ, ПЕРЕД ТЕМ КАК ЕЕ ВЫЛОВИТЬ, НАКОРМИТЬ ЭТИМ САМЫМ БРОМАНТАНОМ.

— А МОЖЕТ ЛИ БРОМАНТАН ПОПАСТЬ В ОРГАНИЗМ СПОРТСМЕНА СЛУЧАЙНО, ЧЕРЕЗ КАКИЕ-ТО ЛЕКАРСТВА?

— Нет, не может, потому что не входит ни в какие другие препараты и может быть употреблен только по чьей-то злой воле. Более того, он запрещен с 1996 года и с тех пор официально не производится. Как и в случае со станозололом, который был найден на Олимпиаде в Афинах у толкательницы ядра Ирины Коржаненко (после оглашения результатов анализа ее лишили золотой медали Игр.— Прим. И. Р.), бромантан относится к каменному веку допинга, и мы были неприятно удивлены, когда он всплыл в истории с Титовым. Да это, извините, «парк юрского периода» какой-то!

Следует напомнить, что «Омега-3» стала уже второй версией Катулина — и вновь, как видим, неудачной. Первой было попадание бромантана в организм Титова через ремантадин, которым футболиста-де лечили от простуды. Именно она была озвучена в прессе в первые дни после того, как скандал стал публичным. Более того, на запрос из УЕФА Катулин ответил именно «ремантадинной» версией. На мой запрос в пресс-службу УЕФА был получен следующий ответ: «15 декабря врач клуба заявил, что прописал игроку ремантадин для лечения ОРЗ и, возможно, это и явилось причиной позитивного результата теста».

Прежде чем ставить в неловкое положение и Титова, и самого себя (не эта ли задокументированная ложь стала одной из главных причин дисквалификации игрока?), врачу следовало хотя бы проконсультироваться у специалистов.

— Бромантан и ремантадин — отдаленные химические структурные родственники,— комментирует Дурманов.— Но никакой связи между ними нет.

С ремантадином, кстати, связан еще один занимательный факт. Есть данные, что 15 ноября, когда после матча Россия—Уэльс Титов с врачами сборной направлялся по черкизовскому коридору для сдачи допинг-контроля, у одного из них зазвенел мобильный телефон. Звонил Катулин. Он уже знал о том, кто выбран для сдачи теста и, говорят, нервно попросил коллегу внести в список употреблявшихся игроком препаратов ремантадин. Выходит, чувствовал главврач «Спартака», к чему дело идет?

По ходу журналистского расследования, кстати, выяснился факт, о котором почему-то не сообщалось в печати: в марте 2005 года на заседании Контрольно-дисциплинарного комитета РФС Катулин был амнистирован. Срок его дисквалификации, который истекал в январе 2006-го, сокращен почти вдвое. Эту информацию мне подтвердил член КДК Алексей Спирин:

— Катулин подал соответствующее заявление, и, поскольку дисквалификация самого Титова уже истекла, оно было удовлетворено. Почему? Многие обстоятельства дела не были выяснены, не было доказано, что виновен именно Катулин. Наказание на него наложили, исходя из функциональных обязанностей главного врача команды. Мы вызвали его, долго расспрашивали. Учитывали и то, что все это время он работал в Центре спортивной медицины Зураба Орджоникидзе. То есть практики не терял.

В одном из интервью за прошлый год Катулин сообщил: «Расследование пришло к выводу, что употреблял добавку („Омега-3") один Титов».

Даже столь циничное заявление врача Титов стерпел, не занялся разоблачениями, на которые имел полное право. Говорят, футболист, даже получив дисквалификацию, меньше всего хотел, чтобы пострадал его «Спартак» — клуб, с которым Егор связан с детства. Потому и воспринял слова Катулина не как личную обиду, а как попытку отвести удар от родной команды.

❂ ❂ ❂

Итак, бывший главврач «Спартака» Артем Катулин, дисквалифицированный на два года, досрочно амнистирован. Член КДК РФС Алексей Спирин, участвовавший в принятии этого решения, косвенно подтвердил то, о чем свидетельствуют данные из всех без исключения источников. А именно — что Катулин, при всех своих неуклюжих объяснениях, не был инициатором приема бромантана спартаковцами.

Источник в штабе «Спартака» того времени вспоминает, как все начиналось:

— Когда новое руководство (во главе с Андреем Чернышовым.— Прим. И. Р.) пришло в команду, она находилась в ужасающем физическом состоянии. Проведенное обследование показало, что оно даже не на нуле, а ниже. Надо было что-то делать. И на собрании руководства команды Щукин сказал, что есть такой препарат — бромантан. При этом он подчеркнул, что это сильный препарат и слишком увлекаться им нельзя, потому что он может быть обнаружен. Однозначного решения — давайте, мол, принимать — со стороны Чернышова тогда принято не было. Но потом его тихо начали давать. Всего же собраний штаба, на которых обсуждались в том числе и эти вопросы, было три-четыре.

(Сам Чернышов факт обследования, его неутешительных результатов и последующего собрания штаба подтвердил, но все разговоры о применении допинга на нем отрицал наотрез.)

Данные экс-руководства «Спартака» говорят о том, что Червиченко винит лично себя в том, что, зная о лыжно-биатлонном прошлом Щукина (тот сам говорил, что является мастером спорта по обеим дисциплинам), допустил его приход в команду. Иначе как «этим лыжником» бывший президент клуба его, говорят, не называет, и убежден, что именно Щукин подставил Катулина, оставшись безнаказанным. Той же версии придерживается не только сам Катулин (что естественно), но и источники в РФС, в спортивно-медицинских учреждениях Москвы, в столичной антидопинговой лаборатории.

Сам Титов, на протяжении долгого времени отказывавшийся публично огласить имя главного виновника своей дисквалификации, через полгода после публикации «Бромантанового „Спартака"» все же открыл карты:

— Мой убийца — доктор Щукин. Известно, что он работал со стимулирующими препаратами в молодежной сборной. Но срок «вымывания» препаратов типа бромантана он, видимо, не знал. Оказалось, они не вымываются ни через три месяца, ни через полгода. А крайним в этой истории сделали главного врача «Спартака» — Катулина. Сейчас Щукин работает в «Москве». Когда «Спартак» и «Москва» встречались в чемпионате, Щукин, направляясь ко мне навстречу, вдруг глаза отвел, отвернулся. Значит, ему есть чего стыдиться.

— Как вы думаете, главную допинговую роль среди врачей сыграл Щукин или Катулин? — спрашиваю Ващука.

— Насколько я слышал, Щукин назвал препарат и попросил его достать, а приобретал и давал нам его уже Катулин. Как я понимаю, у него есть очень хорошие связи в Москве, и он может достать все, что угодно.

Одна и та же информация о Щукине идет из слишком уж разных мест, чтобы быть коллективным наветом на ни в чем не повинного человека. И выглядит он, к слову, душечкой — настоящий профессор с седой бородкой, в интеллигентских очках, с мягкой манерой речи. Катулин — резкий в формулировках молодой человек (ему немногим за 30) с широкими плечами и очень короткой стрижкой — в этом смысле выглядит явно менее выигрышно. Вот только на внешность ориентироваться в таких вопросах не стоит...

Справедливости ради надо отметить, что во времена своего пребывания в сборной России по биатлону (а он был ее врачом с 1993 года вплоть до Олимпиады-1998 в Нагано, а затем работал в Словении и Польше) Щукин в допинговых скандалах замешан не был. Об этом мне сообщили в Союзе биатлонистов России. Напротив, его взяли в сборную после того, как предыдущего врача уволили за допинговые проблемы с биатлонистом Сергеем Тарасовым.

Более того, Щукин представлял Россию в комиссии по допингу Международной федерации биатлона! Сейчас этот факт воспринимается как грустная ирония судьбы. А еще — как неоценимая школа. Один из героев Сергея Довлатова говорил: для того чтобы развалить систему, нужно сначала стать ее столпом...

И уж совсем занятно другое. По сведениям сразу из двух источников, именно на Щукина грешит теперь и человек, который привел его в «Спартак» из молодежной сборной,— Чернышов! Характерна деталь: едва получив работу в «Торпедо-Металлурге» (позднее переименованном в «Москву»), врач вдруг полностью прекратил общение со своим бывшим боссом, с которым до того был не разлей вода. Есть даже информация, что в конце осени 2003-го Чернышов столкнулся с Катулиным в Центре спортивной медицины Зураба Орджоникидзе и сказал: «Извини, я думал на тебя, потому что ты работал в команде до меня, а Щукина привел я сам. Но теперь разобрался и понял, что виноват Щукин».

Еще один важный нюанс стал мне известен сразу с нескольких сторон — и от футболистов, и от людей из бывшего штаба «Спартака», и из РФС. Оказывается, Щукин не ушел вслед за Чернышовым, как он это преподносит. Он подал заявление об уходе еще до того, как главный тренер был вызван на ковер к Червиченко! Обнаружение допинга у Титова у Ковтуна уже произошло, запахло жареным. Похоже, Щукин решил сыграть на опережение. И уже через два дня получил работу в «Торпедо-Металлурге».

О том, как ему это удалось, я спросил гендиректора этого клуба, а теперь «Москвы» — Юрия Белоуса.

— До «Спартака» Щукин уже работал у меня в «Торпедо-Металлурге» месяцев пять, совмещал с молодежной сборной. У меня самого высшее медицинское образование, и могу свидетельствовать, что он — очень грамотный специалист. Когда Чернышов возглавил «Спартак», Щукин пришел ко мне и сказал: «У меня обязательства перед Чернышовым, я обещал ему в случае, если он

ВОЗГЛАВИТ КЛУБ, РАБОТАТЬ ВМЕСТЕ С НИМ». Я ЕГО ОТ-
ПУСТИЛ — А КАК ТОЛЬКО ЧЕРНЫШОВА УВОЛИЛИ, ЩУ-
КИН ПРИШЕЛ КО МНЕ, И Я ВЗЯЛ ЕГО ОБРАТНО. НЕ
ЗНАЮ, ЧТО БЫЛО В «СПАРТАКЕ» В СМЫСЛЕ УПОТРЕБЛЕ-
НИЯ ДОПИНГА, НО МОГУ ТОЧНО СКАЗАТЬ, ЧТО В НАШЕМ
КЛУБЕ ЭТО ИСКЛЮЧЕНО. Я САМ КАК МЕДИК ЗА ЭТИМ НЕ-
ПОСРЕДСТВЕННО СЛЕЖУ. А РАБОТОЙ ЩУКИНА, ПОВТО-
РЯЮ, ОЧЕНЬ ДОВОЛЕН.

В свое время Щукин был хорошим хирургом, которого хвалили коллеги. Звание заслуженного врача
России и степень кандидата медицинских наук тоже,
наверное, не дают просто так — а у Щукина они есть. У
Катулина, кстати, тоже.

Но от всех этих врачебных регалий Титову, напомню, не легче. И всем остальным спартаковцам,
«подсаженным» в 2003 году на бромантан, тоже. Щукин утверждает, что к Титову, Ковтуну и Ващуку его даже не подпускали. Но обязательно ли «подпускать»?
Те, кто придумывает какое-то черное дело, обычно ста-
раются руки не марать. Может быть, не понимая, что за-
маранная душа — ничем не лучше.

В те самые дни, когда Щукин находился в процессе фактического побега из «Спартака» обратно в
«Торпедо-Металлург», Чернышов и Белоус столкнулись на банкете, посвященном приезду в Москву Пеле. Глава «металлургов» поинтересовался, не связано ли имя Щукина с ходившими по столице допинго-
выми слухами. Чернышов, на тот момент вроде как

подозревавший Катулина, дал ему безупречную характеристику.

Интересно, как познакомились Чернышов и Щукин. В августе 2002-го новый главный тренер молодежной сборной искал для своей команды врача. Щукин, тогда для футбольного мира еще «безымянный», работал в клубе второй лиги «Мострансгаз», который принадлежал скандально известному бывшему вице-президенту «Спартака» Григорию Есауленко. По непонятным причинам сразу пятеро игроков из заштатного «Мострансгаза» попали в молодежную сборную. Из «Мострансгаза» попал к Чернышову и врач.

— ВАС НЕ УДИВЛЯЕТ, ЧТО КАТУЛИНА ДИСКВАЛИФИЦИРОВАЛИ, А ЩУКИНА — НЕТ? — СПРАШИВАЮ ВАЩУКА.

— ЩУКИН УШЕЛ ИЗ «СПАРТАКА» ЕЩЕ ДО ТОГО, КАК РАЗГОРЕЛСЯ ОФИЦИАЛЬНЫЙ СКАНДАЛ,— В ЭТОМ, ДУМАЮ, ВСЕ И ДЕЛО. В ИТОГЕ ОН ОКАЗАЛСЯ В ТЕНИ, А КАТУЛИН, ОСТАВШИЙСЯ В «СПАРТАКЕ» И ЗАНИМАВШИЙСЯ ВЫВЕДЕНИЕМ ДОПИНГА, ОТВЕТИЛ ЗА ВСЕ.

ВПРОЧЕМ, СПИСЫВАТЬ ВСЕ ГРЕХИ НА ЩУКИНА — НЕПРОСТИТЕЛЬНАЯ НАИВНОСТЬ. В ЭТОЙ ИСТОРИИ ДЕСЯТКИ ВИНОВНЫХ. КАЖДЫЙ — В СВОЕЙ СТЕПЕНИ И НА СВОЕМ ЭТАПЕ. ЕСЛИ БЫ НЕ ОБРАЗОВАЛАСЬ ЦЕПЬ ЭТИХ БОЛЬШИХ И МАЛЕНЬКИХ ВИН (ОТ СЛОВА «ВИНА»), «ДЕЛО ТИТОВА» НИКОГДА БЫ НЕ ПОТРЯСЛО РОССИЙСКИЙ ФУТБОЛЬНЫЙ МИР.

✿✿✿

Неумолимо приближалась дата первого матча Кубка УЕФА—2003/04 между «Спартаком» и датским «Эсбьергом». Сказать, что руководители московского клуба сидели на иголках,— значит не сказать ничего. Вывести все накопившиеся за два месяца запасы бромантана из организмов игроков за это время было объективно невозможно.

Деменко говорит:

— После того как выяснилось, что всему «Спартаку» давали допинг, его начали ударными темпами выводить. Ведь скоро предстояли матчи на Кубок УЕФА, и в клубе страшно боялись, что там нас и поймают. В чемпионате России-то допинг-контроля не было.

Источник в тогдашнем руководстве клуба рассказывает:

— НАПРЯЖЕНИЕ БЫЛО СТРАШНОЕ. СКАЖУ БОЛЬШЕ — БЫЛИ ГОТОВЫ К ПРИМЕНЕНИЮ ЦЕЛОГО РЯДА УХИЩРЕНИЙ, ЧТОБЫ СКРЫТЬ ИСТИННОЕ ПОЛОЖЕНИЕ ДЕЛ. РАЗНЫЕ ПИПЕТКИ, ПРЕЗЕРВАТИВЫ С «ЧИСТЫМИ» ПРОБАМИ… МОГЛО, КОНЕЧНО, НЕ ПОМОЧЬ И ЭТО — А ЧТО БЫ ПРОИЗОШЛО, ЕСЛИ БЫ УЕФА ОТКРЫЛАСЬ ПОЛНАЯ КАРТИНА, ДАЖЕ ПОДУМАТЬ СТРАШНО. НО СПАСЕНИЕ ПРИШЛО С НЕОЖИДАННОЙ СТОРОНЫ. НИ НА МАТЧИ С «ЭСБЬЕРГОМ», НИ НА ПОЕДИНКИ ВТОРОГО ЭТАПА ПРОТИВ БУХАРЕСТСКОГО «ДИНАМО» (КОГДА, ВПРОЧЕМ, ВНУТРЕННИЕ АНАЛИЗЫ УЖЕ ПОКАЗЫВАЛИ, ЧТО ВСЕ НОРМАЛЬНО) ДОПИНГ-КОНТРОЛЕРЫ ИЗ ЕВРОПЫ ПОПРОСТУ НЕ ДОБРАЛИСЬ.

О том, какие титанические меры принимались для «чистки» футболистов, слагаются легенды.

— Как выводили бромантан, можете вспомнить? — вопрос Деменко.

— Могу — тем более что нас это очень злило. По нескольку дней с базы не вылезали, и все время нас куда-то возили. Ты нужен дома, семейных дел невпроворот — а тут тебе звонит Катулин и в категоричном тоне вызывает на очередные процедуры. Нам это быстро надоело — почему раньше вслепую пичкали всякой гадостью, а теперь за счет нашего же времени заметают следы? А процедур этих было — тьма.

— Какие, например?

— В барокамеры нас возили. Переливания крови делали. Курс каких-то особых таблеток пришлось принимать — противных таких, с запахом, и их еще жевать надо было. У каждого была своя программа — в зависимости от роста, веса и, сильно подозреваю, количества допинга в организме. Просчитывали все, математики...

А в барокамерах время каждому заранее назначали. Обычно кто помоложе — ездил туда к девяти утра, кто постарше — к двум часам дня. То в одеяло заворачиваешься и в каком-то холодном месте тебя крышкой накрывают и долго держат. То в каком-то зазеркалье под музыку сидишь... Мы уже смеемся — а люди, которые лечат, говорят нам: «Что вы смеетесь? Здесь космонавты от радиации лечились». А нас от того только смех истерический разбирает: нам бы от своей «радиации» вылечиться...

Ващук добавляет:

— Целыми днями сидели в разных лабораториях. В барокамерах лежали — чуть ли не там, где в космос людей готовят. Кровь переливали. Даже по стакану красного вина нам давали на базе за обедом — это тоже, говорили, помогает.

Игроки знают то, что видели сами. Но они не могут знать, как все было организовано. Мало того что врачи «Спартака» нафаршировали игроков бромантаном, так вдобавок они толком не знали, как всерьез заняться его выведением. По нашим данным, сработали контакты медиков из сборной, которые тоже были заинтересованы в скорейшем «очищении» Титова с Ковтуном. Просьба о помощи поступила директору одного из московских НИИ, обладающих новейшим оборудованием. Одна только барокамера, выгоняющая из организма шлаки посредством перепада давления, в этом центре размером с большую трехкомнатную квартиру. Там же футболистам делали плазмоферез, очищающий кровь с помощью переливания плазмы.

Один из футболистов вспоминал о барокамере:

— Она была похожа на гроб и была очень холодной — нам выдавали одеяла. Приезжали мы туда в девять утра, невыспавшиеся. Ложились, заворачивались в одеяло — и за час-полтора, которые там надо было лежать, досыпали...

⚽ ⚽ ⚽

Процесс выведения бромантана осуществлялся в этом институте отнюдь не методом научного тыка. Директор НИИ Г. оказался знаком с академиком из Института фармакологии, который в свое время этот самый препарат и разработал! После консультаций с ним и был продуман тщательный план «чистки», ответственным за который был назначен авторитетный профессор З.

> — КОМАНДЕ НУЖНО БЫЛО ПРОЙТИ ДО КОНЦА ВСЕ ЭТАПЫ ЭТОГО ПЛАНА,— РАССКАЗАЛ МНЕ ИСТОЧНИК В НИИ.— НАДО БЫЛО УЧИТЫВАТЬ, СКАЖЕМ, ТО, ЧТО БРОМАНТАН ИМЕЕТ СПОСОБНОСТЬ АККУМУЛИРОВАТЬСЯ В ПОДКОЖНО-ЖИРОВОЙ КЛЕТЧАТКЕ, ИНОГДА ВЫХОДЯ В КРОВОТОК, ИНОГДА — «ПРЯЧАСЬ». В ЭТОМ И ЗАКЛЮЧАЛАСЬ ОШИБКА РУКОВОДСТВА «СПАРТАКА». НА КАКОМ-ТО ПРОМЕЖУТОЧНОМ ЭТАПЕ ОНО ПРОВЕЛО ДОПИНГ-ТЕСТ, ПОКАЗАВШИЙ, ЧТО ВСЕ ЧИСТО. НА ЭТОМ БЫЛО РЕШЕНО ПРОЦЕДУРЫ СВЕРНУТЬ, ХОТЯ КУРС НЕ БЫЛ ДОВЕДЕН ДО КОНЦА. В ИТОГЕ ТИТОВА — А ВОЗМОЖНО, И МНОГИХ ДРУГИХ — «НЕДОМЫЛИ».

Впрочем, и Николай Дурманов, и наш источник в Московском антидопинговом центре усомнились в эффективности барокамеры как средства избавления от бромантана. «Такую гадость барокамерой не вытащишь. Я вообще не знаю другого такого препарата, который одновременно был бы и неэффективным, и невыгоняемым»,— сказал эксперт лаборатории. Дурманов с ним солидарен и вообще называет бромантан «химическим фольклором». То есть вокруг препарата создана некая аура, которой он вовсе не заслуживает,— зримого эффекта на аренах не дает. Что игроки и подтвердили.

Что ж, тем абсурднее выглядит вся эта история. Тем более что к моменту «дела Титова» о бромантане не вспоминали уже шесть лет — с 1997-го, когда за его употребление лишили золотой медали чемпионата мира на дистанции 5 км нашу лыжницу Любовь Егорову. Желающие смогут протянуть ниточку к доктору Щукину, который работал тогда в сборной России по смежному с лыжами биатлону. После этого бромантан был навсегда снят с промышленного производства. И всплыл только в «деле Титова».

В связи с этим очень любопытно, откуда у спартаковских врачей нашелся доступ к старым запасам бромантана? Ряд экспертов намекают на источники в армии. Другие приводят более, как мне кажется, правдоподобную версию. Перед зимней Олимпиадой-1994 в Лиллехаммере бромантан, который к тому времени уже был признан бесполезным для вооруженных сил, но еще не считался допингом, тоннами (!) поступил в Госкомспорт России. Тут явно сработали чьи-то коммерческие интересы. Да в таких масштабах, что нашим олимпийцам по всем видам спорта бромантан впихивали едва ли не насильно. И вскоре, когда препарат был окончательно снят с производства, в Госкомспорте остались его целые залежи, которые было некуда девать. А Щукин тогда и работал с биатлонной сборной России...

— Каковы каналы, по которым к спортивным врачам попадает тот же бромантан? — интересуюсь у Дурманова. Тут ответ следует более обтекаемый.

— Это больное место нашей антидопинговой службы. Именно для того, чтобы разобраться с этим вопросом, мы организуем сейчас совместную систему поиска со спецслужбами — в частности, Госнаркоконтролем. Также и ВАДА договорилась о сотрудничестве с Интерполом, потому что нелегальный оборот анаболиков по итогам последних лет превысил оборот наркотиков!

⚽⚽⚽

Нормально тренироваться при тотальной атаке на допинг «Спартак» не мог. Рассказывают, что едва Владимир Федотов пытался дать минимальную нагрузку, у футболистов начинала кружиться голова, и они уходили с поля. После звонка Федотова директору НИИ все стало ясно. «Барокамеры и все остальное — очень

энергоемкие процедуры,— объяснил директор.— Нагрузки при этом противопоказаны».

— Состояние после всех этих процедур было такое, что у всех силы пропали,— говорит Деменко.— На тренировках уставали очень быстро. По-
бегаю немного — и голова начинает кружиться. Не
до смеха, в общем, нам было.

— А к матчам когда готовились? — интересуюсь у
Ващука.
— Да не готовились мы к ним вообще! Приедем на
базу после процедур, побегаем 20 минут — помы-
лись и по домам. А руководство клуба от нас еще
какой-то результат требовало. Никто не мог думать об игре — у всех мысли были только о том,
как всю эту мерзость вывести из организма. Когда все это выяснилось, мы сначала вообще решили, что не будем играть, пока не окажемся «чистыми». Но нас уверили, что этот препарат выво-
дится за семь-десять дней, и мы успокоились. На
деле оказалось — что и не за 40. Титов с Ковтуном
еще долго куда-то ездили, а мне в какой-то момент надоело, я плюнул — и ездить перестал.

Рассказывают также, что Федотов вместе с тренером «Спартака» по реабилитации Владимиром Пани-

ковым каждый день садились за «умный» компьютер последнего, вносили туда мельчайшие данные о состоянии каждого игрока, выспрашивали футболистов о самых незначительных деталях их здоровья.

Ващук говорит:

— Сейчас можно задаться вопросом: почему разгребать завалы должны были не Щукин и Чернышов, а ни в чем не повинный Федотов, добрейшей души человек, с которым у всех игроков были великолепные отношения? Может, из-за этих отношений «Спартак», почти не готовясь к матчам, и разгромил бухарестское «Динамо» — 4:0. А человек все эти месяцы, по сути, сидел на пороховой бочке.

— На допинг-тесты за это время вас часто возили? — спрашиваю Деменко.

— По-моему, еще раза два. В течение, кажется, месяца все эти процедуры продолжались, и после второй поездки в лабораторию нам сказали: все, вы «чистые». Кажется, это было дня за четыре до матча Кубка УЕФА с бухарестским «Динамо».

Бромантан к моменту той игры если и оставался у игроков, то в ничтожно малых количествах — тесты в Москве их не показывали. Так что та победа была футбольной, а не фармакологической.

— Радость после той игры была очень большая,— рассказал мне один из спартаковцев.— Давно мы уже ничему так не радовались. Потому что все знали, чего эта победа стоила.

С Катулиным, оставшимся после ухода Щукина единственным врачом, и. о. главного тренера почти не общался. Добрейший Федотов, говорят, готов был задушить главврача собственными руками. Ведь если бы кто-то из крайне ослабленных игроков однажды упал замертво, а такое было совсем не исключено, то как руководителю держать ответ пришлось бы ему, Федотову.

⚽ ⚽ ⚽

Во всей этой истории в принципе не может быть положительных героев. А потому все то, что было сказано о Щукине,— судя по имеющейся информации, ставшем инициатором применения бромантана в «Спартаке»,— вовсе не обеляет главврача Катулина.

Так, сразу из трех источников довелось услышать, что когда у Титова и Ковтуна перед вылетом в Ирландию обнаружили бромантан, Катулин адресовал Щукину недвусмысленную угрозу. Дескать, если не напишешь докладную на имя Червиченко, где все возьмешь на себя,— будут проблемы. Ключевыми, говорят, были слова: не забывай, мол, что у тебя две дочери есть...

Через полгода после опубликования «Бромантанового „Спартака"» Щукин отвечал через прессу Титову, бросившему ему прямое обвинение, и обнародовал факт угрозы со стороны Катулина.

Как бы ни был виноват Щукин, как бы ни подставил он тебя, угрожать здоровью близких — большой грех. Кстати, записку требуемого Катулиным содержания, по имеющейся информации, Щукин все же написал. Правда, взяв на себя рекомендацию употребить пресловутую «Омегу-3» (рыбий жир, если запамятовали) лишь в последнем «допинговом» матче — в Ярославле.

Так, как о Катулине, в футбольно-медицинских кругах не спорят, кажется, ни о ком. Причем количество врагов, особенно среди врачей старшего поколения, значительно превосходит число его друзей. К последним без оговорок можно отнести только Червиченко. Вину Катулина как главврача экс-президент «Спартака» не отрицает, но подчеркивает, что до и после этого специалиста травматизм в «Спартаке» был намного выше, чем при нем. И что методы работы он использовал куда более современные, нежели доктора «старой обоймы». Да уж, слова «у тебя две дочери есть» — действительно современный метод...

Как-то раз мой коллега по «Спорт-экспрессу» Александр Мартанов набрал номер старейшины цеха спортивных медиков армейца Олега Белаковского. В тот момент Катулина взяли в «Спартак», и целью звонка была краткая характеристика нового лица в команде. У Олега Марковича всегда была репутация доброго, беззлобного человека. Когда коллега услышал ответ, то сначала подумал, что ему изменил слух. Таких выражений от Белаковского он не слышал ни разу.

Опытные врачи при упоминании Катулина тут же припоминают, что именно он был врачом ЦСКА во время трагической истории с Сергеем Перхуном (этот голкипер летом 2001-го во время матча с «Анжи» столкнулся на поле головами с нападающим Будуновым и через несколько дней умер от тяжелейшей травмы головного мозга.— Прим. И. Р.) и принимал участие в решении о транспортировке находившегося в коме вратаря на самолете из Махачкалы в Москву. Сам Катулин на это утверждает, что тот вердикт выносил большой консилиум нейрохирургов, и его мнение никак не могло быть решающим.

Один из врагов Катулина охотно перечислял его ляпы времен работы в ЦСКА. Вопиющий случай, согласно этой информации, произошел в 2001 году с полузащитником Алексеем Савельевым. У врачей принято любой новый препарат опробовать в малой дозе уколом в предплечье — чтобы посмотреть, как реагирует организм, нет ли аллергии. Перед одним из матчей Катулин якобы без такого предварительного укола поставил Савельеву капельницу с препаратом реополиглюкин, стимулирующим кровообращение. В результате — давление 200 на 120, анафилактический шок, пена изо рта... Еле спасли.

Наконец, явно не прибавляет Катулину вистов гуляющая по московским медицинским кругам история с Зурабом Орджоникидзе. Некоторое время молодой травматолог-ортопед Катулин вроде бы вознамерился каким-то образом «подсидеть» своего шефа и занять место главы Центра спортивной медицины. Это Катулину не удалось, а то, что он и после такого демарша продолжил там работать, объясняют беспримерной добротой и незлопамятностью Орджоникидзе.

Но вот что занятно — спартаковские игроки-ветераны относятся к Катулину, в отличие от Щукина, относительно терпимо! Даже признавая, что он участвовал в их «одурманивании». Даже свидетельствуя, что Катулин их обманывал, когда сначала говорил, что никакого допинга не дает, а потом все-таки вынужден был признать обратное. Может, участие в последующем процессе очищения замаливает для игроков те катулинские грехи? Так, говорят, заложники в какой-то момент начинают отождествлять себя с теми, кто их удерживает.

Спартаковцы наверняка относились бы к Катулину менее терпимо, знай они об одной истории. По данным из заслуживающего доверия источника, он, стремясь обелить себя в глазах Червиченко, заявил президенту, что игроки не только знали о том, что принимают допинг, но и сами (!) в перерыве матча с «Динамо» попросили «накачать» их таблетками — чтобы ноги побежали.

⚽ ──────────────────────────────────────

— Как можете это прокомментировать? — спрашиваю Ващука.

— Как полный абсурд. Я-то, будучи запасным, в перерыве сначала разминался на поле, а потом

:304

ВЕРНУЛСЯ В РАЗДЕВАЛКУ ПОПИТЬ ЧАЙКУ — НО В ЛЮ-
БОМ СЛУЧАЕ УВЕРЕН, ЧТО ТАКОГО БЫТЬ НЕ МОГЛО. НЕ
НАДО СЧИТАТЬ ИГРОКОВ УМАЛИШЕННЫМИ.

⚽ ───────────────────────────────────

✿ ✿ ✿

В комнате Катулина, в отличие от многих других
врачей, игроки не толпились, чаи не гоняли, анекдоты
не травили. Балагуром, душой компании его не назо-
вешь. Но Титов, Ковтун, Парфенов, Ващук и в спартаковские времена с ним общались, и даже после его ухода из «Спартака» контактов не прервали.

— Уже после истории с допингом Катулин мне
помог: была какая-то проблема с ногой, и он мне уколы делал, — вспоминает Ващук. — Хоть к тому моменту он уже и ушел из «Спартака», но лечил меня за свой
счет, денег не брал. Вообще, с ним я остался в нор-
мальных отношениях, несмотря на все, что произошло. Конечно, его вина есть, и я его не защищаю. Но Катулин позже помогал многим — и Димке Парфенову, и
другим ребятам. Я не раз ездил к нему, когда у меня
были какие-то проблемы.

Порой футболисты оказываются даже с Катулиным на одних и тех же днях рождения. Не то чтобы
они с ним по-настоящему дружили. Но раз после допинговой истории он не оказался для игроков персо-
ной нон-грата — значит, у футболистов есть основания полагать, что Катулин играл во всем этом процессе не более чем вспомогательную роль.

— Мог ли один врач знать, что происходит, а другой — нет? — спрашиваю Ващука.

— Не думаю, что Катулин настолько глуп. Просто есть люди, которые умеют дозировать допинг, а другие в этом вопросе неопытны. Катулин, по моим предположениям, относится ко второй категории. По моей информации, он знал, что речь идет о допинге, но о конкретных сроках его выведения был не в курсе. Щукин, как я слышал, сказал ему, что все исчезнет за неделю,— а потом выяснилось, что не меньше чем через 40 дней. Похоже, что и Щукин не знал всего до конца.

Итак, Щукин — организатор, Катулин — исполнитель? Схема вырисовывается именно такая, но источник в тогдашнем штабе «Спартака» вносит в нее коррективы. В сторону увеличения роли Катулина.

— Представление, будто Щукин отвечал за фармакологию, которое навязывает Катулин в прессе,— неправда. Катулин помощника к распределению игрокам таблеток не подпускал, все дозировки определял сам. Да и для ребят Щукин был человеком новым, к нему не могло быть полного доверия. А Катулину, работавшему два года,— доверяли, потому и принимали все, что он им давал. И я допускаю, что после ухода Щукина, человека

ОПЫТНОГО В ВОПРОСАХ ФАРМАКОЛОГИИ, КАТУЛИН МОГ ПРОДОЛЖАТЬ ВТИХАРЯ ИХ «КОРМИТЬ». ЩУКИН-ТО ВСЕГДА ГОВОРИЛ, ЧТО ПРИМЕНЯТЬ БРОМАНТАН НАДО ОЧЕНЬ ОСТОРОЖНО. А ТО, ЧТО У ТИТОВА ЕГО НАШЛИ АЖ В НОЯБРЕ, ЧЕРЕЗ ДВА С ПОЛОВИНОЙ МЕСЯЦА ПОСЛЕ УХОДА ЩУКИНА, НАВОДИТ НА МЫСЛЬ О ТОМ, ЧТО ТОГДА, В СЕНТЯБРЕ, КАТУЛИН НЕ ОСТАНОВИЛСЯ...

Деменко свидетельствует:

— Катулин не был открыт с футболистами — это точно. Именно он и таблетки нам давал, и уколы делал, и под капельницу клал. А к Щукину мы приходили давление мерить. Правда, потом Катулин объяснял нам, что понадеялся на опыт Щукина и делал все, что тот ему посоветовал. Щукин заявлял противоположное — что все определял главный врач. Но я не верю, что один из двух докторов, работавших вместе, мог о таких вещах не знать.

Один из источников рассказывает, что как-то Катулин сошелся с авторитетным врачом киевского «Динамо» Малютой. Того острые на язык игроки конца 1980-х прозвали «светофором» — утром, днем и вечером Малюта давал им по восемь таблеток всех цветов радуги. Причем первую дозу футболисты обязаны были принять, запив шиповником, за час до... подъема — в шесть утра, а отказаться от приема «снадобий» у Валерия Лобановского не представлялось возможным. С фармакологической точки зрения Киев с 1970-х годов считался бесспорным законодателем мод в СССР, да и в Европе ему было мало равных — подробно об этом на примере полузащитника Александра Заварова писал в своей книге «Футбол. Деньги. Еще раз деньги» известный агент фирмы «Совинтерспорт» Владимир Абрамов. Характерно, что, как обмолвился однажды Катулин, на базе киевлян в Конча-Заспе установлена своя барокамера. Но дело в столице Украины было поставлено настолько профессионально, что ни разу игрок «Динамо» не был пойман на «крючок».

В «Спартаке» же, преступив спортивный закон, подошли к этому по-дилетантски.

Рассказывают, что после решения о двухлетней дисквалификации Катулин лишь формально перестал работать в «Спартаке». Вплоть до ухода Червиченко он постоянно появлялся в клубе и в Тарасовке, а не ездил только на игры. Это, впрочем, объяснимо: говорят, что медицинский центр на спартаковской базе был частично приобретен на деньги Катулина. Новые боссы красно-белых, однако, компенсировать их ему не стали. Говорят, генеральный директор (теперь уже бывший) Юрий Первак с порога заявил Катулину: ко всем обязательствам предыдущего руководства он отношения не имеет.

Пока Катулин, защитивший за время своей дисквалификации кандидатскую диссертацию, не вернулся в профессиональный футбол, а продолжает работать в клинике у Орджоникидзе. Чем не прочь и козырнуть: дескать, другие футбольные доктора не способны быть практикующими врачами, а он — пожалуйста. Еще он регулярно пишет статьи о спортивной медицине для журнала «2 × 45», главным редактором которого является Михаил Строганов, когда-то игравший в «Спартаке-Чукотке» — первом футбольном клубе доктора Катулина...

Его диссертация, кстати, называется «Элементный статус профессионального футболиста и его коррекция», а не «Фармакология в спорте», как было почему-то указано на официальном сайте (!) «Спартака» в 2003 году, до «дела Титова». Может, после скандала название решили срочно поменять?

— РАЗОБРАТЬСЯ С ВРАЧАМИ, ТАК СКАЗАТЬ, ПО-МУЖСКИ ЖЕЛАНИЯ У КОМАНДЫ НЕ БЫЛО? — ИНТЕРЕСУЮСЬ У ДЕМЕНКО.

— БУДЬ КОМАНДА ПОПРОЩЕ, ВОЗМОЖНО, ЧТО-ТО ТАКОЕ И ПРОИЗОШЛО БЫ. НО ЭТО ВСЕ-ТАКИ «СПАРТАК», УРОВЕНЬ. ХОТЬ И БЫЛО ВСЕМ ОЧЕНЬ НЕПРИЯТНО, НО ТАКОГО, ЧТОБЫ НА КОГО ТО С КУЛАКАМИ, И В МЫСЛЯХ НЕ БЫЛО.

Это смотря у кого. Ващук говорит по-другому:

— КАТУЛИН ВИНОВАТ, НО ОН И ВЫПРАВИТЬ ПОЛОЖЕНИЕ СТАРАЛСЯ, ТОГДА КАК ЩУКИН СБЕЖАЛ, КАК КРЫСА С ТОНУЩЕГО КОРАБЛЯ. ДУМАЮ, ЕСЛИ БЫ МЫ В ТОТ МОМЕНТ ГДЕ-ТО ЕГО УВИДЕЛИ, ЕМУ БЫ МОГЛО НЕ ПОЗДОРОВИТЬСЯ.

Эти наброски к портретам докторов Щукина и Катулина, наверное, помогли вам в понимании того, что происходило в «Спартаке». Но главное тут в другом. В наших клубах врач воспринимается не как самостоятельная, независимая величина, а как «чей-то» человек. Василькова считали человеком Романцева. Но «люди Романцева» на каком-то этапе оказались не нужны Червиченко, разочаровавшемуся в титулованном тренере. Например, начальника команды Валерия Жиляева, уже много десятков лет занимающегося пропиской и регистрацией игроков, их службой в армии, пробиванием квартир, гаражей и т. д., вернули в пожарном порядке только потому, что без него в «Спартаке» начался полный завал с документацией. Вместо же Василькова президент выдвинул на первые роли своего человека — Катулина. А Чернышов привел собственного протеже Щукина, которого, как выяснилось, достаточно и не знал.

Личная преданность в категории достоинств у нас в стране почти всегда стоит выше профессионализма. И от этого — очень многие беды.

⚽ ⚽ ⚽

О чем знали и не знали главный тренер Чернышов и президент Червиченко? Это самая важная, но и самая скользкая тема. По элементарной логике врачам нет никакого смысла рисковать своей работой и репутацией, если насчет допинга нет распоряжения сверху. Можно еще было бы предположить, что доктора дают игрокам допинг ради премиальных за победы, которые получают и они сами. Но, как выяснилось, в «Спартаке» того времени административный персонал, в который входили врачи, находился на твердом окладе. Их интерес тогда и вовсе неясен. Тренеру же нужен результат — здесь и сейчас. Иначе, в особенности если у него еще нет устойчивого авторитета, он будет уволен. Что, собственно, и произошло с Чернышовым.

Впрочем, оперировать соображениями элементарной логики в вопросах подобного масштаба нельзя. Нужны неопровержимые доказательства — на карту ставится, может быть, вся тренерская судьба. Между тем болельщики с гостевой книги «Спартака» в интернете дали Чернышову незавидное прозвище Фармаколог, причем, если поднять архивы, первый раз это слово было произнесено в данном контексте 24 сентября 2003 года! То есть уже после его увольнения из «Спартака», но еще более чем за полтора месяца до обнаружения бромантана у Титова после Уэльса. То есть о сентябрьском сугубо внутреннем скандале болельщики-«инсайдеры» были в курсе уже тогда!

Ващук рассуждает:

— Точно об этом судить не могу, но думаю, все шло от главного тренера. Потому что только он может определить уровень готовности команды и решить, как его повысить. Видимо, тренеры посчитали, что команда не готова.

У Деменко однозначного мнения на этот счет нет:

— Сначала я думал, что Чернышов был в курсе. И разговоры такие в команде ходили, и за результат отвечал он, главный тренер. Но потом мы как-то с ним поговорили, и он поклялся: «Макс, ты можешь верить мне или нет, но я и близко ничего не знал». Говорил Андрей Алексеевич так, что ему трудно было не поверить. Я, скажу честно, поверил. Но правду, боюсь, никто никогда не узнает — ведь ни один участник всей этой истории так и не признал своей вины. Ни президент, ни главный тренер, ни врачи, которые сыпали мудреными медицинскими терминами и валили все друг на друга...

Оба источника в верхах того «Спартака», утверждавших мне, что Чернышов обо всем знал, были анонимными. А потому оставлю право каждому читателю решать все для себя. Лично мне очень бы хотелось верить, что этот общительный, воспитанный и умный молодой тренер сам стал жертвой самоуправства врачей. Николай Дурманов утверждает, что с такими случаями сталкивался. Занятно и то, что оба врача, обвиняя друг друга, допустили, что главный тренер мог ни о каком допинге не знать. Впрочем, опять же — верить Чернышову или нет, каждый должен решить для себя сам. Что же касается игроков, то они могут только подозревать, как все было на самом деле. В своих умозаключениях прямых доказательств они привести не смогли.

Сам же Чернышов, когда я готовил к печати «Бромантановый „Спартак"», сказал:

— Почему сейчас в Италии вовсю расследуется практика употребления допинга в «Ювентусе»

1990-х ГОДОВ, НО ГЛАВНОМУ ТРЕНЕРУ ТОЙ КОМАНДЫ МАРЧЕЛЛО ЛИППИ НИКТО НЕ ПРЕДЪЯВЛЯЕТ НИКАКИХ ОБВИНЕНИЙ? ПОТОМУ ЧТО В ПРОФЕССИОНАЛЬНОМ КЛУБЕ СУЩЕСТВУЕТ ЧЕТКОЕ РАСПРЕДЕЛЕНИЕ ОБЯЗАННОСТЕЙ. ГЛАВНЫЙ ТРЕНЕР ЗАНИМАЕТСЯ ТАКТИКОЙ, ОПРЕДЕЛЕНИЕМ СОСТАВА — А ЗА ВСЕ ОСТАЛЬНЫЕ УЧАСТКИ РАБОТЫ, В ТОМ ЧИСЛЕ МЕДИЦИНСКИЙ, ОТВЕЧАЮТ ДРУГИЕ ЛЮДИ. КАК ЧЕЛОВЕК, ПОИГРАВШИЙ НА ЗАПАДЕ (ЧЕРНЫШОВ ВЫСТУПАЛ В ГЕРМАНИИ И АВСТРИИ.— ПРИМ. И. Р.), Я ХОТЕЛ СОЗДАТЬ В «СПАРТАКЕ» ПРОФЕССИОНАЛЬНЫЙ КОЛЛЕКТИВ НА ТЕХ ЖЕ ОСНОВАХ, И МОЯ ВИНА ЗАКЛЮЧАЕТСЯ ЛИШЬ В ТОМ, ЧТО НЕДОСТАТОЧНО ЖЕСТКО КОНТРОЛИРОВАЛ МЕДПЕРСОНАЛ. НА ЭТО МНЕ, КСТАТИ, УКАЗАЛ И ЭКС-ПРЕЗИДЕНТ РФС ВЯЧЕСЛАВ КОЛОСКОВ, КОГДА МЫ ОБСУЖДАЛИ ТО, ЧТО ПРОИЗОШЛО.

Любопытно, что если доктор Щукин после трудоустройства в «Торпедо-Металлурге» резко прекратил общение с Чернышовым, а увидев Титова после матча последнего тура—2003 со «Спартаком», предпочел резко свернуть в сторону и опустил глаза (так, по крайней мере, рассказывал сам Титов), то Чернышов повел себя иначе. Сразу после январского известия о дисквалификации он набрал номер Титова, выразил свое сочувствие и заверил, что врачи давали ему допинг без согласования с главным тренером. Титов вежливо принял информацию к сведению. Тут интересен сам факт такого звонка, свидетельствующий о небезразличии тренера к собственной репутации в глазах футболиста.

Другое дело, что Титов Чернышову не поверил. В том самом интервью ближе к концу 2005-го, где капитан «Спартака» напрямую обвинил доктора Щукина, были и такие слова: «Я больше чем уверен, что сам Щукин не мог принять решение меня „прикормить". С кем-то сверху это было согласовано. Чернышов, его помощник Дмитриев и доктор Щукин — одна компания, вместе давно работали. Они это сделали и забыли. А я потерял, возможно, лучший год в карьере».

Я попросил прокомментировать эти слова самого Чернышова. И вот что услышал.

— Никаких указаний с моей стороны давать игрокам допинг не было — как в «Спартаке», так и в молодежной сборной. Как вы думаете, если бы подобное случилось, приехали бы, к примеру, Павленко и Самедов ко мне на следующий отборочный цикл? Егора можно понять: он пропустил целый сезон и зол на всех. Но ни один игрок не скажет, что я призывал его применять запрещенные препараты.

— А какова, по-вашему, степень вины Щукина?

— Оба врача — и он, и Катулин — винят друг друга, предъявляя одинаково убедительные доводы. Не имея на руках фактов, не могу никого из них обвинять. Но после того скандала — а не только из-

ЗА ТОГО, ЧТО ЕГО ВЗЯЛА НА РАБОТУ «МОСКВА»,— В СБОРНОЙ ЩУКИН РАБОТАТЬ БОЛЬШЕ НЕ МОГ. ПОЯВИЛСЯ ЭЛЕМЕНТ НЕДОВЕРИЯ — И С МОЕЙ СТОРОНЫ, И СО СТОРОНЫ ИГРОКОВ. СВОЮ ДОЛЮ ОТВЕТСТВЕННОСТИ ЗА ТО, ЧТО ПРИГЛАСИЛ ЩУКИНА, Я НЕСУ. НО ОТВЕТСТВЕННО ЗАЯВЛЯЮ, ЧТО К ПРИМЕНЕНИЮ ДОПИНГА В «СПАРТАКЕ» ОТНОШЕНИЯ НЕ ИМЕЮ. А ВОТ ДРУГИЕ ПРЕТЕНЗИИ К СЕБЕ ПО РАБОТЕ В ЭТОЙ КОМАНДЕ У МЕНЯ ЕСТЬ. В КАКОЙ-ТО МОМЕНТ ПОКАЗАЛОСЬ, ЧТО ВСЕ МОГУ И УМЕЮ. ИЗ-ЗА ЗАВЫШЕНИЯ СВОИХ СПОСОБНОСТЕЙ ПОШЕЛ НА СОВМЕЩЕНИЕ ПОСТОВ В МОЛОДЕЖНОЙ СБОРНОЙ И «СПАРТАКЕ», ЧТО УДАРИЛО ПО КАЧЕСТВУ РАБОТЫ В ОБЕИХ КОМАНДАХ. А ТЕПЕРЬ МНЕ ТЕМ БОЛЕЕ ЯСНО, СКОЛЬКОМУ ЕЩЕ НАДО УЧИТЬСЯ. НО СДАВАТЬСЯ НЕ СОБИРАЮСЬ. ПЕРЕДО МНОЙ ПРИМЕР ВАЛЕРИЯ ГАЗЗАЕВА, КОТОРЫЙ ПРОШЕЛ ЧЕРЕЗ ТАКИЕ КРУГИ АДА, КОТОРЫЕ МНЕ И НЕ СНИЛИСЬ. НО НЕ СЛОМАЛСЯ И ОКАЗАЛСЯ НА ВЕРШИНЕ, ВЫИГРАВ ВО ГЛАВЕ ЦСКА КУБОК УЕФА.

⚽ ———————————————————————

...ТЕ ЖЕ ЛЮДИ, КТО СВИДЕТЕЛЬСТВУЕТ ПРОТИВ ЧЕРНЫШОВА, РАССКАЗЫВАЮТ, ЧТО ПОСЛЕ РАЗГРОМА ОТ «ЛОКОМОТИВА» — 2:5 РАЗГНЕВАННЫЙ ЧЕРВИЧЕНКО ПРИГРОЗИЛ ГЛАВНОМУ ТРЕНЕРУ УВОЛЬНЕНИЕМ, ЕСЛИ СЛЕДУЮЩИЕ МАТЧИ НЕ БУДУТ ВЫИГРАНЫ. ПОСЛЕ ЧЕГО ЯКОБЫ ПОРЦИИ БРОМАНТАНА И БЫЛИ УВЕЛИЧЕНЫ. КОМУ ВЕРИТЬ?

— ЧЕРНЫШОВ ПОТОМ ГОВОРИЛ: МОЖЕТ, ЕГО САМОГО ТАКИМ СПОСОБОМ ПОДСТАВИТЬ И УБРАТЬ ХОТЕЛИ? — РАССКАЗЫВАЕТ ДЕМЕНКО.— НЕ ЗНАЮ: МОЖЕТ — ТАК,

МОЖЕТ — НЕТ. ВООБЩЕ, ЗАДУРИТЬ ИГРОКУ ГОЛОВУ КТО УГОДНО СПОСОБЕН.

Точнее и не скажешь.

✪ ✪ ✪

Позиции же Червиченко выглядят практически неуязвимыми. Он ведь, в конце концов, после сентябрьских событий «принял меры», сменив штаб. Рассказывают о двухчасовом аутодафе, которое экс-президент «Спартака» устроил в своем кабинете главному тренеру перед тем, как отправить его в отставку. Один из источников свидетельствует, что руководитель клуба, подобно злому следователю, применял во время этого разговора крайне жесткие методы и чуть ли не силой вытащил как из Чернышова, так и из Щукина признательные показания. Но доказать это невозможно.

— А КАК ЧЕРВИЧЕНКО ОБЪЯСНИЛ КОМАНДЕ УВОЛЬНЕНИЕ ЧЕРНЫШОВА И ЩУКИНА? — СПРАШИВАЮ ДЕМЕНКО.— СКАЗАЛ, ЧТО ЭТО ИЗ-ЗА ДОПИНГА?
— НЕТ, НИКАК НЕ ОБЪЯСНИЛ — ПРОСТО УВОЛИЛ. ВСЮ ОСТАЛЬНУЮ ИНФОРМАЦИЮ МЫ УЗНАВАЛИ ИЗ ПРЕССЫ.

В пользу того, что Червиченко тоже знал о происходящем, косвенно говорят лишь три вещи. Первая — именно такое мнение в открытую высказал

Юран в уже упомянутой телепрограмме «Человек и закон». В свое время Юран был очень близок к бывшему президенту «Спартака», и можно предположить, что он знает, о чем говорит.

Еще об одном пункте подозрений в адрес Червиченко говорит Ващук:

— ПРЕЗИДЕНТ ПОДРОБНО РАССПРАШИВАЛ НАС О ТОМ, ЧТО СЛУЧИЛОСЬ, И ВСЕМ СВОИМ ВИДОМ ДАВАЛ ПОНЯТЬ, ЧТО ДЛЯ НЕГО ПРОИСШЕДШЕЕ — ПОЛНАЯ НЕОЖИДАННОСТЬ. НО ЛОГИКА ПОДСКАЗЫВАЕТ, ЧТО НИ О ЧЕМ НЕ ВЕДАТЬ ЧЕРВИЧЕНКО НЕ МОГ. ХОТЯ БЫ ПОТОМУ, ЧТО ЗАПРЕЩЕННЫЕ ПРЕПАРАТЫ ИЗ-ЗА ЭТОГО СВОЕГО СТАТУСА НЕ МОГУТ БЫТЬ ДЕШЕВЫМИ. И ВРАЧАМ НЕТ НИКАКОГО СМЫСЛА ТРАТИТЬ НА НИХ НЕМАЛЫЕ ДЕНЬГИ ИЗ СВОЕГО КАРМАНА. КТО ЖЕ ЕЩЕ МОГ ЭТО СДЕЛАТЬ, КРОМЕ ПРЕЗИДЕНТА?

— А О ЧЕМ РАССПРАШИВАЛ ЧЕРВИЧЕНКО ЛИЧНО ВАС?

— ОН НЕ ТОЛЬКО РАССПРАШИВАЛ, ОН ЕЩЕ И ОБВИНЯЛ. КОГДА ЧЕРЕЗ ПАРУ МЕСЯЦЕВ МЕНЯ УБИРАЛИ ИЗ «СПАРТАКА», ПРЕЗИДЕНТ КЛУБА ЗАЯВИЛ, ЧТО, ВОЗМОЖНО, ЭТО Я ПРИВЕЗ ДОПИНГ ИЗ КИЕВА. КОГДА ЭТО УСЛЫШАЛ, ЛИШИЛСЯ ДАРА РЕЧИ. Я ПРИЕХАЛ В «СПАРТАК» ИГРАТЬ, ЗАКЛЮЧИЛ КОНТРАКТ НА ПЯТЬ ЛЕТ, ВЫНУЖДЕН БЫЛ УХОДИТЬ ПОСЛЕ ПЕРВОГО ЖЕ СЕЗОНА, ДА ЕЩЕ И МЕСЯЦАМИ ГАДОСТЬ ИЗ ОРГАНИЗМА ВЫГОНЯТЬ — А МНЕ ВДОБАВОК И ОБВИНЕНИЯ ГОЛОСЛОВНЫЕ БРОСИЛИ.

И, наконец, третий аргумент в пользу того, что президент клуба обо всем знал, мне привел источник в бывшем спартаковском клубе. По его словам, Катулин ежедневно по вечерам приезжал к Червиченко на доклад. Он был глазами и ушами президента в команде (тот его называл «око государево»). И утаить от босса идею Щукина, тем более что это была не его собственная затея, он попросту не мог.

— Верна ли информация, что Катулин каждый вечер прибывал к Червиченко на доклад? — уточняю у Ващука.
— Насчет каждого вечера судить не могу, но то, что он был к нему вхож,— однозначно.

О весомости трех вышеизложенных аргументов судить опять же читателю. Но на Червиченко в любом случае лежит ответственность другого рода — которой он, впрочем, и не отрицает. Именно он взял на работу всех, кто в итоге стал соавторами «дела Титова».

— Руководство в любом случае виновато, даже если ни о чем не знало,— согласен Деменко.— Потому что наняло на работу в «Спартак» тех людей, которые все это натворили.

Не приходится сомневаться, что бывший президент «Спартака» искренне переживал за свой клуб,— иначе не вкладывал бы в него немалые деньги. Но есть у него, как мне кажется, качество, которое не позволило стать успешным руководителем клуба такого масштаба. Червиченко, на мой взгляд, абсолютно не разбирается в людях. Количество проходимцев (хотя бы по вопросам трансферов игроков), которые за период его работы в «Спартаке» играючи обвели его вокруг пальца, тех, кому он фактически дарил большие деньги, зашкалило за всякие разумные пределы.

Червиченко не удалось создать в «Спартаке» команду профессионалов, вертикаль, где обман не был бы возможен как таковой,— и одним из последствий общего хаоса в клубе и стало «дело Титова».

Есть данные, что в начале 2005-го в одном из первых своих разговоров с новым главным тренером «Химок» Павлом Яковенко неформальный руководитель подмосковного клуба Червиченко сказал: если что случится, вся ответственность ляжет на тренера, никакие ссылки на врачей приниматься не будут. Потому что ему, Червиченко, совсем не нужен ярлык человека, который, как в концлагере, проводит опыты над людьми.

Ничего не случилось — кроме того, что «Химки» не вышли в премьер-лигу и руководство Московской области, рассчитывавшее на другой исход, после окончания сезона-2005 попросило Червиченко «очистить помещение». Так и не удалось пока этому эксцентричному, но при этом достаточно образованному и неординарному человеку стать успешным футбольным боссом.

Сегодня в российском футболе его нет, и от этого становится немножко скучно — вносил Андрей Владимирович в него свой неповторимый колорит. Хотя уж кто-кто, а спартаковские болельщики никакой тоски по нему явно не испытывают...

❂❂❂

Вечером 3 декабря 2003 года в квартире генерального секретаря РФС Владимира Радионова раздался телефонный звонок. На проводе из Швейцарии был его хороший знакомый, представитель УЕФА Марк Вуямо. Радионов сдружился с ним в дни проведения в Москве в 1999 году финала Кубка УЕФА. Вуямо не был уполномочен президентом Европейского союза футбольных ассоциаций Леннартом Юханссоном делать какие-либо официальные заявления — в сугубо конфиденциальном порядке он сообщил нашему генсеку, что несколькими часами ранее УЕФА получил из лаборатории положительную допинг-пробу А, принадлежащую Егору Титову и полученную после домашнего стыкового матча чемпионата Европы—2004 с Уэльсом.

Радионов тут же поставил в известность об этом звонке Колоскова, Ярцева, Симоняна и генерального директора РФС Тукманова. Всю следующую неделю ждали официального подтверждения этой информации, которое по правилам может быть отправлено исключительно по почте. Подтверждение прибыло 10 декабря, после чего руководители РФС и начали действовать. По существующей информации, окончательное решение, что предпринять, принимали двое — Колосков и Радионов.

После кулуарных консультаций со знающими людьми в Европе и России было решено: надо отказываться от вскрытия пробы В. Логика была такова. После сентябрьских бурь в РФС отлично знали, что бромантан Титов в самом деле принимал, — поэтому о случайности результатов пробы А не может быть и речи. Проба В неизбежно покажет то же самое — и может только усугубить положение игрока. Потому что вместо того, чтобы добровольно признать свою вину, он проявит упрямство — а в Европе этого не любят. И в назидание могут «вкатить» по полной программе — два года.

Все это и было в спешном порядке объяснено Титову, которого нашли в отпуске в Таиланде. Чуть позже отпускник, рассказывают, сидел в лобби отеля и от руки писал послание в УЕФА с отказом от вскрытия пробы В, которое по телефону диктовал ему Радионов. Это письмо было тут же по факсу передано в РФС, а оттуда — в Швейцарию.

Титов, по имеющейся информации, убежден, что совершил тогда роковую ошибку, подписав себе тем письмом «смертный приговор». Так это или нет, я поинтересовался у Николая Дурманова.

—————————————————————————

— С ОДНОЙ СТОРОНЫ, КОГДА ЕСТЬ ЗАКАЗ НА ПРОБУ В, СУ-ЩЕСТВУЕТ ШАНС, ХОТЯ И НЕБОЛЬШОЙ, ПОБОРОТЬСЯ ЗА СПОРТСМЕНА. ИНОГДА БЫВАЕТ, ЧТО ПРОБА А ЛОВИТ

КАКУЮ-ТО СУБСТАНЦИЮ В ПОРОГОВЫХ КОЛИЧЕСТВАХ, А ПРОБА В — НЕ ЛОВИТ. СЧЕТ-ТО ИДЕТ НА МИЛЛИАРД-НЫЕ ДОЛИ МИЛЛИГРАММА, ФАКТИЧЕСКИ НА МОЛЕКУ-ЛЫ! НО ЛАБОРАТОРИИ ТАКОГО УРОВНЯ СЕЙЧАС ОШИ-БАЮТСЯ КРАЙНЕ РЕДКО, ПОЭТОМУ, ПО МОЕМУ МНЕ-НИЮ, ПРОБА В, СКОРЕЕ ВСЕГО, ПОДТВЕРДИЛА БЫ У ТИ-ТОВА НАЛИЧИЕ БРОМАНТАНА.

— А ВЕРНА ЛИ ЛОГИКА РФС, СОГЛАСНО КОТОРОЙ ИЗЛИШ-НЕЕ УПРЯМСТВО МОЖЕТ ПРИВЕСТИ К УВЕЛИЧЕНИЮ СРОКА ДИСКВАЛИФИКАЦИИ?

— ДА, ЭТО МОТИВИРОВАННАЯ ПОЗИЦИЯ. ПРОШУ ОТМЕ-ТИТЬ, ЧТО ТИТОВ И ТАК ПОЛУЧИЛ ПО МЕРКАМ ВАДА СНИЖЕННУЮ ДИСКВАЛИФИКАЦИЮ — НЕ ДВА ГОДА, А ГОД. ВООБЩЕ, Я НЕ ВИЖУ В ЭТОЙ СИТУАЦИИ НИКАКОЙ ИНТРИГИ. ХОТЬ ЭТО И МОЖЕТ ПОКАЗАТЬСЯ НЕДОСТА-ТОЧНО УВАЖИТЕЛЬНЫМ ПО ОТНОШЕНИЮ К ТИТОВУ, НО ДЛЯ МИРОВОГО СПОРТА ТО, ЧТО ПРОИЗОШЛО С НИМ, — РЯДОВОЙ СЛУЧАЙ. И НЕ СТОИТ ИСКАТЬ В НЕМ КАКОЙ-ТО ПОЛИТИЧЕСКОЙ СОСТАВЛЯЮЩЕЙ.

В РФС насчет последнего придерживались не-сколько иной точки зрения. На взгляд тогдашних работ-ников футбольного союза, «дело Титова» как раз стало делом большой антидопинговой политики. В это время ВАДА вела войну с ФИФА, не желавшей подписывать соглашение на жестких условиях борцов с допингом. А тут — такой случай «прогнуть» мировое футбольное руководство! Оттого и не могло быть речи, скажем, о

шестимесячной дисквалификации. Если это не плод вос-
паленного воображения, то надо еще сказать большое
спасибо, что Титов не оказался вне футбола на два года.

В общем, судя по всему, модные обвинения в
адрес РФС, что он «сдал» Титова в обмен на участие
сборной России в чемпионате Европы—2004 (а федерация футбола Уэльса, по некоторым данным, потра-
тила на дорогостоящих адвокатов, чтобы нас дисквалифицировали, 300 тысяч долларов и фактически ра-
зорилась), неправомерны. Тем более что РФС отправил в УЕФА обширное досье на игрока, призванное
свидетельствовать, что такому мастеру допинг был не
нужен. Еще же одно доказательство тому, что РФС не
стоит слишком уж винить за бездействие,— переписка
автора этих строк с пресс-службой УЕФА.

— Как отреагировали в УЕФА на то, что на заседании контрольно-дисциплинарного бюро 22 января 2004-го, где принималось решение о дисквалификации Титова, не было представителей
РФС и «Спартака»?
— Посещение заседаний бюро не обязательно. Напротив, присутствие разрешается только в особых случаях... Решение бюро не зависит от присутствия ответчиков.
— Мог ли Титов получить более короткий срок дисквалификации и что для этого необходимо было сделать?

— ПРИНИМАЯ ВО ВНИМАНИЕ ТЯЖЕСТЬ НАРУШЕНИЯ — НЕТ.

Все это вызывает только один вопрос, касающийся поведения РФС. Коль скоро первую информацию о положительной пробе Радионов получил по телефону 3 декабря, почему самому Титову в Таиланд позвонили больше недели спустя, когда времени на составление юридически грамотного объяснения для УЕФА фактически не оставалось? Или память о сентябрьских событиях заставила руководство РФС сразу же поставить крест на надеждах спасти Титова?

Ну а если называть вещи своими именами, то РФС, как и «Спартак», должен в ножки кланяться Титову за его выдержку и молчание. Потому что, если бы, получив дисквалификацию, игрок рассказал, что еще в сентябре руководству РФС было известно о применении допинга всем «Спартаком», гром прогремел бы на всю Европу. И вот тогда мы бы на чемпионат Европы точно не поехали. Интересно, понимали ли это руководители РФС и просили ли Титова молчать? Или сборная спаслась исключительно благодаря покладистому характеру футболиста, которого цинично подставили?

Насколько это серьезно, можно понять по справедливому замечанию Деменко:

— Поражаюсь выдержке Титова, который пострадал абсолютно не по своей вине и оказался на год выброшенным из футбола. На его месте, получив дисквалификацию, я тут же рассказал бы в прессе всю правду — по крайней мере, ту ее часть, которую мы знаем. Хотя, конечно, ему тяжелее было это сделать, потому что он не уходил из «Спартака». Мне, покинувшему команду, в этом смысле легче.

Но не меньше вопросов и к руководству клуба. Когда «Спартак» все-таки решил подать апелляцию (впоследствии отозванную прямо на заседании апелляционного комитета УЕФА под угрозой увеличения срока дисквалификации), в качестве адвокатов были почему-то наняты молодые и неопытные Николай Грамматиков и Александр Зотов. Привела их, по имеющейся информации, тогдашний вице-президент клуба Анна Завершинская, но что заставило Червиченко прибегнуть к услугам не матерых волков юриспруденции, а начинающих специалистов?

В интервью «Спорт-экспрессу» в 2004 году грузинского нападающего Шоту Арвеладзе, много лет выступавшего за «Аякс» из Амстердама, спросили:

— Минувшей зимой по собственной инициативе вы попытались помочь Титову. Выводили его адвокатов на голландских юристов, в свое время успешно занимавшихся аналогичным делом Франка де Бура. Что они говорили, перед решающим заседанием в Швейцарии были у Титова шансы?
— Они были удивлены решением российской стороны,— ответил Арвеладзе.— Голландцы бы-

ЛИ ГОТОВЫ ВЗЯТЬСЯ ЗА ЭТО ДЕЛО, ПРИЧЕМ НЕ РАС-
СЧИТЫВАЯ НА БОЛЬШИЕ ГОНОРАРЫ. КОГДА АДВОКА-
ТЫ ВЕДУТ СЕБЯ ПОДОБНЫМ ОБРАЗОМ, ОНИ УВЕРЕНЫ
В УСПЕХЕ.

Известно, что скупой платит дважды. Заплатили
и мы. 11 ноября 2003 года в московской антидопинговой лаборатории, сертифицированной ВАДА, сборную
России вновь проверяли на допинг. Титов, как и все остальные, был признан «чистым». А всего четыре дня
спустя венская лаборатория, забиравшая у него тест после игры Россия—Уэльс, нашла в моче футболиста следы распада бромантана.

Схожая история на полгода позже произошла с
толкательницей ядра Ириной Коржаненко. В Москве у
нее станозолол не нашли, а в Афинах, уже после соревнований,— нашли. Ощущение «подставы», вероятнее
всего, и заставляло ее упрямо не отдавать золотую медаль, которой ее лишили. С тех пор оборудование московской лаборатории стало куда более совершен-
ным — но утерянного для двух знаменитых спортсменов (и не только их) уже не воротишь.

— В случае с Титовым наша лаборатория допу-
стила ляп. И ничего с этим не поделаешь. Такое бывает. Хотя мое мнение: бромантан не та штука, с которой
могли бы быть проблемы у нашей лаборатории. Она
его «видит».

Это сказал не какой-нибудь аноним, а директор антидопинговой инспекции Олимпийского комитета России Николай Дурманов. Как этот ляп мог произойти — другой разговор. Возможно, дело в «мерцающих» свойствах бромантана — в кровотоке его можно обнаружить далеко не всегда. Когда его мало, он выходит из жировых тканей только под воздействием нагрузок и стресса.

Против Титова сработало ко всему прочему и стечение обстоятельств. Московский допинг-тест вся сборная проходила на следующий день после выходного. А потом Ярцев дал команде нагрузки, после которых бромантан, скорее всего, и «ожил». Но выяснилось это только на тесте после матча, куда запасной Титов был случайным «тыком» УЕФА выбран. «Так расположились звезды»,— философски изрек Дурманов. И в чем-то он прав.

Вот только зачем было Ярцеву звать полубольного (незадолго до матча ему вырезали ноготь, отдавленный во время матча с бухарестским «Динамо») Титова в сборную? Ярцеву, который всего двумя месяцами раньше в Бору безжизненным голосом сообщал своему любимому футболисту о положительной пробе его теста? Какой смысл был идти даже на минимальный риск хотя бы и при «чистом» анализе? У нас что, центральных полузащитников не хватало? Почему у нас все делается в расчете на дремучее «авось»?

Как отреагировали одноклубники на сообщение о дисквалификации Титова? Сам он, насколько знаю, не разочаровался ни в ком. Слава богу, что хотя бы так.

Деменко:

— СТРАШНО ЖАЛКО БЫЛО ЧЕЛОВЕКА, ПОСТРАДАВШЕГО НИ ЗА ЧТО. ВСЕ ЗВОНИЛИ ЕГОРУ, ПОДДЕРЖИВАЛИ. ГОВОРИЛИ: ЧТО ПОДЕЛАЕШЬ, ЕСТЬ ПОДЛЕЦЫ НА СВЕТЕ, НО ЖИЗНЬ ПРОДОЛЖАЕТСЯ, И НАДО ВСЕ ЭТО ПЕРЕБОРОТЬ. ЕМУ, КОНЕЧНО, БЫЛО НАМНОГО ТЯЖЕЛЕЕ, ЧЕМ НАМ,— НО ЧТО ЕЩЕ МЫ МОГЛИ СКАЗАТЬ? ЕГОР МОЛОДЕЦ, ЧТО ВЫДЕРЖАЛ, ТЕПЕРЬ ВНОВЬ ИГРАЕТ И ЗАБИВАЕТ. НО ОЧЕНЬ ХОЧЕТСЯ, ЧТОБЫ НИ ТЕМ ЛЮДЯМ, ПО ВИНЕ КОТОРЫХ ОН ПОСТРАДАЛ, НИ КОМУ-ТО ДРУГОМУ БОЛЬШЕ И В ГОЛОВУ НЕ ПРИШЛО ДЕЛАТЬ ТАКИЕ ВЕЩИ.

Ващук:

— ПО СЕЙ ДЕНЬ УВЕРЕН, ЧТО ЕГОРА КТО-ТО ПОДСТАВИЛ. ЧТО-ТО ТАМ ОПРЕДЕЛЕННО БЫЛО НЕЧИСТО. РАЗ ДЕСЯТЬ, НАВЕРНОЕ, ЕГО ПРОВЕРИЛИ НА ДОПИНГ, ТВЕРДО СКАЗАЛИ, ЧТО ВСЕ НОРМАЛЬНО. И ОН САМ БЫЛ В ЭТОМ УВЕРЕН. И ВДРУГ У ТИТОВА ОБНАРУЖИВАЮТ ДОПИНГ. МНЕ НЕПОНЯТНО, ЗАЧЕМ ВЫЗЫВАТЬ ИГРОКА НА РЕШАЮЩИЙ ОТБОРОЧНЫЙ МАТЧ ЧЕМПИОНАТА ЕВРОПЫ, ЕСЛИ ЕСТЬ ХОТЬ МАЛЕЙШИЕ ПОДОЗРЕНИЯ! ВЕДЬ СБОРНУЮ РОССИИ МОГЛИ ЛИШИТЬ ПУТЕВКИ НА ПЕРВЕНСТВО! НЕ ЗНАЮ УЖ, КАКИЕ ТАМ ИГРЫ ВЕЛИСЬ В ФУТБОЛЬНЫХ ВЕРХАХ. НО КРАЙНИМ ОКАЗАЛСЯ ЕГОР. ЗА ЧТО?..

Титов вернулся на поле. Но отсутствие официального расследования «дела Титова» (либо упорное нежелание РФС сообщать его итоги, что вообще-то странно) свидетельствует: никто не стремится извлекать из него какие-либо уроки. Забыть, как страшный сон, — и дело с концом. И пусть уже в футбольных и медицинских кругах почти в открытую говорят, что в одном из крупнейших российских городов на фармакологическую подпитку местной команды премьер-лиги работает целый институт, — никому нет до этого дела.

Кое-кто, правда, выводы из случившегося все-таки сделал. Есть информация, что во время одного из зимних сборов национальной команды России в начале 2005 года игроков отвезли в высококачественную допинг-лабораторию Центральной Европы. После чего молодой футболист «Локомотива» Алексей Бугаев (ныне он выступает за «Томь») был отправлен домой с официальной формулировкой «по семейным обстоятельствам», а в действительности — с подозрением на наличие в организме незначительных следов запрещенной субстанции. И пусть даже эта субстанция, если верить источнику, — не допинг, а марихуана. Но вот до чего доводит российская футбольная безнаказанность. Будет доводить и дальше?

Обязательно будет. Помешать этому может лишь одно. Если зачем-то и нужно было менять руководство РФС, то только для того, чтобы все в нашем футболе стало, как модно теперь выражаться, прозрачным. Чтобы безнаказанно не продавались и не покупались матчи и судьи. И в том числе — чтобы не покрывались скандалы с допингом, которые с каждым годом будут все масштабнее и опаснее.

Почему? Послушаем Николая Дурманова.

— Сейчас появились допинги, которые системно действуют на организм: повышают мотивацию, агрессию, выносливость. Это опасные вещи для здоровья, очень опасные. Они все чаще используются в игровых видах спорта, в частности в футболе. И боюсь, мы еще увидим несколько смертей на футбольных полях.

Уже увидели. В киевском «Арсенале», который тогда возглавлял бывший второй тренер «Спартака» Вячеслав Грозный, в течение нескольких месяцев скоропостижно скончались сразу два совсем молодых футболиста. Конечно, посмертно были найдены неопровержимые медицинские свидетельства их нездоровья. Но не задаться страшным вопросом мог только человек, который ничего вокруг не желает видеть, слышать и понимать.

⚽⚽⚽

А Егору Титову судьба все-таки воздаст за мучения, которые ему не по своей вине пришлось пережить. На финише чемпионата-2005, когда будет решаться, какая из двух команд — «Спартак» или «Локомотив» — займет второе место и составит компанию ЦСКА в следующей Лиге чемпионов, именно Титов забьет решающие мячи в двух заключительных матчах. Титов, который до этого 26 туров подряд не мог поразить цель! От того что в очной встрече последнего тура против «Локомотива» «серебряный гол» оказался на счету не кого-нибудь из новичков или ино-странцев, а своего, родного Титова, прошедшего че-рез столько испытаний, сентиментальным болельщи-кам хотелось плакать. Жизнь подчас создает сюжеты посильнее любой литературы...

Великолепный пас Егору в том эпизоде отдал еще один спартаковский «аксакал» — Калиниченко. Только они двое сохранились в команде с Лиги чемпио-нов 2000 года, когда были разгромлены «Спортинг» и «Арсенал». В той лиге, что, казалось, была в какой-то совсем другой жизни.

В том, что именно Титов и Калиниченко оказа-лись причастны к главному голу сезона, виделся знак свыше: нужно ценить и беречь людей, которые олице-творяют собой традиции клуба. Традиции, которые на девяносто пять процентов были утеряны...

ГЛАВА

5.

БУНТ
АЛЕНИЧЕВА

«Спорт-экспресс»

ОСЕНЬ 2003-ГО. «Спартак» прилетел в Бухарест и под руководством Владимира Федотова готовится к ответному матчу Кубка УЕФА против местного «Динамо». Первый поединок, в Москве, выигран с разгромным счетом 4:0. То есть опасаться, пожалуй, нечего.

За день до матча к полю, на котором тренируются красно-белые, подбегает вице-президент «Спартака» Анна Завершинская. Спросите, какое отношение имеет к футболу эта молодая, образованная и весьма деятельная дама? Весьма косвенное. На клуб ее «бросил» ЛУКОЙЛ — как поговаривали, чтобы контролировать деятельность Червиченко. Видимо, получилось не очень — после того как в клубе сменился владелец, в «Спартаке» ее и след простыл. Да и не могло, наверное, получиться. В других клубах, глядя на нее, смеялись: опять «Спартак» чудит. Не надоело...

А в тот осенний день, рассказывают, Завершинская огласила бухарестский стадион задорным криком: «Мы Скалу подписали!»

Девушке было невдомек, что при «живом» тренере такая информация в присутствии команды разглашается только в тщательно подобранный момент. И уж никак в канун матча еврокубка, да еще и во время тренировки. Свидетели рассказывали, что Червиченко, все эти тонкости уже выучивший, едва Завершинскую после ее сообщения не задушил. Как и все в «Спартаке» тех лихих лет, все было подано даже не неправильно — как-то нелепо. И на следующий день красно-белые чудом «отскочили» от яростно атаковавших румын, проиграв со счетом 1:3, но выйдя-таки в следующий раунд.

Между тем Завершинская принесла историческую весть. Впервые «Спартак» был призван возглавлять иностранный тренер. Всего за полгода до того Червиченко на пресс-конференции утверждал, что специалист из-за рубежа в «народной команде» — это кощунство. Но прав был древнегреческий философ: все течет, все изменяется. И вот уже команде представлен Невио Скала — очень известный итальянец, когда-то выигравший Кубок кубков и Кубок УЕФА с «Пармой» и Межконтинентальный кубок с «Боруссией» из Дортмунда. Более того, Скала был во главе «Пармы» в августе 1994-го, когда итальянский клуб приезжал в Москву играть против «Спартака» в прощальном матче Федора Черенкова. В этом совпадении можно было усмотреть какую-то символическую преемственность.

Правда, последние серьезные успехи Скалы относились к 1990-м годам. Но на европейских тренерах-пенсионерах в России тогда еще не обожглись и встречали итальянца с умеренным оптимизмом. Еще не зная, что он давно уже больше увлечен своими великолепными табачными плантациями, чем футболом. Нет, в Москве он не бездельничал и не уезжал при каждом удобном случае на Апеннины. Но с момента отставки и по сей день занимается исключительно сельским хозяйством и вполне доволен жизнью. Когда его тренер-переводчик в «Спартаке», а ныне — способный наставник одной из юношеских сборных России и не менее одаренный телекомментатор Андрей Талалаев периодически звонит бывшему шефу в Италию, их разговор непременно сопровождает рык трактора, которым Скала управляет самолично...

Позже выяснится, что инициатива назначения Скалы принадлежала уже не Червиченко, а вице-президенту ЛУКОЙЛа Леониду Федуну, который потихоньку начинал прибирать власть в «Спартаке» к своим рукам. Тогда, впрочем, об этом еще мало кто знал.

Я узнал в середине декабря 2003 года. Произошло это, как ни странно, в Лондоне. За полгода до того Роман Абрамович купил «Челси» — и, как сейчас помню, я с любопытством подходил к красавцу-стадиону «Стэмфорд Бридж», чтобы узнать побольше о клубе и о сделке. В этот момент и зазвонил мобильный телефон.

На виртуальном проводе был давний коллега и приятель Кирилл Клейменов, с которым мы, однако, к тому моменту не виделись лет десять. Когда-то мы, девятиклассники, учились в школе юного журналиста при журфаке МГУ и вместе ходили на «Спартак». Однажды написали статью о красно-белом фанатском движении, которая была переведена на английский и с помощью каких-то журфаковских связей опубликована в... норвежском журнале. С фотографией, на которой мы двое были замотаны в один спартаковский шарф.

Потом у каждого началась своя жизнь, и долгое время мы не виделись. Кирилл сделал головокружительную карьеру на телевидении, брал интервью у Ельцина и Путина, вырос в одного из самых известных ведущих программы «Время». Потом стал появляться на экране реже. Как выяснилось, из-за того, что стал пресс-атташе главы ЛУКОЙЛа Вагита Алекперова и заместителем начальника департамента общественных связей нефтяной компании — спонсора «Спартака». Департамент этот курировал как раз Федун. Позже, правда, Клейменов вернулся на ТВ — в роли главного редактора информационных программ того же «Первого канала», с которого уходил.

Он-то и рассказал мне, что в «Спартаке» грядут грандиозные перемены. И поинтересовался, не желаю ли я принять в них участие в качестве клубного пресс-атташе.

Я вежливо отказался. Неблагодарная это работа, даже если за нее щедро платят. Меня никогда не привлекала роль цербера при журналистах, который обязан выполнять указания босса, какими бы противоречащими здравому смыслу они ни были. Эта профессия куда ближе к воинской службе, чем к творчеству. Конечно, бывают и исключения вроде бывшего шефа отдела футбола «Спорт-экспресса», а ныне пресс-атташе «Сатурна» Михаила Пукшанского, в силу независимого характера всегда и во всем проявляющего собственную инициативу. Но, как правило, сам статус заставляет людей стоять перед начальством по стойке смирно.

Бывший пресс-атташе «Спартака» и «Динамо» Александр Львов, знаменитый в репортерской среде своими афоризмами, во времена позднего Романцева однажды так честно и сказал: «Мне поневоле приходится быть цепным псом». И хотя потом уточнил: «Не по отношению ко всем», — но, как мне кажется, правда была именно в первых словах. И дело тут не столько даже в личности Романцева как шефа (дальнейшие события в «Спартаке» это покажут), а в сути работы пресс-атташе. Она дает, конечно, ощущение причастности к команде — вот только отнимает, полагаю, гораздо больше.

В 2001 году был случай, когда Львову долго пришлось убеждать тренеров и игроков сборной, что из-за одной публикации в «Известиях» о том, что матч национальных команд России и Югославии якобы был договорным, не должны страдать все журналисты поголовно. Предварительно, правда, Львова, человека подневольного, заставили написать гневное письмо об отказе общаться с прессой от имени всех игроков. И несколько месяцев футболисты сборной с корреспондентами не разговаривали. Причем, будучи запуганными возможными санкциями, шарахались от репортеров даже в тех случаях, когда те не собирались задавать вопросы о национальной команде...

Словом, пресс-атташе мне становиться не захотелось — при всей любви к «Спартаку» с детства. В разное время отказывались от подобных предложений со стороны клуба и мои коллеги, также неравнодушные к красно-белым,— телекомментатор Георгий Черданцев и корреспондент «Спорт-экспресса» Алексей Матвеев. Тому же Львову, талантливому журналисту и редактору, возраст диктует необходимость принимать выгодные предложения о работе пресс-атташе — мы же имеем возможность выбирать. И идти кому-то в жесткое подчинение как-то не хочется. Даже в «Спартак»...

Позже Федун объяснит в интервью «Спорт-экспрессу», почему он выкупил «Спартак» у Червиченко. Мотив оказался вполне здравым. «Имидж „Спартака" был одной из причин, почему мы посчитали необходимым пойти на столь решительный шаг — покупку клуба. „Спартак" напрямую идентифицировался с ЛУКОЙЛом, а нам меньше всего была нужна такая репутация, какая появилась у футбольного клуба в последние годы. У нас было два выхода. Первый — вообще порвать с командой. Но она уже стала частью души, и, брось мы ее, она бы вряд ли выплыла. Вторым же выходом стало то, что мы и сделали».

⚽ ⚽ ⚽

С Федуном меня познакомит Клейменов, и произойдет это весной 2004-го. Мы даже пообщаемся минут десять не для печати. Правда, предшествовать тому будет полудетективная история.

Вначале встреча с новым владельцем красно-белых была намечена во время очередного матча «Спартака» в VIP-ложе на стадионе «Торпедо» имени Стрельцова. Но в тот день Федун внезапно заболел, и коллега, пришедший без босса, тем не менее уговорил меня пройти в гостевую ложу, оказавшуюся тесной и неудобной. Пропуска туда у меня не было — как-то провели. С действующим еще президентом клуба Червиченко в ту пору отношения у меня были напряженными, и он был явно не рад, увидев недружественного журналиста в одной VIP-ложе с самим собой.

По странному совпадению вскоре ко мне подошел охранник и попросил предъявить пропуск. Я все понял и, как Федор Черенков в первом матче Кубка кубков с «Фейеноордом» в 1993 году, тихо ушел с «поля» сам, не дожидаясь предъявления «красной карточки» и последующего шума. Благо аккредитация в ложу прессы, в отличие от виповской, лежала у меня в кармане...

Следующую игру «Спартак» проводил в Лужниках, и там мы в перерыве матча с Федуном все-таки встретились. Вопросы, как ни странно, задавал большей частью он. Нового владельца, понравившегося мне своей адекватностью (для «Спартака» в те времена это было чем-то необычным), интересовал вопрос, кого из ветеранов красно-белых я посоветовал бы ему в качестве будущего президента клуба. Никита Симонян к тому времени уже отказался. Мне пришла в голову кандидатура Вагиза Хидиятуллина — ершистого, острого на язык, но очень харизматичного и уважаемого среди болельщиков человека, одного из лидеров по духу и звезд 1980-х.

В ответ мне было деликатно дано понять, что Хидиятуллин — фигура слишком самостоятельная и ершистая, нужен кто-то помягче. На этот нюанс я тогда не обратил особого внимания, и напрасно. Федуна привлекала кандидатура Виктора Папаева, легенды предыдущего поколения. Но и с ним в результате что-то не срослось. Своего «мягкого», сговорчивого президента, точнее — генерального директора, «Спартак» получит в середине 2005 года в лице Сергея Шавло...

А тогда к работе гендиректором приступил мало кому известный в футбольных кругах Юрий Первак из Челябинска. Старые спартаковцы хмурились и шептались, что у него якобы две судимости. Как-то не очень это вязалось с наследием братьев Старостиных.

В общем, не повезло Скале — он попал на самую переправу от одной власти в «Спартаке» к другой. Порядка в клубе при таких обстоятельствах быть не может — а тут еще и годовая дисквалификация Титова, на которого итальянец собирался сделать ставку. Сычев, которого Червиченко, опомнившись, хотел вернуть в «Спартак», за $5 млн перешел из «Марселя» в «Локомотив». Зияли дыры в защите, и даже покупка хорошего уругвайского полузащитника Сосы проблем не решала. В общем, первый же матч Кубка УЕФА дома с испанской «Мальоркой» был проигран в пух и прах — 0:3.

Потом, впрочем, дело пошло получше. Лишь в дополнительное время «Спартак» уступил армейцам Суперкубок России, да и чемпионат команда начала за здравие — взобравшись в апреле даже на второе место. Особенно красиво, со счетом 6:0, был 18 апреля обыгран неуступчивый новичок премьер-лиги пермский «Амкар».

И тут — понеслось. Никогда еще не случалось такого, чтобы «Спартак» терпел шесть поражений подряд! Но то ли разгром «Амкара» вознес игроков до небес, то ли начала сказываться объективная кадровая неготовность к сезону, но красно-белые начали проигрывать всем подряд. Червиченко позже не преминет съехидничать, что именно после матча с «Амкаром» он отошел от руководства клубом. Даже документы будет готов предъявить. Да, Господи, какая разница?!

Дома «Спартак» был разбит «Зенитом» — 0:3. Перед тем матчем я у ограды стадиона «Локомотив» встретил Федора Черенкова. Сотни молодых людей в красно-белых шарфах проходили мимо, не узнавая человека, на чьем футболе выросло целое поколение. А маэстро улыбался, ожидая своего знакомого, солиста Большого театра. Днем ранее тот зазвал Черенкова в Большой, а в ту субботу должен был состояться ответный визит. Слушая Черенкова, я ловил себя на ощущении: словно в другом веке очутился. В том, где футбол приравнивался к театру, а «Спартак» с двумя центральным полузащитниками, боящимися перейти центральную линию и не умеющими отдать пас, представлялся нонсенсом. А при Скале так и было: ни Сосу, ни Тробо-ка, ни Шоавэ, всех троих кандидатов на позиции центральных хавбеков, к чужим воротам даже цистерной черной икры было не заманить...

За полчаса до матча Черенков хвалил соперника «Спартака». Выделял «Зенит» из общего ряда за то, что стремится атаковать при любом счете. Причем не летит на чужие ворота с шашками наголо, а делает это творчески, с изюминкой. От оценки спартаковцев великий футболист уклонился. Как выяснилось через полтора часа — правильно сделал.

15 мая «Спартак» играл с ЦСКА. Всем все было ясно еще до первого свистка.

Было ясно по выражениям лиц спартаковских ветеранов, которые при слове «прогноз» мрачнели и прятали глаза — словно по команде. Было ясно по виду Евгения Гинера, который за четверть часа до матча безмятежно попыхивал сигарой и перешучивался со знакомыми. По распрямленным плечам и задору знаменитого армейского поклонника, поэта Михаила Танича, воскликнувшего: «Победим — 2:0!» И угадавшего.

Было ясно по каким-то расслабленным, почти плотоядным улыбкам болельщиков ЦСКА, которыми кишели подступы к Петровскому парку. И по нервным, замкнутым лицам «спартачей», старавшихся перед входом на стадион ни на секунду не задерживаться и мнениями ни с кем не обмениваться. Смаковать ожидание футбола им не приходилось. Не прийти на такой матч они не могли — но отлично понимали, что их ждет. Вывешивали, впрочем, отчаянно-оптимистические лозунги вроде: «„Спартак" — все ты можешь! Все по силам!»

Вот только этот «Спартак» — не мог.

На трибуне сидел Константин Бесков. Тот самый, что когда-то любил говорить: «Если не знаешь, что сделать с мячом,— отдай его Гаврилову». На десятой минуте расположившийся поблизости от меня армейский болельщик, веселясь от души, перефразировал мэтра таким вот издевательским образом: «Если не знаешь, что делать с мячом,— отдай его Зоа». Дело было в том, что нескладный африканский защитник забил глупый мяч в свои ворота...

Это уже было самым настоящим фарсом. Глумлением. Тем более что впоследствии нелепый камерунец вполне мог стать автором автодубля или автохеттрика. Иногда казалось, что у него не в ту сторону вывернута стопа. Победный автогол он ведь вколотил в ворота ошалевшего Ковалевски без чьей-либо помощи, без намека на армейский прессинг. И начал подбадривать себя... аплодисментами.

Все спартаковские болельщики думали в эту минуту об одном и том же. Зачем этот странный человек в «Спартаке»? Как это воплощение абсурда вообще могло в нем оказаться — а потом еще и вернуться после трехмесячного исчезновения при действующем контракте? Спустя полтора часа после финального свистка подвыпившая компания болельщиков в пресс-баре затянула: «Зоа-а! Зоа-а!» Теперь уже не на радостях, а с горя. На болельщиках были красно-белые шарфы...

А разве не была фарсом тактика, по сути, с семью защитниками? Как хотел атаковать Скала, оставивший на скамейке Калиниченко и Павленко — чуть ли не единственных, кто мог что-то создать? Глядя на все это, я не мог понять одного. 11 годами ранее «Парма» Скалы, красивая и элегантная, выиграла Кубок кубков. Год спустя, как уже говорилось, приехала в Петровский парк на прощальный матч Черенкова. У меня сохранилась программка от 23 августа 1994-го — и можно было только наслаждаться созвучием фамилий: Бролин, Дзола, Асприлья, Дино Баджо... Понятно, что спартаковский подбор игроков у Скалы не шел ни в какое сравнение с пармским. Но неужели, раз попробовав «вкусного» футбола, можно потерять к нему интерес?

— За что теперь будете бороться? — спросил кто-то после матча молодого форварда Погребняка.

— За чемпионство,— ответил светловолосый таран.

И рассмеялся.

⚽ ⚽ ⚽

В конце мая позвонил коллега — тот самый, телевизионно-лукойловский. И сообщил, что 1 июля Червиченко сложит с себя полномочия президента ФК «Спартак». Уйдет и его команда менеджеров — в том числе и спортивный директор Александр Шикунов. В клубе, словом, начнется новая эра.

Та моя сухая информационная заметка (в других изданиях ничего подобного не было) вызвала у многих болельщиков гораздо больше эмоций, чем иные полемические статьи. Наконец-то их мечта о чемодане и вокзале сбылась. Правда, в Ростов Червиченко отправить не удалось. Но в «Спартаке» его больше не было.

За несколько недель «Спартак» пополнили блестящий сербский защитник Видич (Первак ездил за ним в Белград пять раз), его не менее квалифицированный коллега из Чехии Йиранек, одаренный Ковальчук из сборной Молдавии, молодые талантливые аргентинцы — новоиспеченный олимпийский чемпион Афин Родригес и Кавенаги, к 20 годам забивший в чемпионате Аргентины более 70 голов. За последнего клубу «Ривер Плейт» была выплачена рекордная тогда для российского футбола сумма — 11,5 миллионов долларов. А самый большой восторг болельщиков вызвало возвращение из Португалии одного из спартаковских кумиров 1990-х Дмитрия Аленичева. В 2003-м он под руководством будущего тренера «Челси» Жозе Моуринью выиграл в составе «Порту» Кубок УЕФА, а в 2004-м — Лигу чемпионов. У России и так-то никогда не было победителей двух еврокубков, но самое поразительное, что в обоих финалах Аленичев забил по голу! И спустя пару месяцев после триумфа в лиге, после которого Дмитрий был объявлен почетным гражданином своих родных Великих Лук, он на белом коне въехал в родной «Спартак».

В общем, все было, как в песне из мюзикла «Чикаго» с ее рефреном: «Шика-блеска дай!».

Шика и блеска действительно хватало. Презентации новых игроков в казино Golden Palace проходили одна за другой. Уехал, правда, Соса, так и не прижившийся в России,— но приобретений было куда больше. И совсем другого калибра, нежели раньше. Зоа и Петкович — кошмары межсезонья-2005 — представлялись уже людьми из другого времени.

Вот только место в середине таблицы никуда уже деться не могло. Как и вконец расшатанные нервы Скалы. За две недели до отставки итальянца боевитый гендиректор Первак запретил ему и всей команде общаться с прессой. Пресс-атташе Владимир Шевченко пояснил, что «обет молчания» ниспослан на команду... Господом Богом. Это наверняка было самое сильное объяснение отказа общаться с журналистами в истории футбола.

На первой же пресс-конференции после отмены «обета молчания» Скала заявил, что крайне отрицательно относится к этой акции и ничего хорошего она команде не принесет. Стало ясно, что уход Скалы — не за горами.

Все было решено после поражения в Питере от «Зенита». По одному ему известным соображениям итальянец не внял уговорам окружающих, советовавших не ставить защитника-ветерана Ковтуна на фланг к реактивному питерскому полузащитнику Быстрову (по иронии судьбы, будущему спартаковцу). Но Скала поставил — и это стало одной из главных причин поражения.

И даже победа при красивой игре в следующем туре над «Крыльями Советов» не отсрочила приговора. Было бы интересно понаблюдать, как Скала работает со «Спартаком» нового созыва, а не с тем суррогатом, который ему подсунули весной. Люди, наблюдавшие вплотную за его работой и за трудом его преемника Александра Старкова, отмечали более высокий профессиональный уровень итальянца. Но шесть поражений подряд, похоже, надломили Скалу, у него разладились отношения и с игроками, и с руководством. И шанса показать себя с новой командой ему не дали.

9 сентября 2004 года игрокам «Спартака» был представлен Старков. «Спартак» шел на десятом месте.

✪ ✪ ✪

Как же все прекрасно начиналось! Обходительный, улыбчивый, не умеющий выходить из себя Александр Петрович сразу понравился и игрокам, и журналистам. Все, конечно, задавались вопросом, как человек, работавший в спокойной, малофутбольной Латвии, сможет привыкнуть к каждодневному сумасшествию вокруг «Спартака». И поймет ли, что именно от него требуется. Но первое впечатление оказалось явно не отталкивающим.

Кому пришло в голову пригласить в «Спартак» именно Старкова? Бывший генеральный директор клуба Юрий Первак признался, что ему. После своей отставки Старков скажет, что при Перваке чувствовал себя как за каменной стеной. Когда же пришел Сергей Шавло, ситуация изменилась...

За три месяца до появления в «Спартаке» Старков добился серьезного для сборной Латвии успеха —

команда впервые вышла в финальную часть чемпионата Европы, и там не оказалась статистом: сыграла вничью с Германией и лишь на последних минутах проиграла Чехии. Это достижение и стало поводом для приглашения в «Спартак». «Чемпионат Европы показал, что человек может сделать конфетку из ничего», — сказал Федун в интервью «Спорт-экспрессу».

Ни Федун, ни тем более Первак не учитывали, что всех успехов с латвийцами Старков добился, играя строго от обороны. Иначе игроки уровня сборной Латвии и не могли. Но у красно-белых на протяжении всей их истории была совсем другая философия. Увы, и председатель совета директоров, и тогдашний генеральный директор в детстве болели за киевское «Динамо». А значит, как бы ни желали добра «Спартаку», до конца прочувствовать его традиции вряд ли могли. Иначе Старков в «Спартаке» вряд ли бы появился.

Но на фоне задерганного всеми мучениями 2004 года Скалы, настроение которого стало передаваться и игрокам, умиротворенный Старков футболистам понравился.

«Тренировки у Старкова напоминают те, что были у Романцева, — говорил через пару недель после его прихода Дмитрий Аленичев. — И взаимопонимание у нас отличное. Учитывая, что с новым главным тренером мы постоянно общаемся, обсуждаем все нюансы игры, нет сомнений, что все наладится. Но нужно время».

Пройдет менее года — и капитан красно-белых резко переменит свою точку зрения о латвийском тренере. Пройдет менее двух лет — и он сожжет мосты, выступив со своей позицией в печати.

Пока же, осенью 2004-го, «Спартак» проигрывает очередной матч «Торпедо», но Аленичев выходит к болельщикам, раздает автографы, отвечает на их вопросы. Со своими титулами он мог бы посчитать себя вправе ни перед кем не отчитываться — но капитан вышел к людям, и не на две формальные минуты.

А несколькими минутами раньше в смешанной зоне с Аленичевым·столкнулся Старков. И, улыбнувшись, сказал: «Дима, из Люксембурга — три очка, из Португалии — еще три. И Россия с Латвией — в финале чемпионата мира!» Капитан пожелал тренеру того же. Они разъезжались по своим национальным сборным.

Господи, как же летит время! И что оно делает с людьми и их отношениями!

Тренировки Старкова, по рассказу игроков, очень скоро перестанут быть «такими же, как у Романцева», и превратятся в опостылевшую всем рутину. Дежурно ободряющим словам тренера футболисты уже верить не будут. До всего этого оставалось менее года.

Но кое-что насторожило болельщиков еще в 2004-м. Одним из первых зимних приобретений, на котором настоял Старков, был полузащитник «Шинника» и сборной Латвии Андрей Рубин. Обошелся этот средненький игрок «Спартаку» в 1 200 000 долларов — абсурдную за игрока такого уровня цену. Тренеру пытались это объяснить, но он стоял на своем.

Несколькими годами ранее Рубин был на просмотре у Романцева, и тот в кулуарных разговорах назвал этого игрока — «пирожок ни с чем». Старков придерживался иного мнения. Но в «Спартаке» дорогостоящее приобретение так и не заиграло: матчей провело считанное количество, а голов не забило вовсе. И убыло обратно в «Шинник».

⚽⚽⚽

Старков пытался понравиться спартаковским болельщикам. В первом же интервью подчеркнул, что когда в пять утра он, только что назначенный в «Спартак», проходил в рижском аэропорту таможню, латвийские болельщики красно-белых подарили ему спартаковскую энциклопедию. «Сделаю ее настольной книгой», — пообещал тренер.

Нашел он общий язык и с интеллигенцией. В январе 2005-го общий знакомый свел его, к примеру, с Олегом Табаковым, и латвийский специалист произвел на одного из самых знаменитых спартаковских болельщиков впечатление здравомыслящего человека. После двухлетнего перерыва Табаков вновь стал ходить на «Спартак» — пусть далеко не на каждый матч, но хотя бы на некоторые. Да и вообще, красно-белые начали потихоньку возвращать себе имидж команды, не чуждой культуры, — так, новичок из «Рубина» Денис Бояринцев, страстный поклонник Владимира Высоцкого, был замечен на вечере в Театре на Таганке, посвященном творчеству его кумира.

Команда с нетерпением ждала начала сезона. Того же Бояринцева, ставшего главным героем контрольного матча на сборе в Марбелье против австрийского «Суперфунда», партнеры в автобусе встретили аплодисментами. После обычной товарищеской игры, представляете? А лучшим в команде на той предсезонке, поверьте, был Аленичев...

Но именно капитан в первом туре не забил пенальти в ворота «Москвы», и «Спартак» проиграл — 0:2. В том же матче Аленичев получил травму колена и выбыл на половину сезона. Очки команда набирала натужно, игры не было вообще. И вдруг 17 апреля произошел прорыв: со счетом 5:1 было обыграно «Динамо». Главным тренером динамовцев являлся в этот момент Олег Романцев. Злая ирония судьбы: пройдет совсем немного времени, и он подаст в отставку. Разгром от родной команды, по сути, стоил ее бывшему монарху работы.

Решил перечитать собственные размышления в «Спорт-экспрессе» после того матча — и с удивлением обнаружил там немало общего со скандальным интервью Аленичева, до публикации которого оставался еще год.

«Одна убедительная победа может стать катализатором последующих, но ни в коем случае нельзя забывать, что было до нее. Можно даже самого себя убедить, что все было в порядке, но это не так. После, мягко говоря, натужных 1:0 в Ростове у меня было несколько приватных разговоров с игроками „Спартака" и сотрудниками клуба. Наверное, писать об этом сейчас несвоевременно, но такова уж наша работа. Так вот тон тех разговоров был почти сплошь пессимистическим. Речь шла о том, что созидательной игры нет и в помине. Что команда не способна за матч провести ни одной комбинации с тремя хорошими пасами подряд. Что в перерывах футболисты ждали, но не могли дождаться четких объяснений, как именно им нужно перестроить свои действия. Что крайним защитникам, не говоря уже о центральных, не рекомендуется подключаться к атакам. Что не хватает „Спартаку" игрока, который мог бы, не стесняясь жестких выражений, „зажечь" заскучавших партнеров, как делали когда-то в этой команде Ловчев или Пятницкий. Собеседники с унынием вспоминали, что в конце прошлого сезона изъявляли желание перейти в „Спартак" Евсеев, Кириченко и Мойзес. Но на каком-то клубном уровне их кандидатуры поддержки не нашли.

Легче и приятнее всего было бы после игры с «Динамо» скрыть правду. А она в том, что в этих беседах то и дело возникал тревожный вопрос: по Сеньке ли шапка? Иными словами, соответствует ли Александр Старков тем задачам, которые ставит нынешний „Спартак". И однозначно утвердительного ответа не мог дать никто».

Трудно, но необходимо признать, что с этой позиции к концу сезона-2005 я сбился. Второе место и выход в квалификацию Лиги чемпионов на какое-то время затмит для меня все то, что было заметно уже в первые месяцы работы Старкова. Я стану рассуждать явно не по-спартаковски. Человек — не робот, и такие «сбои» случаются у каждого. Той «серебряной» осенью я при-

нял для себя такое решение: окончательно опреде-
люсь, нужен ли Старков «Спартаку», по игре команды в
начале следующего сезона. А ну как будет прогресс и
латвийский специалист докажет, что за какое-то время
способен построить чемпионскую команду?

Не доказал, не построил. А потом грянуло «дело
Аленичева»...

А тогда, весной 2005-го, спартаковские болельщики пережили одну из самых душераздирающих
драм. Ею стала... победа ЦСКА в Кубке УЕФА.

Еще несколько лет назад Олег Романцев говорил спартаковским фанам на предсезонной встрече:
«Болельщики ЦСКА смогут разговаривать с вами на
равных, только когда их команда выиграет девять чемпионатов страны!»

В последние годы между красно-белой и красно-
синей армиями шла война. 31 марта 2001 года, в день
последней на сегодня победы «Спартака» над ЦСКА в
Москве был ад. Мало того что 500 фанатов дрались на
Китай-городе, 11 из них увезли в реанимацию, а 660 человек были задержаны, так и сам матч был омрачен чу-
довищной перестрелкой пластиковыми креслами. Капи-
таны обеих команд, Титов и Семак, говорили потом, что
играть в такой обстановке было невыносимо.

Вот и получилось, что не могла победа ЦСКА в
Кубке УЕФА стать праздником для очень многих спартаковцев. Хотя бы потому, что поклонники красно-белых
считали достойными первого еврокубка в истории России себя, и только себя. Это ведь их команда играла в

полуфинале Кубка чемпионов, Кубка кубков и Кубка УЕ-ФА. Можете представить, как больно было «спартачам» воспринимать триумф армейцев, которые и до 1/8 финала всех этих турниров прежде ни разу не доходили?

В ночь с 18 на 19 мая 2005 года, пока центр Москвы ликовал и на памятник Пушкину вешали красно-синий шарф, на окраинах кипели страсти. Возле спортбара в Тушине, около стадиона «Красный Октябрь», полсотни выходивших из заведения счастливых армейцев столкнулись, рассказывали, с превосходящими силами фанатов «Спартака». Прямо после игры! Серьезных последствий, правда, удалось избежать — милиционеры, оказавшиеся в баре, остановили драку стрельбой в воздух. И сколько было таких историй!

Через несколько дней ЦСКА встречался в матче чемпионата со «Спартаком». Планировалось, что Кубок УЕФА будет выставлен в Лужниках на всеобщее обозрение, но этого благоразумно решили не делать. «Правильное решение, — сказал мне по этому поводу Михаил Танич. — Нельзя не принимать во внимание непростые отношения между клубами. Если бы кубок представили болельщикам до игры, вскоре на трибунах началась бы драка. Спартаковцы-то злые как черти, для них эта победа в Лиссабоне — как собственное поражение!»

В те дни в многочисленных телешоу политики-популисты сплошь и рядом повязывали себе на шеи армейские шарфы, и это злило болельщиков «Спартака» еще больше. Но чуда не произошло: даже уставший ЦСКА, пропустив мяч в первом тайме, после перерыва забил три.

Победа над триумфатором еврокубка была бы особенно сладка, но мечты болельщиков рухнули.

⚽ ⚽ ⚽

Никак не шло после дисквалификации у Титова. Во втором туре на энтузиазме он забил два мяча «Рубину» — а потом надолго «замолчал». И в какой-то момент Старков посадил его на скамейку. Трибуны встретили это недвусмысленным: «Руки прочь от Титова!» Еще тренеру посредством наглядной агитации советовали не мучить «Спартак» и возвращаться в Ригу. Осторожный специалист, столкнувшись с такой реакцией, Титова в состав вернул. Но что толку, если игру он ставил «Спартаку» совсем не титовскую!

«Локомотиву» красно-белые проиграли без Титова — он так и остался до конца игры на скамейке запасных. Спартаковцы играли лучше лидировавшего в чемпионате соперника — но как всегда самой малости им не хватило. Так до конца первенства-2005 и будет происходить какая-то мистика — «Спартак» так ни разу и не сможет обыграть команду из первой шестерки. Победа во втором туре над «Рубином» не в счет — тогда никто казанцев как вероятных фаворитов не рассматривал. А в остальных матчах с ЦСКА, «Локомотивом», «Рубином», «Москвой» и «Зенитом» красно-белые наберут четыре очка из 27.

Но зрительский интерес к «Спартаку» тем не менее по сравнению с 2004 годом резко возрос. Пребывание в группе лидеров, как бы команда ни играла против себе подобных, давало о себе знать. К середине сезона-2004 средняя посещаемость домашних матчей красно-белых составляла чуть больше 10 тысяч болельщиков. К лету-2005 — 25 500. И это было не много, это было нормально. Потому что это — «Спартак».

В июле наступил кризис. Команда не могла выиграть шесть туров подряд и скатилась на шестое место. Федун посчитал, что клубу нужны перемены, но не на тренерской скамейке, а в офисе. 21 июля «кризисного менеджера» Юрия Первака, признававшегося, что он любит работать «там, где плохо», сменил 48-летний чемпион СССР 1979 года Сергей Шавло. В его пользу говорили спартаковское прошлое и европейский, как считалось, менталитет — 14 лет он провел в Австрии и выучил два иностранных языка.

Шавло вспоминал: «В середине 1980-х я был комсоргом команды и мог выразить в разговоре с тренером интересы ребят. И вот однажды начал просить, чтобы семьи игроков прикрепили к спецмагазину — а такая возможность была. Чтобы жены могли свободно купить хорошие продукты, пока мы на сборах или выездах. Это была общая просьба, но после нее сверху на меня начали посматривать косо — не туда, мол, ведешь. С этого и началась история моего ухода из „Спартака"».

Как показала жизнь, прежнюю принципиальность Шавло сохранить не удалось. Видимо, ее заменила европейская политкорректность, которая порой, увы, напоминала бесхарактерность. Но в тот момент все люди, связанные со «Спартаком», восприняли приход нового руководителя на ура. Слишком уж неспартаковским человеком был Первак и слишком «кризисным» — для всех окружающих были невыносимы его дикие вспышки ярости внутри клуба и команды. Да и «Спартаку» из Челябинска, клубу первого дивизиона, хозяином которого он был, бывший гендиректор уделял внимания больше, чем «Спартаку» большому. Не являлся ни для кого секретом и свойственный Перваку «синдром Романцева» (думаю, вы понимаете, о чем речь), из-за которого он пару раз даже не явился к Федуну, будучи вызванным к нему «на ковер». И однажды терпение председателя совета директоров лопнуло.

Объяснение смене исполнительной власти в клубе Федун тем не менее дал «Спорт-экспрессу» корректное: «Мы посчитали, что Первак выполнил задачу, для которой его брали. То есть расчистку авгиевых конюшен. Он сделал для команды очень многое. Но этот человек должен быть сам хозяином в клубе, что он и почувствовал. У него появилось родное дитя — челябинский „Спартак“, а московский стал, можно сказать, приемным. Это раздвоенность мешала, и он сам это понял. Повлияла и ситуация с Погатецом, чей уход в „Мидлсбро“ стал самой вопиющей ошибкой. Договор аренды был заключен так, что у него была возможность уйти».

В конце лета — начале осени красно-белые начали набирать обороты. Одновременно начал на глазах разваливаться «Локомотив», из-за тяжелой травмы потерявший до конца года Сычева. Железнодорожники проиграли отборочный раунд Лиги чемпионов заштатному австрийскому «Рапиду», а потом и в первенстве команда Владимира Эштрекова стала терять очки напропалую. В результате мое летнее утверждение, мол, «потолок» спартаковцев в первенстве-2005 — третье место, было поставлено под сомнение. Уже в октябре стало ясно, что вторая позиция, гарантирующая выход в квалификацию следующей Лиги чемпионов, вполне реальна.

При этом слухов о том, что сезон-2005 для Старкова в «Спартаке» окажется последним, становилось все больше. В этой ситуации Федун, вообще-то в среднем дающий интервью раз в год, решил выступить в «Спорт-экспрессе» и пригласил меня в свой кабинет на Чистых прудах.

За пять туров до конца чемпионата владелец «Спартака» заявил:

⚽ ————————————————————————

— С господином Старковым мы находимся в постоянном контакте, и наши взгляды на футбол в значительной степени совпадают. На мой взгляд, он значительно изменился за этот год. Стал понимать, что такое клубный футбол действительно высоких достижений, с постоянным

СТРЕССОМ, КОТОРОГО НИКОГДА В СВОЕЙ КАРЬЕРЕ НЕ ИСПЫТЫВАЛ. НИ ОДИН ТРЕНЕР В РОССИИ, ПОЛАГАЮ, НЕ СТАЛКИВАЕТСЯ С ТАКИМ ДАВЛЕНИЕМ, КАК ТРЕНЕР «СПАРТАКА»... СТАРКОВ К ТАКОМУ ДАВЛЕНИЮ АДАПТИРУЕТСЯ И, ДУМАЮ, В СЛЕДУЮЩЕМ СЕЗОНЕ СМОЖЕТ СДЕЛАТЬ КАЧЕСТВЕННУЮ РАБОТУ.

— ТО ЕСТЬ МОЖНО ГОВОРИТЬ СО СТОПРОЦЕНТНОЙ ВЕРОЯТНОСТЬЮ, ЧТО ЛАТВИЙСКИЙ СПЕЦИАЛИСТ ПРОДОЛЖИТ ВОЗГЛАВЛЯТЬ «СПАРТАК»?

— ДА. МЫ ПОДПИСЫВАЛИ С НИМ ДВУХЛЕТНИЙ КОНТРАКТ, КОТОРЫЙ НЕ СОБИРАЕМСЯ РАСТОРГАТЬ. ОН ПОДТВЕРДИЛ, ЧТО ТАЩИТ КОМАНДУ ВВЕРХ.

— ...ЕСЛИ У СТАРКОВА НЕ ПОЛУЧИТСЯ, БУДЕТЕ ИСКАТЬ СПЕЦИАЛИСТА ИМЕННО ТАКОГО (МИРОВОГО) УРОВНЯ?

— У СТАРКОВА ПОЛУЧИТСЯ. ОН УМЕЕТ ГРАМОТНО СТРОИТЬ ТРЕНИРОВОЧНЫЙ ПРОЦЕСС. В ЕГО РАСПОРЯЖЕНИИ СЕГОДНЯ, ПОЖАЛУЙ, САМАЯ УКОМПЛЕКТОВАННАЯ КОМАНДА В РОССИИ.

⚽ ─────────────────────────────────

Таким образом, Федун выдал Старкову публичный кредит доверия и сделал это на тот момент очень своевременно. Многие в команде заметили, что у тренера прибавилось уверенности, он перестал бояться, что его вот-вот снимут. Игроки такую перемену в тренерском настроении улавливают всегда. Потом, в межсезонье, Старков станет прежним, а осень 2005 года стала проблеском в его недолгой спартаковской карьере.

А вот что говорил в том интервью Федун об Аленичеве.

— На весь сезон потеряли Аленичева, на которого очень рассчитывали, считали, что он будет этаким локомотивом команды. Возможно, будь Аленичев здоров, задача попасть в двойку уже была бы решена. Мы заранее просчитали, что процесс возвращения в футбол Титова будет сложным, и думали, что в начальный период Аленичев его «закроет».

— Надеетесь, что Аленичев сможет заиграть как прежде?

— Очень бы хотелось. Аленичев является символом «Спартака» и хотел помочь команде. Мы в свою очередь рассчитывали на его помощь и в солидном по футбольным меркам возрасте положили ему очень высокую зарплату.

— Насколько известно, высшую в команде.

— Да. И подчеркну, что Аленичев — тот футболист, который этих денег заслуживает. Тем не менее это был риск, который пока не оправдался. Надеюсь, оправдается в дальнейшем.

«Риск, который пока не оправдался»,— в этих словах дипломатичного хозяина «Спартака» наблюдались первые симптомы недовольства. Нелюбовь Федуна к ветеранам начинала брать свое. Старков же, напротив, получил полную поддержку. Даже по поводу Рубина: «Да, это просчет. Но когда в команду приходит тренер, не дать ему взять кого-то из знакомых игроков — тоже неправильно. Сам Старков ожидал, что Рубин заиграет на другом уровне. Но стопроцентной удачи в селекции никогда не бывает. В другом клубе он был бы лидером».

✪ ✪ ✪

Нет, никакого особого блеска в игре «Спартака» не было даже осенью. В матче с ЦСКА, например, красно-белые получили удивительный шанс: у армейцев из-за травм и так не было дельного резерва, а тут еще и в первом тайме «сломались» лидеры — Карвалью и Вагнер Лав, вместо которых пришлось выпускать молодых Самодина и Салугина. Но даже с таким «полумертвым» ЦСКА Старков не смог сыграть в комбинационный атакующий футбол. Не создав за весь второй тайм хороших моментов, спартаковцы проиграли.

Очки они тем не менее набирали исправно. В обороне блистал Видич, за которым уже охотилась половина английской премьер-лиги и клубы итальянской серии А. На матче «Шинник»—«Спартак» в Ярославле я с изумлением увидел главного тренера «Астон Виллы» Дэвида О'Лири, который за два дня до матча собственной команды прилетел в морозную Россию, да еще и в провинцию, чтобы понаблюдать за сербским защитником. Впрочем, для клуба из Бирмингема это была слишком крупная рыба — Видич в конце концов достался «Манчестер Юнайтед».

«Спартаку» еще и везло. Была, например, равная и скучная игра с «Торпедо». Когда истек час игры, на кромке поля, готовясь выйти на замену, появился Рубин. И тут метрах в 30 от ворот «Торпедо» назначили штрафной удар.

Позже Максим Калиниченко рассказывал мне:

— Смотрю в один момент на бровку, а там замена готовится. Того, что разминается Рубин, не видел, но прикинул быстренько — с большой долей вероятности, заменят меня. Тот удар с 30 метров наносил уже после этой мысли. То, что забил, — чудо. Просто так Боженька распорядился и мяч направил, куда надо. Позже уточнил — менять действительно меня собирались.

Тот матч закончился со счетом 1:0 в пользу «Спартака». А Калиниченко после этого получил место в стартовом составе и стал одним из героев финишного отрезка сезона, отдав, в частности, «серебряный» голевой пас Титову в матче последнего тура с «Локомотивом». «Потом на этот счет возникали разные философские мысли, — говорил Калиниченко. — О том, например, что гол „Торпедо" породил удачную концовку. Может, не забей я штрафной, замени меня Старков — и на следующий матч в стартовом составе вышел бы Бояринцев. И не отдал бы мне место до последнего тура».

Это и называется «фактор удачи», чрезвычайно важный в спорте. Прав, конечно, великий борец Александр Карелин, как-то сказавший, что шанс в жизни представляется каждому, но не каждый способен им воспользоваться. Но часто бывает и такое, что именно здесь и сейчас удача поворачивается к тебе спиной. К «Спартаку» осенью 2005 года она стояла лицом и широко улыбалась.

Ну кто мог представить, что «Локомотив» с 1 августа по конец октября наберет восемь очков в восьми матчах с разностью мячей 7—11? И что «Спартак», отстававший от «Локо» на 17 (!) очков, за тот же период в 10 матчах разживется 25 очками? Красно-белые, конечно, набирали очки стабильно, но соперники сами толкали девятикратных победителей первенства России в Лигу чемпионов—2006/07.

⚽ ⚽ ⚽

...Надежды болельщиков красно-белых таяли на глазах. Уплывала добытая уже было возможность играть в «серебряном» матче с «Локомотивом» вничью. А значит, и путевка в Лигу чемпионов оказывалась под серьезнейшей угрозой: как выигрывать у «Локо», если из-за перебора карточек матч пропустит штатный снайпер Павлюченко, а другие спартаковские форварды за всю осень не забили ни гола?

Как «Спартак» собирается забивать «Сатурну» с натужной, предсказуемой игрой, было непонятно. Хмурые 0:0 казались неизбежными.

И тут вышел Аленичев.

Волшебное превращение, которое произошло потом, напомнило мне 1991 год. Тем летом уехали за границу сразу три лидера «Спартака» — Шалимов, Шмаров и Кульков. О продолжении борьбы за медали, казалось, не могло быть и речи.

Но из матча в матч во втором тайме на замену принялся выходить 32-летний Федор Федорович Черенков, которому очень кстати наскучило во французском «Ред Старе». И под музыку его передач принялись забивать Радченко с Мостовым, и было завоевано «серебро», которое смотрелось позолоченным, а не забронзовевшим,— тем более что чемпион, ЦСКА, был обыгран оба раза. До сих пор помню метаморфозу домашней игры с одесским «Черноморцем». До перерыва, пока Черенкова не было,— сморщенный, сонный футбол с закономерными 0:1. А как только он вышел — игра, на которую не нарадуешься. И сколько было таких превращений!

Не многим в футболе дано в одиночку менять не результат даже — мелодию игры команды. Таким был Черенков, при котором марш превращался в вальс. И именно так в поединке 29-го тура с «Сатурном» вышел вместо Кавенаги 33-летний Аленичев. Самый титулованный футболист России, о котором год назад в Лондоне его бывший тренер Жозе Моуринью говорил мне: «Это один из самых умных футболистов, которых я встречал в своей тренерской карьере».

Когда вышел Аленичев и из промозглого лужниковского воздуха вдруг материализовался старый, карусельный «Спартак», вспомнились впечатления от зимних сборов в Турции и Испании. Неугомонный Аленичев вел игру всей команды, был ее душой. И возник вопрос, на который уже не ответишь: как бы играл «Спартак», если бы после первого же тура автор голов в финалах Лиги чемпионов и Кубка УЕФА не выбыл почти на весь сезон?

А еще стало ясно, кого не хватало весь год Егору Титову, чтобы не вспышками, а постоянно быть самим собой.

Дело не только в том, что именно после атаки, начатой проходом и пасом Аленичева, Титов забил спустя 231 день голевой засухи. А в том, что Аленичев, Титов и Калиниченко тут же заговорили на, думалось, уже забытом и уж явно не поощряемом Старковым языке паса, и смотрелся этот разговор завораживающе. Двух полузащитников для такой беседы маловато. Трое — в самый раз. Тем более что включился в него и Павлюченко, отдавший Титову выдающийся пас. Пас, которого никто не ждал.

«Спартак» при Старкове стал другим. Осенью не только появился результат, но начала вырисовываться основательность, позволявшая выигрывать тяжелые, равные схватки. Но было символично и красиво, что одну из ключевых побед в сезоне команде принесла ее традиция, воскресшая, когда это особенно потребовалось. Для болельщиков, помнящих родство, это счастье. Такое же счастье, как выходы на замену в 1991-м уже не юного и не легконогого, но все столь же гениального Федора Черенкова.

⚽ ⚽ ⚽

И вот кульминация в эпилоге — Борис Акунин с Дэном Брауном могут позавидовать. «Код Старкова», который останется в «Спартаке» при любом исходе? Или все же Эштрекова, чья судьба висит на волоске?

Перед матчем мне вспомнилась традиционная предсезонная анкета «Спорт-экспресса» среди капитанов команд премьер-лиги. Претендентом на «золото» в этой анкете «Спартак» был назван... однажды. В 11 раз меньше, чем его соперник в финишном триллере — «Локомотив»! Причем сделал это капитан как раз самого «Спартака» Аленичев, назвавший свою команду претендентом на титул наравне с еще шестью (!) клубами. Некоторую веру в перспективы красно-белых выказали еще армеец Гусев и зенитовец Радимов, включившие «Спартак» в число кандидатов на место в тройке. И все!

Но борьбу за «серебро» все же выиграл «Спартак». Титов вывел «Спартак» в квалификацию Лиги чемпионов после навеса Калиниченко. В том, что именно они оказались соавторами этого гола, болельщикам «Спартака» виделся очень приятный символ — неутраченной, несмотря на все передряги последних лет, клубной традиции.

А что же Старков? Несмотря на все, что произошло потом, несмотря на неспартаковскую «начинку» его футбола как такового, роль этого тренера в «серебре» «Спартака» отрицать нельзя. В конце концов, прыгнуть выше головы латвийский тренер не мог, но своего максимума добился. Статистика утверждает: из 20 последних чемпионов России и СССР ни один (!) в предыдущем сезоне не занимал места ниже пятого. Причем чем выше он был в таблице, тем больше шансов имел на следующий год взять «золото». Начиная с 1986 года чемпионом восемь раз становился клуб—победитель предыдущего первенства, шесть раз — серебряный призер, трижды — бронзовый, дважды — команда, занявшая четвертое место, и однажды — пятое. «Спартак» предыдущие два сезона был десятым и восьмым.

Публикацию в «Спорт-экспрессе» после «серебряного» матча, предварительно адресовав тренеру ряд логичных комплиментов, я закончил так: «А способен ли тренер Александр Старков вернуть „Спартаку" чемпионский титул — это уже совсем другая история. Которая будет сочиняться на наших глазах в следующем году».

Уже весной 2006-го станет ясно, что, увы, Старков на это не способен. Но годом ранее он сделал все, что мог. И удостоился после окончания сезона более чем уважительного отзыва от великого артиста Олега Табакова. В контексте моего дальнейшего повествования цитату эту я мог бы опустить, но, на мой взгляд, такой ход был бы со стороны автора книги шулерским. Из песни слова не выкинешь, тем более если это слово принадлежит человеку с таким авторитетом в стране.

⚽ ─────────────────────────────

— На «серебряный» матч пришли по собственной инициативе или по приглашению Старкова, Олег Павлович? — спрашиваю Табакова, набрав его номер вечером после игры «Спартак»—«Локомотив».
— Частично — по собственной, частично — по его приглашению. Мы ведь знакомы со Старковым

ЕЩЕ С ПРОШЛОГО ГОДА. ЭТО ЧЕЛОВЕК НЕ ПОВЕРХНО-
СТНЫЙ И НЕ ЛЕГКОМЫСЛЕННЫЙ. ПОМНЮ, ПРИ ПЕР-
ВОЙ ВСТРЕЧЕ ОН ПРЕДПОЧИТАЛ НЕ ГОВОРИТЬ, А СЛУ-
ШАТЬ И ЗАДАВАТЬ ИНТЕРЕСУЮЩИЕ ЕГО ВОПРОСЫ. ТАК
ПОСТУПАЮТ ЛЮДИ, КОТОРЫМ ЕСТЬ ЧТО СКАЗАТЬ. СУ-
ЩЕСТВУЮТ ТРЕНЕРЫ, КОТОРЫЕ ВСЕ ВРЕМЯ БЕГУТ РЯ-
ДОМ СО СПОРТСМЕНОМ И КРИЧАТ ЕМУ В УХО: «БЫСТ-
РЕЕ! БЫСТРЕЕ!» СТАРКОВ ТАКИХ ГЛУПОСТЕЙ НЕ ДЕЛАЕТ.
ОН ИДЕТ СВОИМ ХОДОМ, И У НЕГО НЕ СБИВАЕТСЯ ДЫ-
ХАНИЕ. СКОЛЬКО РАЗ СТАРКОВА ОТПРАВЛЯЛИ В ОТ-
СТАВКУ! ОН ВСЕ ВЫДЕРЖАЛ. И ПРИ ЭТОМ УМУДРЯЛСЯ
ВСЯКИЙ РАЗ НЕ ПРОСТО ОТВОДИТЬ ДОМЫСЛЫ И КРИ-
ТИКУ, А ДЕЛАТЬ ЭТО ИНТЕЛЛИГЕНТНО.

— КАК ВАМ РАБОТА СТАРКОВА В СЕЗОНЕ-2005?

— ХОРОШАЯ. СКАЖУ БОЛЬШЕ. СТАРКОВ ПРОВЕЛ ВСЮ
ПОДГОТОВИТЕЛЬНУЮ РАБОТУ ПО СОЗДАНИЮ КОМАН-
ДЫ. ЕЕ СЛОЖНОСТЬ ОСОЗНАЮ ПОТОМУ, ЧТО САМ ДЕ-
ЛАЛ ПОДОБНОЕ ВО МХАТе. НУЖНО НЕМАЛО ВРЕМЕНИ,
ЧТОБЫ ОПРЕДЕЛИТЬ, КТО МОЖЕТ, А КТО НЕТ, КТО СОВ-
МЕСТИМ ДРУГ С ДРУГОМ. И ТОЛЬКО ПОТОМ АКТЕРЫ НА-
ЧИНАЮТ **ИГРАТЬ**. СТАРКОВ УСПЕЛ СДЕЛАТЬ ТО, ЧТО
МОГ ЗА ЭТО ВРЕМЯ.

— ТО, ЧТО «СПАРТАК» В ЭТОМ ГОДУ НЕ ОБЫГРЫВАЛ ЛИДЕ-
РОВ, ВАС НЕ СМУЩАЕТ?

— НЕТ. ЗАТО БЫЛИ ВЫИГРАНЫ ПОЧТИ ВСЕ МАТЧИ У КО-
МАНД ВРОДЕ «РОСТОВА» И «ТОМИ», КОТОРЫЕ РУБИ-
ЛИСЬ СО «СПАРТАКОМ» НАСМЕРТЬ. ЭТО И ЕСТЬ КЛАСС.
НЕ ХВАТАЕТ ПОКА ВНУТРЕННЕЙ СВОБОДЫ, КОТОРАЯ
ПРИДЕТ КАК РАЗ С ЭТИМ ВТОРЫМ МЕСТОМ. ПОТОМУ

ЧТО ОНА, ЭТА СВОБОДА, ПОЯВЛЯЕТСЯ ОТ УСПЕХА, НЕ БЫВАЕТ КАТАЛИЗАТОРА ЛУЧШЕ. ЕСТЬ ИЗВЕСТНАЯ АНГЛИЙСКАЯ ФРАЗА: «I DID IT!» — «Я СДЕЛАЛ ЭТО!» КАЖДЫЙ СПАРТАКОВЕЦ ТЕПЕРЬ СМОЖЕТ СКАЗАТЬ ЕЕ СЕБЕ И ПОЧУВСТВОВАТЬ СЕБЯ УВЕРЕННЕЕ. И ДЛЯ ТОГО ЖЕ ЕГОРА ТИТОВА, ЗА КОТОРОГО Я ОЧЕНЬ РАД, ЭТОТ РЕШАЮЩИЙ ГОЛ, НЕ СОМНЕВАЮСЬ, ОКАЖЕТСЯ ОЧЕНЬ ВАЖЕН. ИГРОК ПОСТЕПЕННО РАСПРЯМЛЯЕТСЯ, СТАНОВИТСЯ ПРЕЖНИМ ЦИРКУЛЕМ.

⚽ ─────────────────────────────

Вашими бы устами да мед пить, Олег Павлович! Увы, никакая внутренняя свобода в 2006 году к «Спартаку» не пришла. Ушла даже та ее небольшая доля, которая была в конце 2005-го. И, на мой взгляд, Александр Петрович Старков был к этому причастен еще больше, чем к серебряным медалям.

Почему? Об этом и пойдет речь ниже.

⚽ ⚽ ⚽

6 апреля 2006 года на базе «Спартака» в Тарасовке должно было состояться командное фотографирование, и в ожидании его футболисты и тренеры коротали время в столовой. В какой-то момент игроки заметили, что между главным тренером Александром Старковым и капитаном Дмитрием Аленичевым идет долгий и, судя по выражениям лиц, неприятный разговор. Его кульминацией стала фраза Аленичева, произнесенная достаточно громко, чтобы ее слышал не только Стар-

ков: «Не удивляйтесь, если через пару дней в одной популярной газете появится интервью, где будет все то, о чем я вам только что говорил».

В ответ Старков предложил Аленичеву не торопиться и подумать о последствиях. В этот момент команду позвали фотографироваться. Тренер успел бросить фразу: «Дима, мы обязательно продолжим беседу».

Продолжения не последовало. Сразу же после съемки Аленичев сел в машину и уехал домой. А через два дня, 8 апреля, взорвалась информационная бомба, равных которой по силе не было в нашем спорте давно. Капитан красно-белых, не сыгравший за весь чемпионат-2006 ни минуты, дал интервью СЭ под исчерпывающим заголовком: «Старков — тупик для „Спартака"». Последнее столь открытое выступление спортсмена против тренера своей команды случилось, если не ошибаюсь, в 1989 году в журнале «Огонек», когда «истцом» был хоккеист ЦСКА Игорь Ларионов, а «ответчиком» — Виктор Тихонов. И тогда, и сейчас откровения знаменитых игроков всколыхнули всю страну...

9 апреля, на следующий день после интервью, «Спартак» играл с «Локомотивом». Весь матч трибуны неистовствовали: «Дмитрий Аленичев!», а Старкову посвятили плакат: «Билет в Ригу за наш счет». Тренер еще не знал, что ему еще придется пережить кое-что похлеще, на фоне чего транспаранты «Аленичев — наш капитан» будут казаться образцом невинности. Что на матче с «Москвой», который станет для Старкова последним, дойдет до текста: «Меняем шпроту на капитана». Име-

лось в виду, если кто не понял, рижское «происхождение» консервов из шпрот...

А в матче с «Локомотивом» один из лучших друзей опального капитана Егор Титов забил победный мяч, подбежал к трибуне, сорвал капитанскую повязку и красноречиво помахал ею кому-то невидимому. Ни Титов, ни другие спартаковцы после забитых голов к Старкову не подбегали. Красно-белые выиграли — 2:1.

После победных матчей в спартаковской раздевалке всегда происходит один и тот же ритуал. Команда собирается в круг, вратарь Войцех Ковалевски восклицает: «Спартак!» Партнеры дружно рычат: «Хей!». Потом — еще раз. И в третий, когда футболисты кричат: «Хей!» трижды подряд.

В тот день привычное действо было отменено. В раздевалке, несмотря на важную победу, царила гнетущая тишина. А Титов, по сведениям из очень надежных источников, посылал Аленичеву сообщение по SMS: «Этот гол я посвящаю тебе».

Факт этого сообщения Титов сейчас публично подтверждать не хочет: все последующие события заставляют и его, и партнеров быть предельно осторожными. Но слишком близкие к Аленичеву и Титову люди рассказали мне об этом SMS, чтобы можно было им не поверить. Красноречива и первая публичная реакция Титова: «Когда из „Спартака" убрали Тихонова, у меня было ощущение, что мне отрубают руку. Когда убрали Аленичева — что отрубают ногу». Не так образно, но вполне ясно выразился и Ковалевски: «Мы потеряли лидера». Нет сомнений, что игроки были бы намного более красноречивы, если бы в клубе им под угрозой штрафов не запретили комментировать конфликт в прессе.

Впрочем, команда на тот момент находилась в неведении, что будет с Аленичевым дальше. Непонятное, странное молчание клуба продолжалось шесть дней! И лишь потом на официальном сайте «Спартака» появилось пафосное сообщение: «Личные обиды и амбиции оказались для Аленичева выше командных интересов. Мы не знаем, что и кто стоит за его демаршем, но своим публичным выступлением Аленичев грубейшим образом нарушил профессиональную этику и нанес ущерб ФК „Спартак", его славному имени, пролил бальзам на душу его недоброжелателей». Чтобы уловить в этом крикливом пассаже неискренность и фальшь, не нужно быть инженером человеческих душ. Выходит, бездарно играть и быть на десятом месте в таблице — это не означает наносить ущерб ФК «Спартак». А открыто об этом говорить — означает...

В «сухом остатке» всего этого низкопробного красноречия было то, что капитана отстранили от работы с основным составом, оштрафовали (как мне удалось выяснить, на месячную зарплату, которая, по имеющейся информации, составляет около 100 тысяч долларов) и выставили на трансфер. Официальное извещение о штрафе капитану прислали в конце апреля, и он его подписал.

✿ ✿ ✿

Что же сказал Аленичев в своем нашумевшем интервью? Хлестких фраз было столько, что цитировать беседу нужно почти полностью. Кстати, на первой полосе «Спорт-экспресса» к началу беседы прилагалась такая фотография капитана «Спартака», сделанная в стенах редакции, что ни у одного человека, ее видевшего, не могло возникнуть сомнений в искренности Аленичева. Такую боль невозможно подделать...

— Неделю назад я прочитал в «Спорт-экспрессе» интервью нашего уважаемого владельца господина Федуна... В этом интервью есть абзац про возрастных футболистов, которые приехали в чемпионат России исключительно ради денег и, будучи в предпенсионном состоянии, отбывают здесь номер. После этого мне стали звонить. В первую очередь родители, принявшие сказанное на мой счет... Ни в коем случае не критикую главу нашего клуба и не хочу бросать камень в его огород. Вполне допускаю, что Федун имел в виду иностранцев, которые в конце карьеры едут в Россию заработать денег. Но многие все равно подумали, что он имел в виду меня. Вот для этих людей и для всех болельщиков хотел бы разъяснить ситуацию: я вернулся в «Спартак» не ради денег, потому что и без того хорошо зарабатывал — и в Италии, и в Португалии. Приехал я в

РОДНОЙ КЛУБ, ЧТОБЫ ОН НЕ БОЛТАЛСЯ НА ВОСЬМЫХ-
ДЕСЯТЫХ МЕСТАХ, А ВНОВЬ СТАЛ ЧЕМПИОНОМ, КАКО-
ВЫМ БЫЛ ДО МОЕГО ОТЪЕЗДА ЗА ГРАНИЦУ… ПОЭТОМУ
ВСЕ РАЗГОВОРЫ О БЕЗРАЗЛИЧИИ НИКАКОГО ОТНОШЕ-
НИЯ КО МНЕ НЕ ИМЕЮТ […]

— ХОЧУ, ЧТОБЫ ВСЕ ЗНАЛИ: АЛЕКСАНДР СТАРКОВ — ЧЕЛО-
ВЕК, НЕ ОТВЕЧАЮЩИЙ ЗА СВОИ СЛОВА И ПОСТУПКИ.
ВО МНОГИХ СЛУЧАЯХ ОН, ПО СУТИ, ПУДРИТ МОЗГИ.
В ИНТЕРВЬЮ ОН НЕ РАЗ ГОВОРИЛ: МОЛ, АЛЕНИЧЕВУ
ПРОТИВОПОКАЗАНА СИНТЕТИКА. ЭТО ЛОЖЬ. КОГДА МЫ
ИГРАЕМ НА СИНТЕТИЧЕСКОМ НА ПОЛЕ, Я НЕ ВЫХОЖУ НА
ПОЛЕ. КОГДА ВЫСТУПАЕМ НА ЕСТЕСТВЕННОМ ПОКРЫ-
ТИИ, СНОВА ОСТАЮСЬ В ЗАПАСЕ. ВЕРСИЮ О ВРАЧЕБ-
НЫХ ПРОТИВОПОКАЗАНИЯХ СТАРКОВ ВЫДУМАЛ, ЧТОБЫ
ЖУРНАЛИСТЫ И БОЛЕЛЬЩИКИ НЕ ПРИСТАВАЛИ К НЕМУ
С ВОПРОСОМ: «ПОЧЕМУ НЕ ИГРАЕТ АЛЕНИЧЕВ?» […]

— ЗНАЮ, ЧТО СТАРКОВ НАШЕПТЫВАЕТ ФЕДУНУ ОБО МНЕ
ПРИБЛИЗИТЕЛЬНО СЛЕДУЮЩЕЕ: «АЛЕНИЧЕВ — ВЕТЕ-
РАН, ПЕНСИОНЕР, НА ТРЕНИРОВКАХ ОТБЫВАЮЩИЙ
НОМЕР. ОН БОЛЬШЕ НЕ МОЖЕТ ПРИНЕСТИ НИКАКОЙ
ПОЛЬЗЫ «СПАРТАКУ», ВОТ ПОЭТОМУ ОН, ЛЕОНИД АР-
НОЛЬДОВИЧ, У МЕНЯ И НЕ ИГРАЕТ […]

— ЕСЛИ ОН (СТАРКОВ) СЧИТАЕТ, ЧТО ТАКОЙ ФУТБОЛИСТ ДЛЯ
НЕГО УМЕР, ПУСТЬ СКАЖЕТ ОБ ЭТОМ ПРЯМО. ИЛИ СКА-
ЖЕТ, ЧТО Я НЕ ВПИСЫВАЮСЬ В ЕГО ТАКТИЧЕСКИЕ СХЕМЫ.
Я ВСЕ ПОНЯЛ БЫ, И НА ДУШЕ СТАЛО БЫ ЛЕГЧЕ […]

— ИДЕМ НА ДЕВЯТОМ МЕСТЕ, А МОГЛО БЫТЬ И ХУЖЕ.
В ИГРЕ С «ЛУЧОМ» МЫ, ЧТО НАЗЫВАЕТСЯ, «ОТСКОЧИ-
ЛИ» НА ПОСЛЕДНИХ СЕКУНДАХ. В МАТЧЕ СО «СПАРТА-

ком» из Нальчика — на последних минутах. Во встрече с ЦСКА — лишь получив большинство. Да и по игре мы не превзошли ни одного из соперников. Ладно — армейцы, но ведь до них нам противостояли два дебютанта премьер-лиги. Тем не менее тренер Старков не может их победить, но ни в одном интервью не признает свою вину. Он ссылается на проблемы в обороне, на травмы и судейство. «Спартак» уже заплатил 100 тысяч рублей за протесты. А я бы эти деньги лучше перечислил в детский дом. Все слышали, как в конце матча с «Лучом» стадион скандировал: «Позор!» Трибуны адресовали это вовсе не судьям, а нам — игрокам и тренерам. Но Старкову не хватило смелости и мужества — и он все списал на травмы и судей. Да этим он просто унижает «Спартак»! [...]

— Мне за нее (игру «Спартака».— Прим. И. Р.) стыдно. Для великой команды такая игра — позор. Правда, не знаю, понимает ли это Старков... Я полон сил и желания помочь команде, но, увы, главный тренер не дает мне шанса. Он — единственный в нашем коллективе человек, который мне не доверяет. Почему-то партнеры второй год подряд выбирают меня капитаном. А для Старкова я как футболист не существую [...]

— Почему Старков радовался в прошлом году второму месту так, будто выиграл чемпионат? Потому что когда-нибудь, работая в командах иного уровня, с эйфорией будет вспоминать, как занял второе место со «Спартаком». Но для «Спартака»-то с его богатейшими традициями это — ничто! [...]

— Старков заявляет, что хочет создать сильную команду европейского уровня. Только вот он не понимает, что его квалификация претендовать на такое не позволяет. О чем рассуждать, если, набрав в трех играх три очка, он говорит, что ничего страшного не происходит и что «Спартак» на правильном пути... По-моему, это должны понимать руководители клуба и, пока не поздно, принимать меры [...]

— Старков мечтает, чтобы Титова и Аленичева не было в команде вообще. Мы не принадлежим к тому типу игроков, который ему нужен. Если Егор не будет выходить на поле, болельщики отреагируют так, что мало не покажется. Вы видели, какие баннеры вывешивали в прошлом году, когда Титов оставался на лавке? Думаю, Старков все прекрасно видел и выводы для себя сделал [...]

— Он действительно часто общается с Егором и со мной. Но я уже понял, что в глаза Старков говорит одно, а начальству за спиной — совсем другое. Мне он постоянно заявляет, что все я делаю правильно, что моей работой на тренировках он полностью доволен, а Федуну говорит, что Аленичев — пенсионер. Но самое главное даже не это. Я ведь прошел школу Романцева, который учил прежде всего думать на поле. Старков же все

ВРЕМЯ ПРИЗЫВАЕТ БОЛЬШЕ БЕГАТЬ, ВЫШЕ ПРЫГАТЬ, ИНТЕНСИВНЕЕ БОРОТЬСЯ — И НИ СЛОВА О МЫСЛИ! НЕУДИВИТЕЛЬНО, ЧТО РЕБЯТА ЧАСТО ПРИХОДЯТ КО МНЕ ЗА ИГРОВЫМ СОВЕТОМ. ОНИ ПОНИМАЮТ: ТРЕНЕР НИЧЕГО ИМ ТОЛКОМ НЕ ОБЪЯСНИТ [...]

— Я СКАЗАЛ ТО, ЧТО ДУМАЮ (НА КЛУБНОМ БАНКЕТЕ ПО ИТОГАМ ПРОШЛОГО СЕЗОНА О ТОМ, ЧТО ВТОРОЕ МЕСТО ДЛЯ «СПАРТАКА» — ЭТО ПОРАЖЕНИЕ), И СЧИТАЮ, ЧТО ПОСТУПИЛ АБСОЛЮТНО ПРАВИЛЬНО. БОЛЕЕ ТОГО, УВЕРЕН, ТОЛЬКО ТАКОЙ ДОЛЖНА БЫТЬ И ПСИХОЛОГИЯ ГЛАВНОГО ТРЕНЕРА. СТАРКОВ ЖЕ ДО СИХ ПОР НАХОДИТСЯ В ЭЙФОРИИ ПОСЛЕ ПРОШЛОГОДНИХ МЕДАЛЕЙ [...]

— ПО ИТОГАМ СЕЗОНА РУКОВОДИТЕЛИ КЛУБА ВЫДЕЛИЛИ ТРИ МАШИНЫ ДЛЯ ЛУЧШИХ ИГРОКОВ — КОВАЛЕВСКИ, ВИДИЧА И ПАВЛЮЧЕНКО. ТАК ВОТ, Я ДУМАЮ, ЧТО ГЛАВНЫЙ ТРЕНЕР ВПОЛНЕ МОГ ИЗ СОБСТВЕННОГО КАРМАНА ПРИОБРЕСТИ АВТОМОБИЛИ ЕЩЕ И ДЛЯ КАЛИНИЧЕНКО С ТИТОВЫМ. ИМЕННО ОНИ ОБЕСПЕЧИЛИ ТЕ СЕМЬ ФИНИШНЫХ ОЧКОВ, КОТОРЫЕ ПРИВЕЛИ НАС НА ПЬЕДЕСТАЛ... ЧЕМ, СОБСТВЕННО, И ПРОДЛИЛИ СРОК ПРЕБЫВАНИЯ СТАРКОВА В «СПАРТАКЕ». НАДОЛГО ЛИ? ВОПРОС НЕ КО МНЕ. МОГУ ЛИШЬ ВЫСКАЗАТЬ СВОЕ МНЕНИЕ: ЧЕМ КОРОЧЕ ЭТОТ СРОК ОКАЖЕТСЯ, ТЕМ ЛУЧШЕ БУДЕТ ДЛЯ КОМАНДЫ. ДА И ДЛЯ САМОГО СТАРКОВА... СТАРКОВУ Я ЭТО УЖЕ ВЫСКАЗАЛ В ЛИЦО. И ПРЕДУПРЕДИЛ О ВОЗМОЖНОСТИ ПОЯВЛЕНИЯ ЭТОГО ИНТЕРВЬЮ В «СПОРТ-ЭКСПРЕССЕ» [...]

— СЧИТАЮ, ВСЕГДА ЛУЧШЕ ГОВОРИТЬ ПРАВДУ. Я И ФЕДУНУ ДАВНО ХОТЕЛ ВЫСКАЗАТЬ ВСЕ, ЧТО НАБОЛЕЛО, НО

ТАКОЙ ВОЗМОЖНОСТИ У МЕНЯ, К СОЖАЛЕНИЮ, НЕТ, А ТЕРПЕТЬ ДАЛЬШЕ НЕВОЗМОЖНО. ЭТО НЕ УПРЕК РУКОВОДИТЕЛЮ КЛУБА — ЗНАЮ, НАСКОЛЬКО ОН ЗАНЯТ. ТЕМ НЕ МЕНЕЕ ЗНАТЬ МНЕНИЕ ИГРОКОВ ЕМУ ТОЖЕ НЕОБХОДИМО. СТОИЛО БЫ НАЙТИ МИНУТ 15, ЧТОБЫ ПОБЕСЕДОВАТЬ ХОТЯ БЫ С КАПИТАНОМ КОМАНДЫ. МОЖЕТ БЫТЬ, ФЕДУН СЧИТАЕТ ЭТО ЛИШНИМ — ЧТО Ж, ЭТО ЕГО ПРАВО, НО, НА МОЙ ВЗГЛЯД, НА ПОЛЬЗУ ДЕЛУ ЭТО НЕ ИДЕТ. И В ИТАЛИИ, И В ПОРТУГАЛИИ ПЕРВЫЕ ЛИЦА КЛУБОВ С ИГРОКАМИ КОНТАКТИРУЮТ ПОСТОЯННО […]

— Я ВЫБЫЛ ИЗ СОСТАВА ПОСЛЕ ПРОШЛОГОДНЕЙ ТРАВМЫ, НО ДАВНО УЖЕ О НЕЙ ЗАБЫЛ. ПРИ ЭТОМ СТАРКОВ ВСЕ ВРЕМЯ ГОВОРИЛ МНЕ: НЕ СПЕШИ ВОССТАНАВЛИВАТЬСЯ, ЛЕЧИСЬ КАК СЛЕДУЕТ, ПОДОЛЬШЕ. РАЗВЕ ЭТО НОРМАЛЬНО В ОБЩЕНИИ С ИГРОКОМ, НА КОТОРОГО ОЧЕНЬ РАССЧИТЫВАЕШЬ?! ДОВОЛЬНО СКОРО МНЕ ВСЕ СТАЛО ПОНЯТНО, ТЕМ БОЛЕЕ ЧТО ЧЕРЕЗ ВСЕ ЭТО НА МОИХ ГЛАЗАХ ПРОШЕЛ ПАРФЕНОВ. СОВЕРШЕННО ОЧЕВИДНО, ЧТО ТРЕНЕР МЕНЯ В СВОИХ ПЛАНАХ УЖЕ НЕ ВИДИТ, НО ПРЯМО ОБ ЭТОМ НЕ ГОВОРИТ […]

— КАК ПРИКАЖЕТЕ ПОСТУПИТЬ, ЕСЛИ ДЕЛА ВСЕ ХУЖЕ, А РУКОВОДСТВО НЕ РЕАГИРУЕТ? МНЕ ЖАЛКО НАШИХ БОЛЕЛЬЩИКОВ, КОТОРЫЕ ПЛАТЯТ БОЛЬШИЕ ДЕНЬГИ И ИДУТ СО СТАДИОНА, СЛОВНО С ПОХОРОН. СЧИТАЮ, ЧТО ИМЕЮ ПРАВО В ТАКОЙ СИТУАЦИИ ВЫСКАЗАТЬ СВОЕ МНЕНИЕ. КАК ОТРЕАГИРУЕТ НА МОИ СЛОВА РУКОВОДСТВО КЛУБА, НЕ ЗНАЮ. НО ГОТОВ К ЛЮБЫМ ПОСЛЕДСТВИЯМ. СКАЖУТ: СОБИРАЙ, МОЛ, СУМКУ, И ИДИ ТРЕНИРОВАТЬСЯ С ДУБЛЕМ — ПОЙДУ, ТАК КАК НЕ СЧИТАЮ ЭТО

ЗАЗОРНЫМ. ТЕМ БОЛЕЕ ЧТО ТРЕНЕРЫ НАШЕГО ДУБЛЯ СЕРГЕЙ РОДИОНОВ И МИРОСЛАВ РОМАЩЕНКО, НА МОЙ ВЗГЛЯД, КВАЛИФИЦИРОВАННЕЕ СТАРКОВА. СКАЖУТ: ПРОДОЛЖАЙ РАБОТАТЬ СО СТАРКОВЫМ — БУДУ РАБОТАТЬ, НО РУКИ ЕМУ НЕ ПОДАМ. ЧЕЛОВЕК, КОТОРЫЙ В ЛИЦО ГОВОРИТ ОДНО, А ЗА СПИНОЙ ДРУГОЕ, ДЛЯ МЕНЯ ПЕРЕСТАЕТ СУЩЕСТВОВАТЬ. ОСТАЮТСЯ ТОЛЬКО РАБОЧИЕ ОТНОШЕНИЯ […]

— ЕСЛИ СЕГОДНЯ ПРОВЕСТИ ТАЙНОЕ АНКЕТИРОВАНИЕ, ТО ПОДАВЛЯЮЩЕЕ БОЛЬШИНСТВО ИГРОКОВ СОГЛАСЯТСЯ С ТЕМ, ЧТО ПРИ СТАРКОВЕ «СПАРТАК» НИЧЕГО СЕРЬЕЗНОГО НЕ ВЫИГРАЕТ. ЕЩЕ И ПОЭТОМУ ТРЕНЕР ДОЛЖЕН УЙТИ: ЕСЛИ ОН НЕ ПОЛЬЗУЕТСЯ В КОМАНДЕ АВТОРИТЕТОМ, НИЧЕГО ДОБИТЬСЯ ЕМУ В ИТОГЕ НЕ УДАСТСЯ […]

— УБЕЖДЕН, [ИНТЕРВЬЮ] ПОЙДЕТ ЛИШЬ НА ПОЛЬЗУ. ПРИЧЕМ ВСЕМ: ТРЕНЕРАМ, ИГРОКАМ, РУКОВОДСТВУ, БОЛЕЛЬЩИКАМ. Я И СТАРКОВУ ВЧЕРА ОБ ЭТОМ СКАЗАЛ. САМ ЖЕ, ПОВТОРЮСЬ, ГОТОВ КО ВСЕМУ: К ШТРАФУ, ПЕРЕВОДУ В ДУБЛЬ, РАЗРЫВУ КОНТРАКТА […]

— ЧТОБЫ ПОНЯТЬ ИСТИННЫЙ УРОВЕНЬ ИГРОКА, МНЕ ДОСТАТОЧНО ДВУХ-ТРЕХ ТРЕНИРОВОК. А СОСТАВИТЬ МНЕНИЕ О КВАЛИФИКАЦИИ ТРЕНЕРА МОЖНО ЗА ПОЛГОДА СОВМЕСТНОЙ РАБОТЫ. К ТОМУ ЖЕ МНЕ ЕСТЬ С ЧЕМ СРАВНИВАТЬ […]

— У «СПАРТАКА» НЕТ ИГРЫ, И ЭТО САМОЕ ПЕЧАЛЬНОЕ. НА ПОЛЕ ЦАРИТ ХАОС… ЗА СЧЕТ ЧЕГО МЫ ХОТИМ ОБЫГРАТЬ ТОТ ЖЕ «ЛУЧ»? ЗАБИВАЕМ ГОЛЫ В ОСНОВНОМ СО «СТАНДАРТОВ». ВОТ ЭТО ДЕЙСТВИТЕЛЬНО НАШ КО-

ЗЫРЬ. ВОПРОСОВ НЕТ. КАЖДУЮ ТРЕНИРОВКУ НАД ЭТИМ РАБОТАЕМ [...]

— ЧАСТЬ СТАРЫХ БОЛЕЛЬЩИКОВ «СПАРТАКА» ПЕРЕСТАЛА ХОДИТЬ НА НАШИ МАТЧИ. ПОТОМУ ЧТО НЕ ВИДИТ ПЕРСПЕКТИВ. ВСЕМ ДАВНО ИЗВЕСТНО, КАК БУДЕТ ИГРАТЬ «СПАРТАК». В ОБЩЕМ, СТАРКОВ — ТУПИК ДЛЯ «СПАРТАКА» [...]

— С НИМ [СТАРКОВЫМ] У «СПАРТАКА» НЕТ НИКАКОГО БУДУЩЕГО. Я ЗА СВОИ СЛОВА ОТВЕЧАЮ. ЕЩЕ В ПРОШЛОМ СЕЗОНЕ ЭТО БЫЛО ВИДНО. ЧЕМ МЫ ТОГДА БЫЛИ ЛУЧШЕ «РУБИНА», «ЗЕНИТА» ИЛИ «МОСКВЫ», КОТОРОЙ ДВАЖДЫ ПРОИГРАЛИ? КСТАТИ, В ПЕРВОМ ТУРЕ ЧЕМПИОНАТА-2005 Я НЕ ЗАБИЛ ПЕНАЛЬТИ, СЫГРАЛ ОТВРАТИТЕЛЬНО, И МЫ УСТУПИЛИ 0:2. ТЕМ НЕ МЕНЕЕ Я НАШЕЛ В СЕБЕ СИЛЫ ВЫЙТИ ПОСЛЕ ФИНАЛЬНОГО СВИСТКА В СМЕШАННУЮ ЗОНУ И СКАЗАТЬ ЖУРНАЛИСТАМ: «РЕБЯТА, Я ВИНОВАТ». А АЛЕКСАНДР ПЕТРОВИЧ, КОГДА НЕ ОБЫГРЫВАЕТ ДЕБЮТАНТОВ ПРЕМЬЕР-ЛИГИ, СВАЛИВАЕТ ВСЕ НА СУДЕЙ, НЕСЫГРАННОСТЬ ЗАЩИТНИКОВ... ВТОРОЕ МЕСТО В ПРОШЛОМ ЧЕМПИОНАТЕ — СВЕРХУДАЧА! ЭТО ГОВОРИТ ЛИШЬ О ТОМ, ЧТО НАШИ СОПЕРНИКИ НЕСТАБИЛЬНО ВЫСТУПАЛИ. НЕЗАСЛУЖЕННОЕ ВТОРОЕ МЕСТО — ТАК И НАПИШИТЕ [...]

— Я СОБИРАЮСЬ ЗАНЯТЬСЯ ТРЕНЕРСКОЙ ДЕЯТЕЛЬНОСТЬЮ ПОСЛЕ ОКОНЧАНИЯ КАРЬЕРЫ И ГОТОВ К ЛЮБЫМ ЗАЯВЛЕНИЯМ СВОИХ ИГРОКОВ. НО МОГУ ТОЧНО СКАЗАТЬ: НИКОГДА НЕ БУДУ ГОВОРИТЬ САМОМУ ФУТБОЛИСТУ ОДНО, А ЗА ЕГО СПИНОЙ СОВСЕМ ДРУГОЕ. ЛУЧШЕ ПРЯМО СКАЖУ: «СОБИРАЙ ВЕЩИ. ТЫ МНЕ НЕ НУЖЕН!» [...]

— Если бы я не был уверен, что могу принести пользу «Спартаку», сам пришел бы к тренеру и сказал: «Заканчиваю с футболом». В отличие от Старкова, не считаю, что 33 года — критический возраст для игрока. Вон Недвед — мой ровесник, а носится в «Ювентусе» по полю как угорелый. Про Мальдини и Костакурту, которые намного нас старше, и не говорю [...]

— Являются ли нормой подобные интервью? Лучше говорить правду, чем все терпеть [...]

⚽

✿ ✿ ✿

«После такого интервью отставка Старкова была неизбежна», — считает один из самых знаменитых спартаковских ветеранов Геннадий Логофет, и вряд ли теперь найдется человек, который эту мысль оспорит. Несмотря на второе место в чемпионате-2005, Старков не добился в «Спартаке» такого авторитета, который позволил бы убедить руководство клуба и особенно болельщиков, что единственная причина столь резкого выступления Аленичева — обида за хроническое непопадание в стартовый состав. В конце концов, не болельщики, а игроки два года подряд выбирали Аленичева капитаном команды. Последний раз они сделали это на февральском сборе «Спартака» в Испании. И если спустя два месяца капитан дал такое разгромное интервью, это могло означать только одно: между командой и тренером нет не то что нормального — вообще никакого контакта. Потому что

Аленичев — это не отдельно взятый футболист, а человек, которому доверяет весь коллектив.

Сам латвийский тренер, правда, вначале не понял, что обречен. По окончании пресс-конференции после матча с «Локомотивом» он заявил, что Аленичев воткнул ему «нож в спину», обвинил капитана во лжи и подлости. Правда, конкретизировать свои декларации Александр Петрович не захотел, фактов обмана не привел. И на тему интервью Аленичева еще долго публично не высказывался.

Позже нашлись люди, для которых это стало очередным подтверждением интеллигентности и воспитанности Старкова, нежелания этого тренера выносить на общее обозрение грязное белье. На мой же взгляд, это — бесхребетность. Если тебе публично бросили очень серьезные обвинения, в частности в двуличии, ты обязан ответить. Тем более что обвинителем было не какое-то ничтожество, чьих слов можно просто не заметить.

В своих интервью после отставки Старков даст понять, что рассчитывал на гораздо большую поддержку со стороны боссов клуба. Звучало это так: «Последующие две недели (после интервью Аленичева) и замедленная реакция руководства клуба на демарш игрока показали мне, что я остался один против всех, против потока грязи и критики любого рода. На мой взгляд, руководство клуба могло и должно было, если того хотело, занять более жесткую и понятную всем позицию. Создалась столь ненормальная ситуация вокруг команды и тренера, что самым логичным и верным ходом стала отставка».

Под словом «руководство» явно подразумевался конкретный человек — генеральный директор Сергей Шавло. Потому что о Федуне Старков заявил как раз обратное: «Он был первым, кто позвонил мне в тот день, когда интервью было опубликовано, и выразил полную поддержку в мой адрес».

Интересное дело: по итогам истории с капитаном «Спартака» обижены на Шавло оказались и Старков, и сам Аленичев. Первого генеральный директор не поддержал, второго подверг остракизму — причем большему, чем подразумевалось контрактом. Впрочем, о роли Шавло во всем случившемся — роли явно не последней — мы еще поговорим. А пока вспомним, как уходил Старков.

✪ ✪ ✪

23 апреля, то есть через 15 дней после выхода в свет интервью Аленичева, «Спартак» играл в Лужниках с «Москвой». Кстати, именно встреча с этим соперником и на этом стадионе в первом туре чемпионата 2005 года надломила карьеру капитана красно-белых в пору его второго пришествия в «Спартак». В тот мартовский день Аленичев не реализовал пенальти, и команда Старкова проиграла — 0:2. Но хуже всего было то, что футболист получил серьезную травму колена, от которой полностью оправился только в конце сезона...

А сюжет нынешнего матча против «Москвы» получился крайне нетривиальным. Первый тайм был лучшим отрезком «Спартака» в сезоне-2006. Красно-белые выиграли его — 3:0, могли забить и больше. А после перерыва все перевернулось — не в последнюю очередь, правда, из-за судейских ошибок. Сразу после игры рефери Юрий Баскаков просмотрит спорные эпизоды — и сам (!) попросит инспектора матча выставить ему неудовлетворительную оценку. Более того, тем же вечером расстроенный судья позвонил знакомому журналисту «Спорт-экспресса» Владимиру Константинову и через газету попросил передать свои извинения болельщикам «Спартака» за два эпизода, в одном из которых неверно назначил пенальти, а во втором — отменил чистый гол Павлюченко.

Но я все равно убежден: не только и не столько из-за судейских ошибок «Москва» свела вничью безнадежный, казалось, матч. Еще до того, как Баскаков оплошал с пенальти и Кириченко сделал счет 1:3, по штрафной «Спартака» игроки «Москвы» гуляли, как по собственному двору. А после этого пенальти красно-белые и вовсе рассыпались на куски.

Объяснение тому было связано не только с психологией, но и с физиологией. В приватном порядке игроки позже рассказали, что на тренировках накануне матча Старков буквально загонял их прыжковыми упражнениями. Не в последнюю очередь потому футболисты во втором тайме и встали...

А Старков пришел на пресс-конференцию и заявил: «Я готов к непростому решению. После разговоров с руководителями клуба буду готов его озвучить.

Это произойдет в течение трех-четырех дней». Если переводить с родного для Александра Петровича эзопова языка на русский, главный тренер «Спартака» подал в отставку.

Как всегда, он не назвал вещи своими именами и благоразумно оставил себе путь к отступлению. Но когда после беспросветного поражения в Казани (0:2 и никаких шансов) «Спартак» упустил преимущество в три гола против «Москвы», а общественное мнение по-прежнему было яростно настроено против Старкова, все это волей-неволей подталкивало спартаковских боссов к тому, чтобы не мешать тренеру уйти.

Невероятная перемена, которая произошла с его командой после перерыва встречи с «горожанами», на самом деле вполне вписывалась в общий контекст работы Старкова в «Спартаке». У этого тренера, получившего в народе прозвище Какбычегоневышло, никогда не просматривалось чемпионской установки на бескомпромиссность, смелость, стремление атаковать и радовать зрителя все 90 минут. Не просматривалось того, что в Америке называют «инстинктом убийцы». Поведя со счетом 3:0, «Спартак» бросил играть потому, что в перерыве у тренера не нашлось слов — а скорее харизмы,— чтобы этого не допустить. И ссылки на судейство хотя и были верны по факту, но по сути — нелепы. Что подтвердили и слова, произнесенные по горячим следам Титовым: «Упустили победу в первую очередь из-за собственных ошибок. Я это подчеркиваю — из-за собственных, а потом уж судейских.

В 1990-е годы, ведя к перерыву со счетом 3:0, думаю, мы без проблем забили бы пять или семь мячей, раскатав соперника во втором тайме».

Свое неозвученное после матча с «Москвой» решение тренер объяснил «давлением, которое не дает эффективно работать ни мне, ни команде». На мой вопрос-уточнение, чье именно давление — болельщиков или кого-то еще, Старков отвечать отказался: «Смотрите по тексту ранее». Нет, этот, безусловно, воспитанный и дипломатичный человек не мог произнести хоть что-то решительно и прямо.

Утром в день матча с «Москвой» я разговаривал со старым знакомым, болельщиком «Спартака» с 1937 года. «Вот смотрю на „Зенит" и на ЦСКА, — вздыхал мой собеседник, — и вижу, во что играют эти команды, вижу, какой у них стиль, как они хотят добиться успеха. А у родного „Спартака" этого стиля нет. При хороших игроках нет своего футбола».

Да, мы так и не увидели этого футбола и не услышали от Старкова четких формулировок, какие у него взгляды на футбол и каким должен быть его «Спартак». Он почти никогда ни с кем не ругался, говорил всегда ровным и тихим голосом, не шел на откровенность даже не для печати. Кто-то, возможно, назовет такое поведение корректным и выдержанным, но если проецировать его на футбол, то получится оно обезличенным. Отсюда и обезличенность «Спартака», который мог и должен был играть несравнимо ярче, тверже и властнее.

☻ ☻ ☻

Погожим весенним днем 26 апреля Старков поднимался по ступенькам, ведущим к центральному входу в главный офис ЛУКОЙЛа на Чистых прудах. Он шел, страшно сгорбившись, словно под тяжестью непомерного груза. При первом же взгляде на него не оставалось никаких сомнений, какое «непростое решение» спустя три дня после матча «Спартак»—«Москва» пришел оглашать тренер. Тем не менее один дотошный коллега успел подойти к Старкову, прежде чем тот исчез за лукойловскими барьерами.

— Можете сказать, что вы решили?

За какое-то мгновение после этого вполне невинного вопроса Старков, интеллигентный Старков, на глазах изменился в лице. Он тихо, но крайне зло произнес: «Оставьте меня в покое!»

И в 15 часов 47 минут зашел за ограждение, чтобы выйти оттуда уже не главным тренером «Спартака».

Этого выхода ожидали многие. Если в ту минуту, когда Старков подходил к ЛУКОЙЛу, репортеров дежурило не более чем пятеро, то спустя час их было уже более 20. Все в нетерпении переминались на ступеньках до тех пор, пока в 16.52 к нам не подошел безупречно вежливый охранник и сказал дословно следующее: «Со всем уважением... но Старков уже уехал».

Привычные к разного рода уловкам и хитростям, мы не поверили и прождали еще около часа. Дольше заседание совета директоров, посвященное одному-единственному вопросу, продолжаться не могло: слишком занятой для этого человек владелец клуба Леонид Федун.

Но Старков так и не вышел. Он действительно уехал. Если называть вещи своими именами — ушел из «Спартака» через черный ход.

Через черный ход узнали об отставке Старкова и игроки «Спартака». Тренировка началась уже после того, как заседание совета директоров закончилось. Ее проводил помощник Старкова еще по Риге Игорь Клесов, которому тоже предстояло прощание с клубом. Ни он, ни кто-либо другой так официально и не объявил футболистам о том, что у них будет новый тренер (это сделает генеральный директор Шавло лишь на следующий день). Игроки узнавали обо всем уже келейным порядком: где-то услышал один, передал другому, тот — третьему... Странно и скомканно для большого клуба была обставлена смена главного тренера. Смена, о которой еще тремя днями ранее из слов самого Старкова на пресс-конференции, по сути, узнали все.

Если бы неизвестными журналистам тропами тренер не только вышел, но и пришел в здание ЛУКОЙ-Ла — одно дело. Но при входе-то журналисты Старкова видели! И Старков видел журналистов. Возможно, ему подсказали, что их стало намного больше. Возможно, ничего не сказали, а ему хватило и тех, что были. Это, в сущности, не важно.

Важно, что, прощаясь со «Спартаком», тренер не захотел ничего сказать болельщикам команды, в которой проработал 594 дня. С человеческой точки зрения его можно было понять. С профессиональной — вряд ли.

Пройдет неделя — и в каждой крупной газете все-таки появятся интервью Старкова, но из них толком ничего нельзя будет уяснить. Кроме явно читавшейся обиды на Шавло (не названного по фамилии) и разочарования в Кавенаги. Остальное, выражаясь на журналистском жаргоне,— вода.

Малодушный уход тайной тропой стал, полагаю, логическим завершением всей спартаковской деятельности Старкова. Тренера, который боялся ответственности. Тренера, чьи амбиции и весь предыдущий опыт не соответствовали амбициям и уровню клуба, который ему достался, и игроков, которые были в его распоряжении. И, по-моему, это не вина Старкова, а его беда.

Неплохой тренер, он трудился, старался, делал все, что умел, но просто оказался не на своем месте. Потому что не привык к такому общественному давлению, потому что работал всю жизнь в спокойных, умиротворенных латвийских условиях, где все воспринимали его как царя и бога. Трудно превращаться из кумира, на которого молятся, в человека без роду и племени, которому нужно все доказывать заново. Именно так приняли Старкова болельщики «Спартака». Вернее, так и не приняли. Несмотря на второе место.

То, что долго копилось в душах болельщиков, сформулировал в интервью «Спорт-экспрессу» Дмитрий Аленичев. Можно было не соглашаться с категоричной формой, в которой им были высказаны мысли о

Старкове и его «Спартаке», но он сказал об игре этой команды то, что думали, но боялись сказать вслух все. Все, кто к красно-белым неравнодушен.

Аленичева отсекли от «Спартака». Вот только принятой спустя всего 18 дней отставкой Старкова клуб признал: по сути своей критики Аленичев был прав. Пожертвовав самим собой, капитан вскрыл нарыв.

После интервью Аленичева у Старкова начали сдавать нервы. На одной из пресс-конференций он накричал на уважаемого в прошлом футболиста (кстати, спартаковца), а ныне обозревателя Юрия Севидова, задавшего ему не слишком удобный, но вполне нормальный вопрос. То, как вел себя тренер в день отставки у входа в здание ЛУКОЙЛа, да и сам факт заявления об отставке, подтверждает одно: прочитав признания Аленичева и увидев реакцию однозначно поддержавших капитана болельщиков, Старков «поплыл». Он оказался человеком с обычной нервной системой, не способной к перевариванию дикого стресса, какой неизбежен при работе в «Спартаке». В таких клубах должны работать тренеры с железной психикой. А таких — единицы.

Старков был приглашен в команду из расчета тех самых десяти процентов от общего успеха, которые отводит тренерам Леонид Федун. На эти десять процентов он и сработал. Но требовалось больше.

Еще одним уроком для Федуна должно было стать то, что тренером «Спартака» не может быть специалист с оборонительной, перестраховочной философией. И то, что выбор тренера должен быть в высшей степени тщательным, соответствующим масштабу и клубным традициям — не в узком, а в глобальном смысле. Это должен быть человек, не боящийся работать со звездами и привыкший искать счастья у чужих ворот.

А Александр Старков все же заслужил, чтобы ему сказали «спасибо» и пожелали удачи. Он добросовестно работал и в сезоне-2005 добился своего максимума. Он не виноват, что его объективный уровень не потянул на чемпионский в России. И на уровень того футбола, в который должна играть команда «Спартак».

Старков ушел. Но что же будет с Аленичевым?

❀ ❀ ❀

При всем желании отдельных клубных работников разорвать контракт Аленичева со «Спартаком», который действует до следующего лета, сделать это оказалось невозможно: пункт в его трудовом соглашении, в котором идет речь о подобных высказываниях, «вредящих имиджу клуба», определяет меру наказания — штраф. И не более.

Фрагмент моей беседы с генеральным директором клуба Сергеем Шавло доказывает, что дело обстоит именно так. Наш телефонный разговор состоялся вечером 20 мая, через несколько часов после поражения в финале Кубка от ЦСКА.

В контракте Аленичева за такие интервью предусмотрен штраф?

— Да.

— То есть контракт по-прежнему действует, зарплату футболист получает?

— Аленичев был оштрафован и переведен в дубль. Да, он будет получать зарплату, если его никто не купит.

Есть данные, что если бы «Спартак» пошел на разрыв контракта с Аленичевым, игрок нанял бы юристов, прибегнул к помощи своего знаменитого итальянского агента Бранкини и обратился в УЕФА. В весьма специфические внутрироссийские дела Бранкини лезть не хочет: здесь свои отношения и законы — вернее, понятия,— в которых человеку из иного футбольного мира разобраться трудно. Поэтому в конфликте со «Спартаком» Аленичеву пришлось защищать себя самому. Агента, который помогал бы ему это делать, у него не было.

Непонятно было другое. Пункт контракта о штрафе выполнен. Тренер, послуживший причиной скандала, добровольно ушел в отставку. Таким образом, повод для конфликта исчерпан. Почему Аленичев, который пользуется поддержкой всех игроков, при действующем контракте не может вернуться в команду?

Вот что сказал мне об этом Шавло:

— Возвращение Аленичева невозможно. Это было не выступление против Старкова, это было выступление против команды. Люди, которые считают, что имеют право говорить все, что думают,

БЕЗ ВЕДОМА РУКОВОДСТВА, НАХОДИТЬСЯ В КОМАНДЕ НЕ ДОЛЖНЫ.

— ПОЧЕМУ ВЫ РЕШИЛИ ПОЙТИ ДАЛЬШЕ ПРЕДУСМОТРЕННОГО ПО КОНТРАКТУ ШТРАФА?

— ПОТОМУ ЧТО ИГРОК НЕ ПОСЧИТАЛ НУЖНЫМ СНАЧАЛА ОБРАТИТЬСЯ К РУКОВОДСТВУ КЛУБА, А СРАЗУ ПОШЕЛ В ГАЗЕТУ. ФУТБОЛИСТЫ ДОЛЖНЫ ЗНАТЬ, ЧТО ЗА СВОИ ПОСТУПКИ НУЖНО ОТВЕЧАТЬ. МЫ НЕ ДОЛЖНЫ ДАТЬ ИГРОКАМ ВОЛЮ, ЧТОБЫ ОНИ МОГЛИ ТАК ГОВОРИТЬ — БУДЬ ТО О ТРЕНЕРЕ ИЛИ РУКОВОДИТЕЛЕ. ЕСТЬ ПОНЯТИЕ ЭТИКИ, КОТОРОЕ БЫЛО НАРУШЕНО. ПОЧЕМУ В ЗАПАСЕ «РЕАЛА» СИДЕЛ ОУЭН И ПО СЕЙ ДЕНЬ СИДИТ РАУЛЬ — И НИКТО ИЗ НИХ НЕ ДАЕТ ИНТЕРВЬЮ ПРОТИВ ТРЕНЕРА? ПОТОМУ ЧТО ЛЮДИ ПРОФЕССИОНАЛЬНО ОТНОСЯТСЯ К СВОЕЙ РАБОТЕ. ЕСЛИ БЫ ТАК ЖЕ ОТНОСИЛИСЬ У НАС, ЛЕГЧЕ БЫЛО БЫ ВСЕМУ НАШЕМУ ФУТБОЛУ.

— НО ВЕДЬ У АЛЕНИЧЕВА — И ЗАСЛУГИ, И БЕССПОРНЫЙ АВТОРИТЕТ В ГЛАЗАХ ИГРОКОВ.

— ЕСТЬ ТАКОЕ ПРАВИЛЬНОЕ ВЫРАЖЕНИЕ, ЧТО ИГРОКИ ДОЛЖНЫ ИГРАТЬ. А ВСЕ ОСТАЛЬНОЕ — НЕ ИХ ВОПРОСЫ. ОНИ ДОЛЖНЫ ДОКАЗЫВАТЬ СВОЮ ПРАВОТУ НЕ В ГАЗЕТАХ, В ЖУРНАЛАХ ИЛИ ЧАСТНЫХ БЕСЕДАХ, А НА ПОЛЕ.

— КАК СПАРТАКОВЕЦ ВЫ МОЖЕТЕ ПОНЯТЬ АЛЕНИЧЕВА И ЕГО БОЛЬ ЗА КОМАНДУ?

— ДА, МОГУ. НО ВЫРАЖЕННУЮ НЕ В ТАКОЙ ФОРМЕ, КАК У НЕГО. УВАЖАЮ ДИМУ КАК ИГРОКА И КАК ЧЕЛОВЕКА. НО РЕШЕНИЕ ОКОНЧАТЕЛЬНОЕ И БЕСПОВОРОТНОЕ. ОН СОВЕРШИЛ ОШИБКУ И ДОЛЖЕН УЙТИ ИЗ КОМАНДЫ.

— ЭТО КОЛЛЕКТИВНОЕ РЕШЕНИЕ — И ЛЕОНИДА ФЕДУНА,
    И ВАШЕ?
— КОНЕЧНО.

К весьма откровенным высказываниям Шавло следует добавить одну деталь. Как мне стало известно, далеко не всегда у Аленичева была возможность полноценно тренироваться вместе с дублерами. Не раз и не два ему приходилось наматывать круги вокруг поля и жонглировать мячом в одиночку. Происходило это потому, что в дубле периодически раздавались звонки из руководства клуба с ненавязчивой просьбой: пусть, мол, Аленичев тренируется. Но только сам...

Выходить на поле все же не гендиректору, а игрокам. Потому я, готовя материал о судьбе Аленичева для «Спорт-экспресса» (он был опубликован 29 и 30 мая), посчитал необходимым узнать, как они относятся к капитану и его гипотетическому возвращению в «Спартак». Все, естественно, подчеркнули, что решение принимать руководству, а не им, но высказаться не отказались. Мнение оказалось поразительно единодушным.

— НАСКОЛЬКО, ПО-ВАШЕМУ, СЕЙЧАС НЕОБХОДИМ КО-
    МАНДЕ АЛЕНИЧЕВ? — спрашиваю ЕГОРА ТИТОВА.
— ОН ОЧЕНЬ НЕОБХОДИМ ДЛЯ ВОССТАНОВЛЕНИЯ КО-
    МАНДЫ. СЕЙЧАС У НАС БУДЕТ ОТВЕТСТВЕННЫЙ ПЕРИ-

ОД, СБОРЫ ПЕРЕД ВТОРОЙ ЧАСТЬЮ ЧЕМПИОНАТА. ВЛАДИМИР ФЕДОТОВ — ЧЕЛОВЕК В КЛУБЕ НЕ НОВЫЙ, ОН ЗНАЕТ, ЧТО ДЕЛАТЬ. ЕМУ БЫ ПОМОЩНИКОМ АЛЕНИЧЕВА! У ТРЕНЕРА ДОЛЖЕН БЫТЬ ПОМОЩНИК В КОМАНДЕ, И ДИМА МОГ БЫ ВЫПОЛНЯТЬ ТАКУЮ РОЛЬ.

— ПРИХОД ФЕДОТОВА МОЖЕТ ПОЛОЖИТЕЛЬНО ПОВЛИЯТЬ НА СИТУАЦИЮ С ВОЗВРАЩЕНИЕМ АЛЕНИЧЕВА?

— Я НА ЭТО НАДЕЮСЬ.

— ВАС НЕ УДИВИЛО, ЧТО АЛЕНИЧЕВА НЕ ВЕРНУЛИ СРАЗУ ПОСЛЕ УХОДА СТАРКОВА?

— ЭТО БЫЛО БЫ НЕСОЛИДНО. ПОЛУЧИЛОСЬ БЫ, ЧТО КЛУБ ТОЛЬКО И ОЖИДАЛ, КОГДА СТАРКОВ В ПОСЛЕДНИЙ РАЗ СТУПИТ ЗА ПОРОГ БАЗЫ В ТАРАСОВКЕ. ТАК ПОСТУПАТЬ БЫЛО БЫ НЕ ОЧЕНЬ ЭТИЧНО.

— А СЕЙЧАС ВРЕМЯ НАСТАЛО?

— РУКОВОДСТВО ДОЛЖНО ВЗВЕСИТЬ ВСЕ ЗА И ПРОТИВ И ПРИНЯТЬ РЕШЕНИЕ. УВЕРЕН, ЧТО ТАК И БУДЕТ. В СКОРОМ ВРЕМЕНИ МЫ УЗНАЕМ, ВЕРНЕТСЯ ДИМА В КОМАНДУ ИЛИ НЕТ.

— ВЫ БЫ ХОТЕЛИ, ЧТОБЫ АЛЕНИЧЕВ ВЕРНУЛСЯ? — ЗАДАЮ ВОПРОС РУССКОЯЗЫЧНЫМ ИГРОКАМ «СПАРТАКА».

ВЛАДИМИР БЫСТРОВ:

— КОНЕЧНО, Я БЫ ПОЛОЖИТЕЛЬНО ВОСПРИНЯЛ ЕГО ВОЗВРАЩЕНИЕ. ВОЗМОЖНО ЛИ ОНО? ДУМАЮ, В НАШЕЙ ЖИЗНИ МОЖЕТ БЫТЬ ВСЕ, ЧТО ХОЧЕШЬ. ПОЧЕМУ БЫ И НЕТ?

Никита Баженов:

— Очень положительно бы отнесся к возвращению Аленичева. Насколько это реально, не знаю. Но было бы хорошо, если бы так произошло.

Александр Павленко:

— Я бы хотел, чтобы он вернулся. Не только я — думаю, многие были бы рады видеть его в команде.

Максим Калиниченко:

— Как человека все его уважают. Как игрок он всем все доказал. Полагаю, все футболисты были бы рады его возвращению. Все без исключения.

Денис Бояринцев:

— Я бы очень хотел, чтобы Дима вернулся в команду. Эта фигура — очень знаковая и для ребят, и для «Спартака» как клуба. Команда выбрала его капитаном, и это о многом говорит. Если бы он вернулся, для нее это было бы очень хорошо, помогло бы ей.

— Что вы думаете об Аленичеве? — спрашиваю четырех спартаковских иностранцев. Пласт легионеров в команде сейчас слишком велик, чтобы не принимать во внимание их мнение.

Войцех Ковалевски:

— Наше отношение к Диме Аленичеву, и мое личное в частности, не поменяется, что бы ни произошло. Он наш друг, он наш капитан. А с тем, какой он футболист, никто, думаю, спорить не будет.

САНТОС МОЦАРТ:

— АЛЕНИЧЕВ — ОЧЕНЬ ВАЖНЫЙ ИГРОК ДЛЯ НАШЕЙ КО-
МАНДЫ. И ИСХОДЯ ИЗ ЕГО ПРОФЕССИОНАЛЬНОЙ КАРЬЕ-
РЫ И КАЧЕСТВ, И ПОТОМУ ЧТО ОН — ДУША КОЛЛЕКТИВА.
РЕБЯТА ЕГО ВСЕГДА УВАЖАЛИ.

ФЕРНАНДО КАВЕНАГИ:

— ЭТО ОЧЕНЬ ХОРОШИЙ ЧЕЛОВЕК И ВАЖНЫЙ ИГРОК.
ЕГО ОЧЕНЬ УВАЖАЮТ В КОМАНДЕ. МЫ С НИМ МНО-
ГО ОБЩАЛИСЬ, ТЕМ БОЛЕЕ ЧТО ОБА ЗНАЕМ ИТАЛЬЯН-
СКИЙ. С НИМ ВООБЩЕ ПРИЯТНО БЫЛО ИМЕТЬ ДЕ-
ЛО КАЖДОМУ ФУТБОЛИСТУ. ОН ТАКОЙ КОМАНДНЫЙ ЧЕ-
ЛОВЕК!

МИХАЙЛО ПЬЯНОВИЧ:

— КОНЕЧНО, Я БЫ ХОТЕЛ, ЧТОБЫ АЛЕНИЧЕВ ВЕРНУЛСЯ.
И ДУМАЮ, ЧТО ШАНСЫ НА ЭТО ЕСТЬ.

Очень, на мой взгляд, показательны слова не-
давнего спартаковца, а ныне — ведущего защитника
«Манчестер Юнайтед» и сборной Сербии и Черногории
Неманьи Видича. Вот что он сказал по телефону из
Манчестера незадолго до отъезда в расположение на-
циональной команды:

— Я СЛЫШАЛ, ЧТО УШЕЛ СТАРКОВ, СЛЫШАЛ И ТО, ЧТО ДИ-
МЫ АЛЕНИЧЕВА НЕТ В КОМАНДЕ. ОЧЕНЬ ЖАЛКО. ЭТО
БОЛЬШАЯ ПОТЕРЯ. ДИМА НУЖЕН «СПАРТАКУ» В ЛИГЕ
ЧЕМПИОНОВ, ДА И ВООБЩЕ СЧИТАЮ, ЧТО С НИМ

КОМАНДА СПОСОБНА НА БОЛЬШЕЕ, ЧЕМ БЕЗ НЕГО. ЕМУ РАЗРЕШАТ ВЕРНУТЬСЯ В ПЕРВУЮ КОМАНДУ?

— СКОРЕЕ ВСЕГО, НЕТ.

— ПОЧЕМУ?

— РУКОВОДСТВО ПРОТИВ. ИМ НЕ ПОНРАВИЛОСЬ ЕГО ИНТЕРВЬЮ.

— ЗНАЮ ОДНО: ДИМА — ОЧЕНЬ ХОРОШИЙ ИГРОК И ЧЕЛОВЕК. ЭТО ЛЕГЕНДА «СПАРТАКА», И НЕЛЬЗЯ ТАК С НИМ РАССТАВАТЬСЯ. И ВОТ ЧТО ЕЩЕ ОЧЕНЬ ВАЖНО. АЛЕНИЧЕВ — НЕ ПРОСТО ИГРОК, А БОЛЕЛЬЩИК «СПАРТАКА». Я ЗНАЮ, С КАКОЙ ЛЮБОВЬЮ ОН ГОВОРИТ О КОМАНДЕ, И ПОМНЮ, ЧТО КОГДА ТОЛЬКО ПРИШЕЛ В КЛУБ, КО МНЕ ПОДОШЕЛ ДИМА И СКАЗАЛ: «ВИДА! ТЫ ЗНАЕШЬ, ЧТО ТАКОЕ „СПАРТАК"?» И ТОГДА, И ПОТОМ ОН МНОГО РАЗ РАССКАЗЫВАЛ МНЕ О КОМАНДЕ, О ЕЕ ИСТОРИИ. И НЕ ТОЛЬКО МНЕ. ОН ВСЕХ НАС УЧИЛ ЛЮБИТЬ «СПАРТАК». ОЧЕНЬ ЖАЛЬ, ЕСЛИ ЕГО НЕ БУДЕТ В КОМАНДЕ. ПОТОМУ ЧТО Я ХОЧУ, ЧТОБЫ «СПАРТАК» ВЫИГРАЛ ЧЕМПИОНАТ РОССИИ И КАК МОЖНО УСПЕШНЕЕ СЫГРАЛ В ДРУГИХ ТУРНИРАХ.

☻☻☻

«Не только игрок, а болельщик „Спартака"». По-моему, в этих словах Видича об Аленичеве есть то, чего так не хватает красно-белым в последние годы. Да и не одним им. Гонка за деньгами, массовое появление легионеров — все это вытеснило из современного футбольного лексикона такое незыблемое раньше понятие, как любовь к клубу. Не профессиональное отношение, не честное выполнение контрактных обязательств — а именно любовь. Сила которой часто заглушает инстинкт самосохранения. Такая любовь к «Спартаку», как была или есть у братьев Старостиных и Нетто, Симоняна и Логофета, Маслаченко и Ловчева, Дасаева и Черенкова, Тихонова и Черчесова, Бесчастных и Титова...

Только любовь, а вовсе не «личные обиды и амбиции», на мой взгляд, могла подвигнуть игрока на такое интервью, какое Аленичев дал «Спорт-экспрессу». Оно, кстати, отняло у футболиста столько моральных сил, что Дмитрий ушел в подполье. На футбол из дома выбрался за ближайший месяц только однажды — и то на первую лигу, когда на матч своих «Химок» его пригласил Андрей Тихонов. С прессой Аленичев решил не общаться, посчитав, что все необходимое уже сказал. Единственный журналист, с которым капитан «Спартака» поддерживал постоянный контакт, пусть и «не для печати»,— корреспондент «Спорт-экспресса» Алексей Матвеев.

Комментарии давали другие.

— Это интервью показывает, что человек не просто находится в клубе и получает деньги по своему контракту, а живет «Спартаком»,— сказал мне его бывший одноклубник по блестящей команде красно-белых 1995 года Сергей Юран.— Поэтому в

КАКИХ-ТО ФРАЗАХ ЭМОЦИИ У НЕГО И ПЕРЕХЛЕСТНУЛИ. НО НАДО ЖЕ ПОНИМАТЬ, ЧТО ЭТА РЕЗКОСТЬ, ГДЕ-ТО ИЗЛИШНЯЯ — ОТ НЕРАВНОДУШИЯ! ПО СУТИ-ТО СВОИХ ВЫСКАЗЫВАНИЙ АЛЕНИЧЕВ ПРАВ. И Я ДУМАЮ, ЧТО ДЛЯ ТАКОГО ЧЕЛОВЕКА, ОТ КОТОРОГО И НА ПОЛЕ, И В РАЗДЕВАЛКЕ ОЧЕНЬ МНОГОЕ ЗАВИСИТ, РУКОВОДСТВО КЛУБА ДОЛЖНО СДЕЛАТЬ ИСКЛЮЧЕНИЕ. КАКУЮ БЫ СУБОРДИНАЦИЮ ОН НИ НАРУШИЛ.

— Я ВСЮ ЖИЗНЬ ЛЮБИЛ ДИМКУ,— РАССКАЗАЛ ОДИН ИЗ САМЫХ ЛЕГЕНДАРНЫХ СПАРТАКОВЦЕВ В ИСТОРИИ ГЕННАДИЙ ЛОГОФЕТ.— У НАС БЫЛИ ПРЕКРАСНЫЕ ОТНОШЕНИЯ С ТЕХ ПОР, КАК ОН ТОЛЬКО ПОЯВИЛСЯ В «СПАРТАКЕ». Я БЫЛ СЧАСТЛИВ, ЧТО ОН ВЗЯЛ ДВА ЕВРОПЕЙСКИХ ТИТУЛА, СТАЛ НАСТОЯЩЕЙ ЗВЕЗДОЙ. ПРОШЛОЙ ОСЕНЬЮ МЫ ПРОВЕЛИ С НИМ ТРИ ДНЯ, ВМЕСТЕ ЕЗДИЛИ НА СЪЕМКИ ФИЛЬМА. И Я УБЕДИЛСЯ, ЧТО ОН НЕ ИЗМЕНИЛСЯ. ПАРЕНЬ ЗАМЕЧАТЕЛЬНЫЙ! НЕ ЗНАЮ, ЧТО ПРОИЗОШЛО У НИХ С ТЕХ ПОР СО СТАРКОВЫМ — ДЛЯ ЭТОГО НУЖНО БЫТЬ ВНУТРИ КОМАНДЫ. ОДНО МОГУ СКАЗАТЬ: СПАРТАКОВСКАЯ ИГРА В ПОСЛЕДНЕЕ ВРЕМЯ СКОРЕЕ РАЗОЧАРОВЫВАЛА. ЭТО НЕ БЕСКОВСКИЙ И НЕ РОМАНЦЕВСКИЙ СТИЛЬ, ЭТО БЫЛО ПО-ЗАПАДНОМУ СУХО И ПРАГМАТИЧНО. ВТОРОЕ МЕСТО ДОКАЗАЛО, ЧТО И ТАКОЙ ФУТБОЛ ИМЕЕТ ПРАВО НА ЖИЗНЬ,— НО ДУША НЕ РАДОВАЛАСЬ, ЯРКОЙ, ИСКРОМЕТНОЙ ИГРЫ НЕ БЫЛО. ТАК ЧТО, МОЖЕТ, И НАДО БЫЛО ТАК СДЕЛАТЬ ДЛЯ ПОЛЬЗЫ «СПАРТАКА». ХОТЯ Я БЫ НА ТАКОЕ НИКОГДА НЕ ПОШЕЛ. НО В НАШЕ ВРЕМЯ И ГЛАСНОСТИ НИКАКОЙ НЕ БЫЛО...

...Едва Аленичев дал интервью, тут же со всех сторон начался поиск его «заказчика», которому свержение Старкова было выгодно. Произошло это во многом с подачи клуба: вы же помните слова из официального заявления: «Мы не знаем, что и кто стоит за его демаршем».

Кого только люди с бурно развитым воображением ни называли! Олега Романцева, которого футболист упомянул в качестве идеальной, по его мнению, кандидатуры на смену Старкова. Федуна, который, видите ли, руками Аленичева хотел сбросить тренера, в котором разочаровался. Шавло, обладающего тренерской лицензией и метящего в кресло главного. Александра Хаджи и Валерия Жиляева, старых спартаковских работников, которым чужак Старков перекрыл «кислород»... Логику искателей интриги объяснил мне писатель-сатирик Виктор Шендерович: «„Спартак", за который я болею много лет, — большой клуб, где переплетено множество разных векторов и интересов, в том числе денежных, и очень крупных. Поэтому совсем не допускать, что это была чья-то интрига, нельзя. Но, не зная деталей конкретной ситуации, нельзя и что-либо на этот счет утверждать».

Вот что интересно: чем ближе люди к «Спартаку», чем лучше они знают Аленичева и ситуацию в команде, тем более они уверены в том, что все в этой истории чисто. Титов, например, говорит: «Просто люди не знают, в чем дело, и пытаются показать, что они специалисты и разбираются в вопросе. Разговоры об интриге — просто глупость. Слышать их обидно. Не собираюсь оценивать выступление Аленичева, могу только сказать, что это не были эмоции. Его интервью зрело достаточно долго — уж точно не месяц».

Один из игроков, пожелавший остаться неназванным, заявил: «То, что сделал Аленичев,— это поступок настоящего мужика. Он сказал то, о чем все в команде думали и говорили между собой, но наружу выносить боялись. Сказал потому, что переживает за „Спартак" и обладает такими титулами и авторитетом, что к нему прислушаются. И если бы Дима этого не сделал, все бы продолжалось по-старому. Да, он взорвал ситуацию, но команда встряхнулась. При Старкове она боялась собственной тени. Сейчас не боится, а это именно то, чего Аленичев добивался».

Версию об интриге не поддерживает ни один из людей внутри «Спартака», с которыми мне довелось общаться не для печати. А один из самых спорных моментов интервью — о фигуре Романцева как возможного спасителя — объясним очень легко. В годы падения тренера—десятикратного чемпиона страны Аленичева в России не было. Он помнил совсем другого Романцева — того, который выигрывал шесть матчей из шести в Лиге чемпионов—1995, кто выходил, победив «Аякс» в Амстердаме, в полуфинал Кубка УЕФА—1998. С Романцевым у лучшего футболиста России 1997 года связаны успехи, неудачи же происходили при других игроках. А когда ты не пережил чего-то лично, никакие рассказы других не могут поколебать веры в человека, с которым были связаны лучшие воспоминания. К тому же, зная о негативном отношении Федуна к Романцеву (не раз выражавшемуся в прессе), «подставляться» и рисковать своей репутацией, выполняя его волю, не то что порядочный Аленичев — никто и никогда бы не стал. К тому же капитан «Спартака» — человек достаточно состоятельный, чтобы не быть ничьей марионеткой и принимать самостоятельные решения. Которые даже чреваты для него серьезными финансовыми потерями, зато соответствуют его представлениям о правде.

Впрочем, Романцев, по имеющейся информации, действительно звонил Аленичеву со словами поддержки. Но уже после всего, что случилось. Звонил и Георгий Ярцев, и многие другие спартаковские ветераны. Да и действующие игроки тоже звонили. Насколько мне известно, в день выхода интервью номер Аленичева набрали Титов и Ковалевски, Бояринцев и Павлюченко, Калиниченко и Парфенов, Тихонов и Евсеев, Ковтун, Радимов, Хохлов... В газетах поддержали его Бесчастных, Писарев и многие другие. А Тихонов даже пришел на матч с «Локомотивом» вместе с сыном, и оба были одеты в спартаковские футболки в восьмым номером и фамилией Аленичев.

Вот некоторые цитаты из интервью известных футболистов «Спорт-экспрессу» вскоре после интервью Аленичева.

Капитан «Зенита» Владислав Радимов: «Как капитан команды я его прекрасно понимаю — думаю, Дмитрий искренне переживает за судьбу „Спартака".

Мы давно знакомы, часто общались в неформальной обстановке, я бывал у него в гостях. И у меня нет никаких оснований не доверять ему. Думаю, все, что сказал Аленичев,— правда, ведь этот человек всегда говорит правду, и только в глаза».

Капитан «Химок» Андрей Тихонов: «На стадион (имелся в виду матч „Спартак"—„Локомотив") пришли с сыном, чтобы поддержать Диму, как и многие болельщики. По-моему, по их реакции было видно, какую из сторон они поддерживают. Надеюсь, что для Аленичева это не конец карьеры в „Спартаке". Нельзя таких людей убирать из команды! Дима — честный и порядочный человек... Я верю ему. При Старкове команда не играет, а большую часть времени мучается на поле».

Защитник «Локомотива» Вадим Евсеев: «Я на стороне Аленичева, с которым мы вместе провели не один сезон. Знаю его как человека исключительной порядочности, преданного футболу и „Спартаку". Именно ради этого клуба Дмитрий вернулся в Россию. И мне понятна его боль за команду».

Нападающий «Химок» Владимир Бесчастных: «Могу сказать одно: сейчас „Спартак" играет не в спартаковском стиле. А Аленичев — порядочный и добрый человек, которого ничуть не испортили завоеванные в Европе титулы... Надеюсь, стороны все же смогут найти точки примирения, потому что Аленичев многое значит для „Спартака"».

Большинство фамилий тех, кто звонил Аленичеву и комментировал его слова, принадлежат бывшим и нынешним игрокам красно-белых. И это не случайно. Один из нынешних футболистов красно-белых на вопрос о причинах нелюбви поклонников «Спартака» к Старкову ответил: «Это спартаковские болельщики, особые. Другим достаточно результата. А эти даже после победы через два дня задумываются: была ли у команды игра? И понимали, что при Старкове ее большей частью не было. Специфику этих болельщиков тренер обязан понимать. А Старков не понимал. В команде всем очень понравилось определение, которое прозвучало в „Спорт-экспрессе", — Какбычегоневышло. Это именно о нем, о Старкове. Он не только игру такую ставил, он и конфликтовать ни с кем не хотел. Работал с оглядкой на мнения всех окружающих — начальства, игроков... Если бы не реакция болельщиков, у него бы и Титов не играл. Абсолютно все мнения он учитывал. А вот своего было очень мало».

За неделю до выхода интервью Аленичева игроки вырезали из одной газеты критическую статью об излишней осторожности Старкова и... втихаря повесили ее на стенде базы в Тарасовке. Склонность тренера к постоянным компромиссам со всеми вызывала у них уже только ироничную улыбку.

А старковского помощника Игоря Клесова (у которого, кстати, была едва ли не самая высокая зарплата из вторых тренеров в чемпионате России — говорят, 600 тысяч долларов в год) футболисты на дух не переносили. За глаза называли его Лаврентием. По аналогии с кем, думаю, догадываетесь. С тем самым, кто когда-то курировал «Динамо» и упек на несколько лет за решетку своих главных довоенных конкурентов — братьев Старостиных...

Вот мнение одного из игроков:

— Большинство народа было обозлено на Клесова, а не на Старкова. Последний был «добрым следователем», первый — «злым». Он постоянно вел себя неадекватно. После побед — корона на голове, после поражений — поиск виноватого. Они со Старковым все время говорили: «Ищите причины неудач в себе». Только ни разу нам не довелось услышать, что в поражении виноваты они сами. Если бы я давал интервью на месте Аленичева, добавил бы пять копеек про Клесова. Они даже со Старковым друг друга не понимали! Доходило до абсурда. Один говорит: «Упражнение в два касания», другой через минуту — что число касаний не ограничено. Один дает одно задание, другой через минуту кричит: «Вы что делаете?!» Такое впечатление, что люди по ходу тренировки решали, чем заниматься. Тем не менее часто создавалось впечатление, что Старков находится под влиянием Клесова, и многих это раздражало.

Вот еще одна цитата другого футболиста.

— Клесов сам никогда в футбол не играл, зато очень любил всех проверять. По номерам ходил, смотрел, кто во сколько приехал, кто не пришел в столовую, кто — на массаж... Записывал на листочке, кто был в сауне, кто не был. А когда он начинал на тренировках орать, у всей команды кулаки чесались. Особенно Рома Павлюченко его «любил»... Знаете, когда ненавидят главного тренера — это нормально. Но когда второго, который в общем-то никто, но строит из себя вершителя судеб!..

Аленичев в своем интервью подчеркивал двуличие Старкова. В команде эту черту бывшего главного тренера мне на условиях анонимности подтвердили. «Мы согласны с Аленичевым: у Старкова было не одно лицо. Не может быть авторитета у человека, который одним говорит про игрока одно, другим — другое, ему самому — третье, начальству — четвертое. Люди же общаются и все узнают. На Старкова злились не только за то, что в состав не ставил, а больше потому, что за глаза бог знает что говорил. Тот же Аленичев, про которого Старков Федуну нашептывал... Аленичев — очень правильный человек, которого трудно вывести из себя простой сплетней. И никогда бы он не сказал об этом публично, если бы точно не знал всей подоплеки».

Высказывание Федуна в мартовском интервью «Спорт-экспрессу» о «возрастных футболистах, которые приехали в чемпионат России исключительно ради денег и, находясь в предпенсионном состоянии, отбывают номер», стало для Аленичева последней каплей. Позже в клубе утверждали, что владелец «Спартака» имел в виду вовсе не спартаковского капитана, а, к примеру, Коштинью. Но в таком случае, по распространенному мнению внутри «Спартака», это недопонимание на совести пресс-службы клуба. Вычитывая текст интервью (а когда дело касается персон уровня Федуна, текст на сверку требуют всегда), пресс-атташе должен был после этой цитаты босса пометить в скобках, что речь не идет о футболистах «Спартака». И не было бы десятков звонков от родных и друзей, которые, как рассказывают близкие к Аленичеву люди, он получил после выхода в свет интервью хозяина клуба.

В клубе поговаривают, что отставка Старкова была предрешена и должна была состояться после матча с «Локомотивом» при любом его исходе. Но «дело Аленичева» якобы оттянуло развязку — руководство не захотело создавать впечатление, что идет у него на поводу. Так это или нет — никто не знает; задним числом можно говорить все, что угодно. Ряд людей в «Спартаке», напротив, уверены, что если бы не интервью капитана, Старков и по сей день продолжал бы возглавлять команду.

Одно то, что другие игроки красно-белых придерживаются точно такого же мнения о Старкове, как и Аленичев (в этом я удостоверился во время приватных разговоров), говорит о том, что интрига — выдумка людей, не знакомых с сутью дела. Убежден: человек с таким авторитетом, как капитан «Спартака», не стал бы ни бросать тень на свою репутацию, ни ставить на карту более чем миллионную зарплату, которую он больше никогда ни в одном клубе зарабатывать не сможет.

Он сказал то, в чем искренне убежден. И по сей день не жалеет ни об одном произнесенном в интервью слове.

⚽ ⚽ ⚽

И еще о двуличии и компромиссах. Какой смысл был Старкову формировать «тренерский совет» в составе Аленичева, Титова, Ковалевски, Парфенова и Ковтуна, если на поле выходили только Ковалевски и Титов, причем последний — тоже не всегда! Почему он давал команде два года подряд выбирать Аленичева капитаном (Титов, по его собственному признанию, тоже за него голосовал), но при этом почти не выпускал на поле? Это была не демократия, а игра в демократию, создание видимости того, что тренер считается с мнениями ветеранов команды. Они, в первый момент поверившие Старкову и полгода после его прихода отзывавшиеся о нем с симпатией, со временем поняли, что это — блеф.

Один из самых авторитетных спартаковцев всех времен Геннадий Логофет, третий игрок за всю историю клуба по числу проведенных матчей (после Черенкова и Нетто), вспоминает:

— Во второй половине 1960-х, когда команду тренировал Никита Симонян, у нас была такая традиция. Перед каждым матчем собирались, по-моему, семь человек: Николай Старостин, Симонян, его помощник Анатолий Исаев, а также четверо игроков — Маслаченко, Хусаинов, Осянин, Крутиков и я. Позже Маслаченко заменил Кавазашвили, а Крутикова — Ловчев, но принцип остался тем же. Обсуждали каждую из остальных кандидатур на место в составе — мы-то играли всегда. Высказывали свое мнение — кто хорошо готов, кто слабее, а кто и вовсе недавно загулял на дне рождения. И всякое решение, в том числе о чьем-то отчислении, было коллективным. Мы, игроки и руководство, были вместе, за много лет совместной работы с Симоняном у нас не было ни единого конфликта — потому что отношения были честными. Может, от этого и стали говорить о знаменитом спартаковском духе, который помогал нам выигрывать самые важные матчи».

Логофет рассказал как раз о том, чего не было при Старкове. О прозрачности отношений между тренерами и командой. «Мы играли за себя, а не за него», — говорил мне один из футболистов. Аленичев такого отношения выдержать не смог. Он видел, что в него не верят, но в лицо ни слова об этом не говорят. И вспоминал Фабио Капелло, который в 1999-м вызвал его к себе и сказал: «Дима, тебе сложно будет попасть в состав, а у тебя — решающие отборочные игры чемпионата Европы». Через неделю Аленичев играл в «Перудже» и до сих пор с благодарностью вспоминает большого тренера, который честно ему обо всем сказал.

Когда он позвонил в редакцию в первый раз, его пытались отговорить. Но он был непреклонен. Первый звонок игрока журналистам был в понедельник, интервью же состоялось в пятницу. То есть ни о каком минутном эмоциональном всплеске не могло быть и речи. Уже дав интервью, он говорил в приватных разговорах: «Я готов ко всему. Но лучше уж пусть будет „Спартак" без меня и без Старкова, чем со мной и со Старковым. Без меня „Спартак" проживет — и не таких игроков терял. А со Старковым он бы окончательно потерял лицо и рассыпался".

Разумеется, сколько людей — столько и мнений. Писатель Виктор Шендерович говорит:

— С ОДНОЙ СТОРОНЫ, Я БОЛЬШЕ ДЕСЯТИ ЛЕТ БОЛЕЛ ЗА ВСЕ КОМАНДЫ, ГДЕ ВЫСТУПАЛ АЛЕНИЧЕВ — ОДИН ИЗ МОИХ ЛЮБИМЫХ ФУТБОЛИСТОВ. НО СТАРКОВУ, С КОТОРЫМ ЛИЧНО НЕ ЗНАКОМ, СИМПАТИЗИРОВАЛ И ПРОДОЛЖАЮ СИМПАТИЗИРОВАТЬ. И В «СКОНТО», И В СБОРНОЙ ЛАТВИИ ВАЖНЕЙШАЯ ПРОПОРЦИЯ — КАЧЕСТВА ИГРОКОВ К КАЧЕСТВУ ИГРЫ — БЫЛА ЯВНО В ПОЛЬЗУ СТАРКОВА. СПЕКТАКЛЬ БЫЛ У НЕГО ВЫШЕ УРОВНЯ АКТЕРОВ, КОМАНДЫ ПОБЕЖДАЛИ ИМЕННО ЗА СЧЕТ ПОСТАНОВКИ ИГРЫ. ЭТО ЗНАЧИТ, ЧТО ОН КАЧЕСТВЕННЫЙ, ПРОФЕССИОНАЛЬНЫЙ ТРЕНЕР. КОГДА ГОВОРЯТ О ТОМ, ЧТО «СПАРТАК» ПРИ НЕМ НЕ ПОКАЗЫВАЛ СПАРТАКОВСКОГО ФУТБОЛА, Я ПРЕДЛАГАЮ ВСПОМНИТЬ, ЧТО В ЕЩЕ БОЛЬШЕЙ СТЕПЕНИ ЕГО НЕ БЫЛО ВО ВРЕМЕНА ПОЗДНЕГО РОМАНЦЕВА. ОЦЕНИВАЯ РАБОТУ ТРЕНЕРА, НАДО СМОТРЕТЬ НА ИСХОДНУЮ И ФИНАЛЬНУЮ ТОЧКУ. СТАРКОВ ПРИВЕЛ «СПАРТАК» КО ВТОРОМУ МЕСТУ И ВЫХОДУ В ЛИГУ ЧЕМПИОНОВ. НО В ЛАТВИИ ВСЕ ПОНИМАЛИ, ЧТО ИХ ШАНС — ИМЕННО В ОРГАНИЗАЦИИ ИГРЫ. В «СПАРТАКЕ» ЖЕ, ЕСТЕСТВЕННО, ГОРАЗДО БОЛЬШЕ ЛИЧНЫХ АМБИЦИЙ. НО ЭТИ АМБИЦИИ И ЭТА ЭНЕРГИЯ НАПРАВИЛИСЬ НЕ В ТО РУСЛО.

Такая позиция имеет полное право на существование. Но в том-то и беда, что Старков отнесся к «Спартаку», как к «Сконто». Он не смог перестроиться — и даже второе место в чемпионате-2005 не помогло тренеру быть принятым командой и болельщиками. «Старков не самый плохой психолог и аналитик,— сказал один из игроков.— Он не тот человек, который не чувствует команду. Но он не сумел правильно воспользоваться имевшейся у него информацией. Даже когда удачно выступали, у него не было запаса прочности — в отношениях ни с руководством, ни с коллективом. И команда, сама команда его отторгла. По-человечески его в конце было жалко, но вряд ли найдутся хотя бы один-двое, кто желал, чтобы он остался в команде. Мы не чувствовали своего профессионального роста, и в конце концов нам стало скучно. Не думаю, что хоть кто-то из футболистов продолжает с ним общаться. В том числе и те, кого он сам привел».

Другой игрок добавил: «Он хотел, чтобы мы были как „Сконто". Он ничему, кроме стандартов, не мог нас научить, разжевать, где и почему мы сыграли неверно. Мы понимали, что при нем достигли своего потолка».

Это было действительно так. Глядя на некоторых футболистов, начинавших при Старкове свежо и интересно, спустя время тоска брала. Помню, с каким воодушевлением играли на предсезонке-2005 Бояринцев и Ковальчук, как старались что-то придумывать в каждом эпизоде. Тогда они, наверное, думали, что в «Спартаке» их ждет творчество, что здесь им поставят цель — и научат — думать на поле. Но прошло время — и Бояринцева с Ковальчуком словно поставили на рельсы. Чем дальше — тем прямолинейнее они становились, не в силах противостоять тому футболу, к которому приучал их Старков. Недаром после финала Кубка-2006 против ЦСКА Владимир Федотов скажет, что невозможно за три недели переучить людей, которых два года «натаскивали» совсем на другое!

Многие не понимали, почему Аленичев дал интервью не в межсезонье, а уже по ходу сезона. Его знакомые объяснили, почему. К заключениям своим капитан пришел давно. Межсезонье ничего хорошего не сулило. Но ему надо было убедиться, что выводы верны. Первые туры показали, что это так. Никакого прогресса в игре по сравнению с прошлым годом не было. Наоборот, был регресс.

Позвонил бы он в «Спорт-экспресс», если бы Старков выпускал его на поле? История не признает сослагательного наклонения. Но оттого, что тренер не давал капитану играть, его оценка спартаковской игры не становится менее правильной.

Потому что Аленичев — спартаковец. И лучше кого бы то ни было понимает, как должна играть не безличная команда «Икс», а «Спартак» (Москва). Он любит эту команду и нашел в себе смелость, невзирая на все запреты и последствия, сказать о ней то, что думал.

У него ведь были все возможности поступить по-другому. С его-то зарплатой, говорят, 1 200 000 долларов в год, что являлось высшим окладом в команде, любой на месте Аленичева молчал бы в тряпочку и мирился с судьбой запасного. Скажем, знаменитый хоккеист Александр Могильный, будучи сосланным генеральным менеджером и главным тренером «Нью-Джерси Дэвилз» Лу Ламорелло из НХЛ в дочернюю команду «Олбани», не сказал ни слова поперек — и, играя во второстепенной Американской хоккейной лиге, спокойно продолжал получать свои миллионы, гарантированные контрактом. Хотя ситуация у него, популярнейшего хоккеиста 1990-х, была не менее унизительной, чем у Аленичева. Могильного вполне можно понять. Потому что для него «Нью-Джерси» — место работы, а для Аленичева «Спартак» — клуб его жизни.

...Внутри команды Старков, как рассказывают, отреагировал на интервью достойно. Капитана грязью не обливал, просил играть и абстрагироваться от всего остального. Слова тренера, по крайней мере, футболистам ухо не резанули. Но очень быстро стало ясно, что давления болельщиков он не выдержал. Это не патриархальная Латвия.

«Любого тренера в принципе можно „уйти", организовав такое интервью и огромное давление на психику человека»,— считает Виктор Шендерович.

Все-таки не любого. Бесков или Лобановский и бровью бы не повели. Нет, не так — футболисту их команд, даже оказавшемуся в запасе, попросту не пришло бы в голову давать подобное интервью. И не только потому, что время другое было, но и из-за того, что не могло возникнуть сомнений в тренерской квалификации Бескова у отчисленных им Ловчева или Гаврилова, а в педагогическом мастерстве Лобановского — у Мунтяна или Буряка, которых постигла такая же участь. Старков — совсем другой случай.

⚽ ⚽ ⚽

Итак, Шавло не допускал мысли о возвращении Аленичева, игроки же были бы этому только рады. Налицо резкое расхождение мнений руководителя клуба и футболистов. Такое положение вещей нормальным назвать нельзя. Может ли команда хорошо играть, если в важнейшем вопросе о судьбе капитана «верхи» и «низы» решительно не понимают друг друга?

Впрочем, неудивительно, что не понимают.

Следует ведь задаться одним из главных вопросов: почему Аленичев не поговорил с руководством «Спартака», прежде чем отправиться на интервью в «Спорт-экспресс»? На это, судя по всему, и разозлился больше всего Шавло, из-за этого и невыносима для него мысль о возвращении капитана.

Генеральный директор «Спартака» был на двух предсезонных сборах команды. Бывает он и на многих тренировках. Может, я информирован односторонне и дело обстояло иначе, но все, с кем я разговаривал «не под диктофон», свидетельствуют: о ненормальных отношениях между главным тренером и капитаном он отлично знал. Но не предпринял ничего, чтобы нормализовать ситуацию. Если же Шавло об отношениях Аленичева со Старковым не подозревал, это тоже говорит не в пользу генерального директора. Одна из главных обязанностей которого — знать все, что происходит в коллективе. И не только гасить, но и предупреждать конфликты.

Есть, впрочем, одна версия, частично оправдывающая Шавло: якобы резкое обострение ситуации произошло именно после разговора Аленичева со Старковым в столовой базы накануне фотографирования. Вроде как во время этой беседы тренер адресовал игроку претензии, о которых прежде и не заикался. По этой версии, реакция Аленичева была бурной, и за день, остававшийся до похода капитана в редакцию «Спорт-экспресса», Шавло попросту ничего не успел даже узнать. Впрочем, с тем фактом, что первый раз Аленичев позвонил в редакцию с идеей об интервью еще в понедельник, то есть за три дня до фотографирования, эта версия как-то не сочетается...

Аленичев и так сделал достаточно много: об интервью он оповестил заранее и Старкова, и пресс-атташе Владимира Шевченко. Об этом сказал и сам капитан, подтвердили и его одноклубники. А вот почему главный тренер и пресс-атташе не дали знать о назревающем скандале ни Шавло, ни владельцу клуба Леониду Федуну — это должно вызывать удивление и вопросы.

Пресс-атташе, похоже, в какой-то момент начал воспринимать себя как самостоятельную фигуру в клубе. Иначе не появилось бы на официальном сайте «Спартака» такой формулировки из отчета о финале Кубка России—2006 против ЦСКА: «Возможно, не угадал с составом Федотов». На мой взгляд, это было никак не меньшее нарушение корпоративной этики, чем высказывания Аленичева о Старкове. Об ошибках тренера вправе рассуждать журналисты, но никак не собственная пресс-служба. Пытаюсь себе представить коллегу Шевченко из ЦСКА Сергея Аксенова, критикующего на официальном сайте армейцев Валерия Газзаева,— и понимаю, куда в тот же день был бы отправлен из клуба Аксенов. В ЦСКА такого не может быть даже в теории. Как и в любом другом клубе в мире. Этот нюанс — одно из свидетельств хаоса в «Спартаке», который в концентрированном виде был представлен в «деле Аленичева».

...Со Старковым Федун встречался не менее раза в неделю. К игрокам обращался только коллективно — перед сезоном и после него. Это, мне кажется, и заставило Аленичева сделать единственную, с моей точки зрения, ошибку в сложившейся ситуации. По имеющейся информации, он сам не сделал серьезных попыток выйти на владельца клуба и на личной встрече с ним объяснить, что происходит. Капитан посчитал это бесполезным, поскольку мнением футболистов почти за два года после его возвращения из «Порту» не интересовались ни разу. Да и прямых выходов на Федуна у Аленичева не было. Возможно, если бы права на встречу футболист все-таки добился, скандала удалось бы избежать...

Но почему Аленичев не рассказал об интервью тому, кто гораздо доступнее Федуна,— Шавло?

Один из игроков, попросивший не называть его имени, сказал: «Аленичев не пошел к Шавло, потому что от того ничего не зависит. Он свадебный генерал. Все решает Федун, до которого даже лидерам команды добраться невозможно. И капитан посчитал пустой тратой времени разговаривать с тем, у кого нет своего мнения, а даже если оно и есть, то ни на что не влияет. Шавло намного мягче прежнего гендиректора Юрия Первака, но пусть тот и орал на футболистов, по его реакции, по крайней мере, можно было понять, когда он злой, а когда добрый. Теперь же ничего понять невозможно. Когда Шавло пришел в клуб, мы радовались: думали, что наконец-то нами займется футбольный человек. Но он оказался слишком футбольным — в том смысле, что, как и большинство игроков, ни за что не отвечает».

В одном из интервью Владимира Федотова «Спорт-экспрессу» прозвучала, как мне кажется, очень важная мысль: «Считаю, что руководители клуба обязательно должны быть в курсе того, что происходит в команде. Как расходуются деньги, как работают люди, какова обстановка в целом. Если бы в „Спартаке" все обстояло именно так, думаю, никогда не случилась бы известная ситуация с Аленичевым и Старковым».

Вот мы и подошли к главной причине, по которой стал возможным апрельский конфликт. В сегодняшнем «Спартаке» — странная, противоестественная клубная иерархия. Владелец, который решает все, далек от коллектива, почти не встречается с футболистами и не знает, чем они дышат. А генеральный директор, который вроде бы знает о том, что происходит в команде, никакого влияния на стратегические решения не оказывает — то ли не может, то ли не хочет. И, что хуже всего, похоже, не обеспечивает настоящего вершителя судеб — Федуна — всей полнотой информации. Других же ее источников у председателя совета директоров клуба, кажется, нет. И ум, глобальность мышления хозяина «Спартака», в которых я не раз имел возможность убедиться, уже ничем не могут помочь: когда недостает информации, невозможно проанализировать ситуацию и принять правильное решение.

Мне, кстати, так до конца и не ясно, чью позицию по вопросу об Аленичеве озвучивал Шавло — свою собственную или Федуна. И в этой вот неясности, туманности, которая касается и всех других вопросов,— одна из бед «Спартака». Верно когда-то говорил Валерий Лобановский: «Ответственность не может быть коллективной. Коллективной может быть только безответственность».

«По своему статусу в команде Аленичев был намного выше и Шавло, и Старкова,— рассказал один из футболистов.— Оба это чувствовали, и именно поэтому капитан оказался неугоден. Игра тут ни при чем: ему даже не дали настоящего шанса. Руководитель и тренер попросту ревновали к более высокому авторитету капитана и сделали все, чтобы подмочить его и довести до необходимости дать это интервью».

Так это или нет — никто вне «Спартака» знать не может. Будучи инкогнито, высказываться можно с любой степенью смелости. С другой стороны, о том, чтобы кто-либо заявил подобное открыто, не может быть и речи. Так что верить сказанному или нет, пусть каждый читатель решает для себя сам.

Существование руководства и игроков как будто в разных мирах — это проблема не только «Спартака». Когда у клуба — богатый, но при этом и очень занятой владелец, у которого масса других проблем, не обойтись без промежуточного звена. Увы, в российском футболе крайне мало настоящих менеджеров, которые и достаточно компетентны, и не боятся брать на себя ответственность. Принципиально иная структура клуба в России есть только в ЦСКА, где Евгений Гинер и все ключевые решения уполномочен принимать, и с командой находится в постоянном контакте. Есть еще баскетбольный ЦСКА с Сергеем Кущенко. Результаты — налицо.

Схожая ситуация в Европе, где тот же Роман Абрамович, хоть и присутствует на многих тренировках, не вмешивается в текущие дела клуба. Для этого у него есть один из лучших футбольных менеджеров планеты Питер Кеньон. Пока у «Спартака» не появится профессионального менеджера высокого уровня — вряд ли придут и большие успехи.

Но проблема в том, что у такого руководителя наверняка по всякому вопросу будет свое мнение. Между тем одной из самых распространенных претензий и к Старкову, и к Шавло было и является отсутствие собственной позиции — или, по крайней мере, нежелание на ней настаивать. Это и заставляет предположить, что владельцу «Спартака» люди с характером в руководстве клуба не нужны. Впрочем, это не утверждение, а лишь гипотеза.

А спорить с Федуном серьезный менеджер обязательно будет. По поводу убежденности спартаковского хозяина, например, что роль тренера исчерпывается десятью процентами от общего успеха. Еще менеджер будет пытаться перебороть явное неприятие владельцем «Спартака» игроков в возрасте. В прошлом году в интервью «Спорт-экспрессу» Федун сказал, что в 2004 году имел возможность взять в команду Хенрика Ларссона, но совместно с Невио Скалой решил этого не делать. Как раз из-за «преклонного» возраста шведа. Нападающего охотно взяла «Барселона». И мае 2006-го 34 прожитых года не помешали Ларссону, выйдя на замену, перевернуть ход финала Лиги чемпионов. Две голевые передачи и победа над «Арсеналом» — достаточное основание пересмотреть отношение к ветеранам, не правда ли?

Неприязненное отношение Федуна к игрокам-ветеранам, выраженное в мартовском интервью «Спорт-экспрессу», стало в конце концов одной из причин кризиса с Аленичевым...

⚽⚽⚽

В конце мая, когда я пишу эту главу, еще неизвестно, как повернется судьба Аленичева. И может ли он, в частности, надеяться на возвращение в «Спартак».

Для того чтобы ответить на этот вопрос, необходимо, во-первых, знать отношение к Аленичеву ново-го-старого главного тренера «Спартака» Владимира Федотова. Публично на эту тему он пока не высказывался.

По информации из весьма надежного источника в клубе, Федотов не просто согласен с большинством высказываний Аленичева о Старкове в интервью «Спорт-экспрессу», а с удовольствием вернул бы капитана в команду. Более того, многие игроки уже подходили к нему с такой просьбой. И — внимание! — если бы «Спартак» выиграл финал Кубка России, встреча главного тренера с владельцем команды по поводу Аленичева могла состояться почти сразу же. Но 0:3 — не тот случай, после которого хозяин пойдет на удовлетворение всех просьб тренера. Федотов — слишком умудренный опытом человек, чтобы лезть к владельцу клуба с шашками наголо.

Геннадий Логофет сказал: «Если бы Федотов жестко поставил вопрос — верните Аленичева! — наверное, руководство пересмотрело бы свое решение».

Увы, не все так просто. Времена изменились, спартаковская демократия осталась в прошлом, и жестко ставить вопрос перед Федуном сейчас не решится никто. Тем более человек, пусть и всеми уважаемый, но возглавивший команду только что.

В этой ситуации очень важно, как поведет себя команда. Одного ее желания вновь видеть Аленичева в «Спартаке», высказанного мне в интервью «Спорт-экспрессу», недостаточно. Нужны активные действия.

Экс-спартаковец Сергей Юран сказал мне:

— Очень многое будет зависеть от капитана Титова, которого уважают в футбольном мире и не только в России. Считаю, он просто обязан вместе с командой обратиться к господину Федуну с просьбой вернуть Аленичева. У меня в «Бенфике» была схожая ситуация. Будучи недовольным решениями тренера Томислава Ивича, я швырнул майку на поле, ушел с тренировки, а затем еще и выступил в португальском аналоге «Спорт-экспресса» — газете A Bola. Меня оштрафовали на 25 тысяч долларов, отстранили от первой команды, месяц я играл за дублеров. Но по инициативе капитана Велозу команда пришла к президенту клуба и попросила, чтобы меня вернули. Если бы ребята этого не сделали, моей реабилитации никогда бы не произошло. В тот год мы стали чемпионами. И, представляете, когда я вышел на поле, болельщики несколько матчей подряд скандировали: «Браво, президент!»

Понимаю, что господину Федуну непросто принять такое решение. Но если владелец «Спартака» это сделает, то скоро убедится, что оно было правильным. Со стороны болельщиков удвоится или даже утроится уважение не только к команде, но и к самому Федуну. Появится то самое единение, которое сейчас так нужно «Спартаку». А главное, возвращение Аленичева пойдет на пользу делу, потому что будет проявлено уважение к мнению коллектива. Это не означает, что теперь каждый сможет поступать так, как капитан. Его случай окажется тем самым исключением, которое никто и никогда уже не повторит. За Аленичева поручатся игроки, и теперь Федун получит полное право жестко спросить с команды. И команда будет играть, помня об этом.

Виктор Шендерович придерживается иной точки зрения:

— Сразу скажу, что подоплеки конкретного случая не знаю и рассуждаю исходя из общих соображений. Как болельщик «Спартака» и человек, симпатизирующий Аленичеву, буду рад видеть его на поле. Но это означает серьезные изменения в правилах игры. Игрок, звезда, отныне будет знать, что может снять главного тренера. А это очень опасно, как минимум неоднозначно. В театре актеры, которые «съедают» главных режиссеров,— это классика, но по опыту могу сказать, что она не идет на пользу театру. «Съедали» Эфроса. Товстоногов начал с того, что заявил труппе: «Я абсолютно „несъедобен"». Тем не менее пытались изо всех сил, были огромные обиды и амбиции. И были народные артисты, которые уходили в запас. Господи, а как «съедали» Ефремова во МХАТе, когда он приходил! И делал это Борис Ливанов — фигура уж никак не меньше Аленичева. Но Ефремов

УДЕРЖАЛСЯ И СТАЛ ВЫДАЮЩИМСЯ ГЛАВНЫМ РЕЖИССЕ-
РОМ. БЕЗУСЛОВНО, АЛЕНИЧЕВ ДЛЯ «СПАРТАКА» И ЕГО
БОЛЕЛЬЩИКОВ — РОДНОЙ ЧЕЛОВЕК, А СТАРКОВ ЗА ДВА
ГОДА РОДНЫМ СТАТЬ НЕ МОГ. С АЛЕНИЧЕВЫМ СВЯЗАНО
ОГРОМНОЕ КОЛИЧЕСТВО ПОЛОЖИТЕЛЬНЫХ ЭМОЦИЙ, В
ТОМ ЧИСЛЕ И У МЕНЯ. НО ЕСЛИ ЕГО ВОЗВРАЩЕНИЕ ПРО-
ИЗОЙДЕТ, ЭТО — ЯВЛЕНИЕ ОБОЮДООСТРОЕ. СПОРТ, КАК
И ТЕАТР,— МЕСТО СТОЛКНОВЕНИЯ АМБИЦИЙ. И К ЧЕМУ
СТОЛКНОВЕНИЕ ПРИВЕДЕТ В ЭТОМ СЛУЧАЕ, ПРЕДПОЛО-
ЖИТЬ НЕВОЗМОЖНО.

Кто прав — Юран или Шендерович, молодой
футбольный тренер или болельщик-интеллектуал,—
определит только время. Но когда вся команда без исключений (я таких, по крайней мере, не знаю) выступает за возвращение капитана, попробовать, на мой
взгляд, стоит.

Но это невозможно без инициативы команды.
Будет ли она?

Слова полузащитника Дениса Бояринцева дали
надежду.

— У игроков нет мысли собраться и пойти для начала к Шавло с просьбой вернуть Аленичева?
— Думаю, такое будет. Ребята, полагаю, скажут свое
слово. Постараются обратиться к руководству с
такой просьбой.
— Лично вы будете в этом участвовать?

— ЕСТЕСТВЕННО. Я НА СТО ПРОЦЕНТОВ ЗА ВОЗВРАЩЕНИЕ АЛЕНИЧЕВА В КОМАНДУ.

Игрок, который попросил его не называть, оценил перспективу более скептически:

— МНЕ КАЖЕТСЯ, ВЕРНУТЬ ДИМУ НЕРЕАЛЬНО. ЗА НЕГО ДОЛЖНЫ ВПРЯЧЬСЯ ВСЕ. ПООДИНОЧКЕ НИЧЕГО НЕ ВЫЙДЕТ. РАЗГОВОРЫ НА ЭТУ ТЕМУ В КОМАНДЕ ПОДНИМАЛИСЬ, НО ОСОБОГО ЭНТУЗИАЗМА В МАССАХ НЕ ВЫЗВАЛИ. АЛЕНИЧЕВА ВСЕ УВАЖАЮТ, НО ЛЮДИ ПРИЕХАЛИ ЗАРАБАТЫВАТЬ ДЕНЬГИ, И ПЕРСПЕКТИВА БОЛЬШИХ ШТРАФОВ ИХ НЕ ВДОХНОВИЛА.

И. о. капитана Титов высказался более сдержанно:

— А ЗАЧЕМ НАМ БУНТ?
— НЕ БУНТ, А КОЛЛЕКТИВНАЯ ПРОСЬБА.
— ПОКА Я НА ЭТУ ТЕМУ НЕ ДУМАЛ.

Жизнь приучила Титова к осторожности. Однажды, в 2003 году, он уже пострадал за весь «Спартак»: допингом кормили всю команду, а на год отлучили от футбола его одного. Перспектива вновь оказаться в роли козла отпущения его явно не радует. Тем более когда карьера потихоньку начала налаживаться и он после долгого перерыва был приглашен в сборную.

Но если ему и команде действительно нужен Аленичев, без похода к руководству или, по крайней мере, коллективного письма не обойтись. Титов оказался поставлен в обстоятельства, когда ему нужно занять позицию. Одну или другую. Третьего не дано. «Пусть они перед руководством ставят вопрос, если хотят, чтобы Дима вернулся»,— сказал Геннадий Логофет, и с ним нельзя не согласиться. Ведь это — проверка на прочность отношений. Суровая проверка. В жизни так бывает.

— Вы бы смогли поступить так же, как Аленичев? — спросил я Титова ближе к концу мая.

— Думаю, смог бы.

По-моему, лучшего момента для того, чтобы доказать эти слова на деле, представиться не могло. Как все вышло на самом деле, вы уже знаете. Я — пока нет.

Рассуждая о корпоративной этике и субординации, мы забываем о главном. О праве человека сказать правду, какой бы горькой она ни была. Возмущаясь тем, что Аленичев своими откровениями нарушил те или иные неписаные законы, мы поощряем лицемерие и равнодушие.

Я знаю Аленичева с начала 1990-х. И никогда не забуду об одном. Когда в 1994-м я попал в опалу к Романцеву и тот распорядился: «Рабинера за километр к Тарасовке не подпускать», Аленичев был едва ли не единственным человеком, который каждый раз после приезда репортеров «Спорт-экспресса» на спартаковскую базу передавал через Алексея Матвеева слова поддержки.

Такое не забывается.

Если бы откровения Аленичева были не более чем выдумкой обиженного футболиста, эхо одного-единственного интервью не вызвало бы моментального обвала всей двухлетней спартаковской системы. Она оказалась карточным домиком, киношной декорацией — сколь внешне благообразной, как манера поведения Старкова, столь и хрупкой. Ее сдуло первым же порывом резкого и честного слова.

В дни, когда я работаю над этой частью повествования, Аленичев по-прежнему находится в «подвисшем» состоянии. Вы, читатель этой книги, уже будете знать, в какую сторону повернулась его карьера. Но мне не хотелось бы писать «понадежнее», на все случаи жизни. Пусть даже не оправдаются мои ожидания, пусть все окажется банальнее и скучнее — но вы будете знать, на что автор надеялся и к чему призывал команду в конце мая. Тем интереснее знать, сбылись ли его надежды.

Надежды эти, надо заметить, были не только моими. 7 мая, во время матча «Спартак» — «Торпедо», в VIP-ложе Лужников болельщики красно-белых вручили владельцу клуба Леониду Федуну письмо, подписанное всеми без исключения организованными группами поклонников «Спартака». По имеющейся информации, Федун бегло прочитал письмо, после чего положил его в карман. Получил ли документ какой-либо дальнейший ход, неизвестно.

На протяжении мая спартаковские болельщики не хотели афишировать свой поступок, опасаясь, что он будет расценен как пиар-акция. Но никакой реакции клуба или лично Федуна так и не последовало. А в день выхода в свет первой части моего материала о «деле Аленичева», опубликованного в «Спорт-экспрессе» 29 и 30 мая, мне позвонили болельщики и предоставили текст своего письма.

«ПРЕДСЕДАТЕЛЮ СОВЕТА ДИРЕКТОРОВ
ФК „СПАРТАК" (МОСКВА)
г-ну ФЕДУНУ Л. А.

УВАЖАЕМЫЙ ЛЕОНИД АРНОЛЬДОВИЧ!
ХОТИМ ЕЩЕ РАЗ ОБРАТИТЬСЯ К ВАМ ПО ПОВОДУ ДАЛЬНЕЙШЕЙ КАРЬЕРЫ КАПИТАНА ФК „СПАРТАК" ДМИТРИЯ АЛЕНИЧЕВА.
НАШ КЛУБ НАХОДИТСЯ СЕЙЧАС В ОЧЕНЬ НЕПРОСТОЙ СИТУАЦИИ. НЕПРОСТОЙ В ТОМ ЧИСЛЕ И ИЗ-ЗА ИЗВЕСТНЫХ ЗАЯВЛЕНИЙ ДМИТРИЯ, ВОЗМОЖНО, В ЧЕМ-ТО НЕПРОДУМАННЫХ, НО, БЕЗУСЛОВНО, ИСКРЕННИХ И СДЕЛАННЫХ ИСКЛЮЧИТЕЛЬНО ИЗ ЖЕЛАНИЯ ПОМОЧЬ „СПАРТАКУ".
МЫ, РАЗУМЕЕТСЯ, НЕ ПОНАСЛЫШКЕ ЗНАЕМ О ТОМ, ЧТО ТАКОЕ „КОРПОРАТИВНАЯ ЭТИКА" И „ЗАКОНЫ БИЗНЕСА", И ПРЕКРАСНО ПОНИМАЕМ, ЧЕМ БЫЛО ПРОДИКТОВАНО РЕШЕНИЕ ОБ ОТЧИСЛЕНИИ ДМИТРИЯ АЛЕНИЧЕВА ИЗ КОМАНДЫ. НО НАМ КАЖЕТСЯ, ЧТО ЗДЕСЬ ТОТ САМЫЙ СЛУЧАЙ, КОГДА „НЕТ ПРАВИЛ БЕЗ ИСКЛЮЧЕНИЙ". САМА ИСКЛЮЧИТЕЛЬНОСТЬ РОЛИ АЛЕНИЧЕВА ДЛЯ СЕГОДНЯШНЕ-

ГО И, ЧТО НЕМАЛОВАЖНО, БУДУЩЕГО „СПАРТАКА" ПОД-
СКАЗЫВАЕТ НАМ ЭТО.

МЫ ВСЕ ОЧЕНЬ РАЗНЫЕ И ПО-РАЗНОМУ ВИДИМ ПУТИ ВЫ-
ХОДА КЛУБА ИЗ СЛОЖИВШЕГОСЯ ПОЛОЖЕНИЯ. НО В ОД-
НОМ РАЗНОГЛАСИЙ НЕТ: СДЕЛАТЬ ЭТО, ВЕРНУТЬ „СПАР-
ТАК" НА ЛИДИРУЮЩИЕ ПОЗИЦИИ МЫ СМОЖЕМ ТОЛЬКО
ВСЕ ВМЕСТЕ.

В ЭТОЙ СВЯЗИ ВАШЕ ВОЗМОЖНОЕ РЕШЕНИЕ О ВОЗВРА-
ЩЕНИИ ДМИТРИЯ В КОМАНДУ ОТНЮДЬ НЕ БУДЕТ СВИДЕ-
ТЕЛЬСТВОВАТЬ О ВАШЕЙ СЛАБОСТИ. НАОБОРОТ, ЭТО
МОГЛО БЫ СТАТЬ МОЩНЕЙШИМ ФАКТОРОМ, СПОСОБ-
НЫМ ОБЪЕДИНИТЬ ВСЕХ БЕЗ ИСКЛЮЧЕНИЯ БОЛЕЛЬЩИ-
КОВ „СПАРТАКА", И ЯРКИМ ПРИМЕРОМ ВАШЕЙ СИЛЫ И
МУДРОСТИ КАК РУКОВОДИТЕЛЯ.

МЫ ПРОСИМ ВАС ВЕРНУТЬ В КОМАНДУ КАПИТАНА
„СПАРТАКА" ДМИТРИЯ АЛЕНИЧЕВА.

МЫ ДОЛЖНЫ БЫТЬ ВМЕСТЕ. ТОЛЬКО ВМЕСТЕ МЫ СМО-
ЖЕМ ПОБЕДИТЬ.

С НАДЕЖДОЙ НА ПОНИМАНИЕ И БЕСКОНЕЧНОЙ УВЕ-
РЕННОСТЬЮ В ВЕЛИЧИИ И НЕПОБЕДИМОСТИ НАШЕГО
„СПАРТАКА"!

С УВАЖЕНИЕМ,
БОЛЕЛЬЩИКИ ФУТБОЛЬНОГО КЛУБА „СПАРТАК" (МОСКВА)».

Верно заметил Юран: вернув Аленичева, боссы
«Спартака» впервые за долгое время оказались бы заодно с миллионами своих болельщиков. И, что не менее

важно, — с собственной командой. Это уникальный шанс восстановить единение! Иначе ведь и футболисты воздвигнут внутри себя барьер безразличия. Главным для них будет не высовываться и спокойно получать зарплату. А жить на поле и вне его двумя разными жизнями невозможно: чтобы умирать за команду на стадионе, надо переживать за нее всегда. Как Аленичев. Как Стивен Джеррард и Тьерри Анри, которые не смогли уйти из «Ливерпуля» и «Арсенала», несмотря на фантастические предложения «Челси» и «Барселоны». Не смогли, потому что это было выше их сил. Команды, в которых они «капитанили», стали для них неотъемлемой частью жизни.

«Вы должны этому человеку памятник поставить! На стадионе „Спартак"»!

Эту фразу об Аленичеве нынешний главный тренер «Челси» Жозе Моуринью произнес в ноябре 2004 года в московской гостинице «Балчуг», где лондонский клуб жил перед матчем Лиги чемпионов с ЦСКА. Полузащитник «Спартака» приехал в гости к человеку, вместе с которым за два предыдущих сезона выиграл оба еврокубка и в каждом из финалов забил по голу. Приехал — и Аленичев с Моуринью заключили друг друга в объятия.

Вместо памятника на несуществующем пока стадионе Аленичев спустя год и пять месяцев был отлучен от «Спартака». Уезжать из России, по имеющейся на конец мая информации, он не хотел, равно как и играть в низших дивизионах. Да и предложение из Владивостока от бывшего помощника Романцева в «Спартаке» Сергея Павлова его на тот момент не вдохновляло. И уходить из футбола он не собирался — как минимум в ближайшие полтора года...

В этой книге мы уже не раз вспоминали о баннере болельщиков «Спартака»: «Тихонов навсегда». Написан он был спустя долгое время после вынужденного ухода лидера красно-белых из команды.

История движется по спирали. Если спартаковские боссы не вернут в команду ее нынешнего капитана, пройдет время, и однажды на очередном матче команды обязательно появится грустный плакат: «Аленичев навсегда».

В конце мая Старков вдруг заговорил — и совсем не так, как раньше.

— Большинство журналистов и болельщиков противопоставляли меня и Аленичева. Я ушел. Но Аленичева забыли. Получается так, что этого игрока — неважно, какая у него фамилия,— просто использовали. Сейчас вытерли о него ноги и забыли. Меня сейчас в положительном плане вспоминают больше, чем Аленичева. Это еще раз говорит о том, что здесь была некая интрига, созданная кем-то. В итоге Аленичев сам себе испортил гораздо больше, чем кому-либо. Меня не удивило, но зато показательно, что многие игроки поддерживали Аленичева. Значит они такие же «профессионалы»,— сказал Александр Петрович в интервью радиостанции «Маяк».

Он явно выдавал желаемое за действительное. «Меня сейчас в положительном плане вспоминают больше, чем Аленичева»,— кого хотел обмануть Старков, произнося такие слова? Тем более что именно из этого тезиса, выдуманного от первой до последней буквы, он сделал вывод о «созданной кем-то интриге». И еще: о каких же интеллигентности и благородстве, которые поклонники латвийского специалиста постоянно ставят ему в заслугу, можно говорить после вышеприведенной тирады? Если бы она последовала сразу за отставкой, объяснить ее можно было бы естественными человеческими эмоциями. Но когда разговор идет спустя месяц после ухода из клуба — оправдания демагогии, мне кажется, не может быть никакой. Как и обвинению, походя брошенному всей команде,— «значит, они такие же „профессионалы"». Выходит, вся команда — дремучие дилетанты, а один Александр Петрович — в белом костюме?

Нет, никто, как бы ни хотелось Старкову, Аленичева не забыл. Это доказало и письмо болельщиков Федуну, и скандирование «Дмитрий Аленичев!» — больше чем через месяц после отлучения капитана от команды (например, 10 мая в Раменском, на ответном полуфинале Кубка России против «Сатурна»), и бурная читательская реакция на мое расследование в «Спорт-экспрессе». Такого количества звонков со словом «спасибо» я от болельщиков «Спартака» давно уже не получал. Не могу сказать, что стремлюсь к подобным комплиментам, в конце концов, журналист не червонец, чтобы всем нравиться. Но в данном случае такие звонки были, не скрою, приятны.

⚽ ⚽ ⚽

Аленичева будут помнить, Старкова забудут очень скоро. Когда-то Константин Бесков говорил своему зятю Владимиру Федотову: «Спартаковских болельщиков нельзя не принимать в расчет. Это такой народ, что к ним надо прислушиваться. Иначе они и убить могут...»

Федотов помнит эти слова покойного мэтра и очень хочет, чтобы команда вновь заиграла в настоящий спартаковский футбол. Получится ли? Я очень хотел бы на это надеяться. Потому что отношусь к этому тренеру и человеку, сыну и зятю великих футболистов, с глубочайшим уважением. Федотов — прямое продолжение отечественной футбольной истории.

И вот что интересно: несмотря на то что он всю свою игровую карьеру выступал за ЦСКА и стал в его составе чемпионом СССР (более того, забил два мяча в знаменитой переигровке за «золото» 1970 года против московского «Динамо» в Ташкенте), спартаковские поклонники восприняли его как своего. Может, потому, что Федотов — зять Бескова. Может, потому, что он работает в «Спартаке» еще со времен Романцева и никогда ничем себя не скомпрометировал — наоборот, собирал по частям игроков после чужих допинговых экспериментов. Может, потому, что в нем души не чают игроки. Может, потому, что он хочет вернуть спартаковский футбол в таком виде, в каком его понимают миллионы болельщиков.

Конечно, никто не может гарантировать, что у него все получится. Но не сопереживать этому человеку невозможно. Это касается и тех, кто судит о нем со стороны, по поступкам и имиджу. А о тех, кто хорошо знает Федотова лично, и говорить не приходится.

.Мне часто звонит из Лос-Анджелеса хороший приятель, бывший администратор футбольных команд Саша Зундер. Он работал в «Асмарале» (как раз когда эту команду возглавляли Бесков и Федотов) и нижегородском «Локомотиве» — но и тогда, и сейчас едва ли не умереть готов за свой любимый «Спартак». Находясь теперь от Москвы в тысячах километров, в Калифорнии, он живет совсем не американской, а московской, футбольной, спартаковской жизнью. И таких немало. Я и сам, когда уезжал на несколько лет в Северную Америку в качестве собственного корреспондента «Спорт-экспресса», был таким же...

Иногда мне кажется, что судьба «Спартака» волнует его гораздо больше перипетий собственной жизни. По крайней мере, историю с Аленичевым и Старковым житель Лос-Анджелеса переживал так, словно произошла она с ним самим. Переживал, как и почти все люди красно-белой группы крови, на стороне капитана. И делал это настолько яростно, что в разговорах с ним мне даже порой приходилось защищать Старкова. Хотя в адвокатстве этого тренера никому не придет в голову меня заподозрить.

Так вот, идею о Федотове (работавшем тогда спортивным директором «Спартака») в роли главного тренера и Станиславе Черчесове в роли его помощника, а в будущем — преемника «американец» начал проповедовать задолго до того, как это произошло на самом деле. Когда он высказал такую мысль впервые, не было еще и речи ни об отставке Старкова, ни об интервью Аленичева. По-моему, это было даже до того, как красно-белые оказались на втором месте в прошлогоднем чемпионате.

Но мой приятель из Лос-Анджелеса любит «Спартак» такой страстной любовью, что развитие событий, которое очень трудно было спрогнозировать, он словно знал наперед.

Кстати, одним из первых кадровых решений Федотова стало возвращение в «Спартак» опытнейшего врача Юрия Василькова, который проработал с этой командой полтора десятка лет и был уволен профессиональным революционером Андреем Червиченко, предпочитавшим экстремальных новаторов вроде Артема Катулина. Если бы «консерватор» Васильков остался, в клубе никогда бы не разгорелся бромантановый скандал.

Возвращение Василькова — это тоже шажок к настоящему «Спартаку».

⚽ ⚽ ⚽

Федотов начал фантастически. Первый матч в Санкт-Петербурге против «Зенита» — тяжелейшее испытание для любого тренера, а уж когда с момента назначения до игры всего три дня — и подавно. Кто мог подумать, что Федотов, проведший свою первую тренировку 28 апреля, уже 30-го пойдет на то, чего его предшественник не осмелился сделать ни разу за два года,— сыграет с тремя защитниками! Как Старкову ни доказывали, что подбор игроков обороны в команде небогат, полузащитников же, напротив, хоть в банке соли — он играл только по схеме, предусматривавшей четырех оборонцев. Не хотел, по своему обыкновению, рисковать...

А Федотов рискнул. Несмотря на то что в «Зените» играют два из трех, наряду с локомотивцем Сычевым, самых острых форварда России — Кержаков и Аршавин. И новая тактика сработала блестяще.

Произошло это еще и потому, что «Спартак» приехал на стадион «Петровский» выигрывать. Сравняв счет на исходе первого тайма (в самом начале игры Ковальчук срезал мяч в собственные ворота), красно-белые на первых секундах второго ринулись вперед, и Пьянович после великолепной комбинации сразу забил. Могло такое быть при Старкове, для которого счет 1:1 в Санкт-Петербурге был вожделенным, и его следовало хранить как зеницу ока? А не отойти назад при счете 2:1? А выпустить при выигрышном счете вместо хавбека с оборонительным уклоном Бояринцева фактически крайнего форварда — голландца Квинси Овусу-Абейе, отдавшего в итоге две голевые передачи? А играть с первой и до последней минуты с двумя нападающими? Не этой ли смелости так не хватало уважаемому и основательному, но такому все-таки недопустимо осторожному Александру Петровичу?

Матч закончился с невероятным счетом 4:1 в пользу «Спартака», который до того не выигрывал в Северной Пальмире с 2002 года. Атаки, предшествовавшие трем голам во втором тайме, получились потрясающе красивыми, ажурными, по-настоящему спартаковскими. «Такое впечатление, будто с нас по сто килограммов сбросили»,— скажет мне потом один из игроков.

После игры в Питере Титов не захотел бросать в спину Старкову слова критики, что вызвало только уважение к и. о. капитана «Спартака». «Это не вина Петровича, что так вышло, это просто стечение обстоятельств»,— сказал он мне в смешанной зоне. Но через пару минут от того же Титова мы услышали: «Игра наша немножко изменилась. Григорьич исповедует более короткие передачи. Вы видели, мы длинными сегодня играли очень мало, особенно во втором тайме. Это тот футбол, к которому я привык. Он многим в команде по душе, поэтому даже какое-то вдохновение появилось».

И ведь правда, появилось! И, видимо, не случайно после матча Быстров и Баженов, две молодые спартаковские надежды, на мой вопрос, хотят ли они, чтобы Федотов остался главным тренером, ответили: «Да». А Баженов еще и рассказал историю, как сразу после установки на игру Федотов, оставивший его, автора отличного гола в ворота «Москвы», в запасе, отвел его в сторону и сказал: «Не расстраивайся. Вот увидишь — все будет нормально». И так он это сказал, что молодой форвард, фанатично любящий футбол (сам видел это на прошлогоднем сборе «Спартака» в Марбелье и приятно удивился — не очень это характерно для этого поколения), поверил. И, выйдя на замену, забил один гол и поучаствовал еще в одном.

И показалось, что это была та самая игра за тренера, на которую в тот же день и в том же месте оказался не способен «Зенит» — команда, для которой (а особенно для ее болельщиков) «Спартак» всегда был как красная тряпка для быка. Спустя три дня главный тренер питерцев, любимец болельщиков чех Властимил Петржела будет уволен...

Не случайно Титов хвалил футбол «по Федотову». И уже не рассуждал в смешанной зоне о поисках нового тренера, как раньше, Шавло. Вместо этого расточал комплименты Федотову и говорил, как заслуживает тот своей нынешней роли. «У нас есть главный тренер», — подчеркивал генеральный директор. «Исполняющий обязанности», — поправляли его. «Это мы еще посмотрим», — реагировал Шавло.

Сколько уже было случаев в истории, когда 90 — всего 90! — стадионных минут меняли в жизни людей футбола очень многое. До игры с «Зенитом» Федотова воспринимали как временную палочку-выручалочку, которая будет тренировать «Спартак» до неизбежного прихода нового тренера откуда-то со стороны. Думаю, именно Питер стал переломным моментом в восприятии Федуном статуса Федотова.

Впрочем, ясно еще было далеко не все. На следующем матче с «Торпедо» в VIP-ложе Лужников был замечен Станислав Черчесов, приехавший на один день из Австрии на переговоры с руководством «Спартака». Шавло в интервью мне, правда, попытался сказать, что основной мотив приезда Черчесова в Москву — ремонт квартиры, а на родной «Спартак» заглянул по совпадению. Но то, что Черчесов уехал с игры в машине Федуна, говорило, что это не так. Интернет-издания иронизировали потом, что бывший вратарь красно-белых ловил машину на дороге, и по чистой случайности остановилась машина с хозяином «Спартака». Федун решил заработать сто рублей, подбросив Черчесова до ближайшего метро...

Если же говорить серьезно, то на тот момент Черчесов считался кандидатом именно на должность главного тренера, которую он в последние годы занимал в австрийском «Тироле». Это и Шавло мне подтвердил, причем для печати.

Но получилось все по-другому. Черчесов подписал-таки полуторалетний контракт со «Спартаком», но в роли спортивного директора — причем не «офисного», а близкого к команде. Сразу возникла версия, что руководство клуба видит в нем будущего главного тренера, но считает, что к этой роли его нужно подвести постепенно, за эти самые полтора года. Пусть, мол, пока поучится у мудрого Федотова, понаблюдает за игроками, поймет их уровень — тогда и переход в более серьезный статус пройдет более плавно.

Так это или нет — только время покажет. Оппоненты Черчесова твердят, что у него недостаточно опыта. Но разве много опыта было у Романцева, когда он в 1989-м возглавил «Спартак»? «Красная Пресня»,

«Спартак» из Орджоникидзе — это что, какой-то заоблачный уровень по сравнению с черчесовским «Тиролем»? По-моему, главное, чтобы тренер был личностью, со своим видением футбола, харизмой и волей. Последние два ингредиента у Черчесова есть точно, «мягкой игрушкой» он ни для начальства, ни для игроков не будет — зная его, могу это гарантировать. Он — яркий, остроумный и независимый человек. Последняя из этих характеристик, правда, может сделать его вживание в нынешний «Спартак» непростым. Что еще важно в контексте спартаковской новейшей истории, Черчесов — человек непьющий. Многие рассказывают, что даже на командных празднованиях Нового года в «Спартаке» он «баловался» кваском.

А вот о его видении футбола, ни разу не наблюдая за игрой «Тироля», говорить, конечно, трудно. Но спартаковское прошлое Черчесова говорит в этом смысле в его пользу. Если у него получится, из Станислава может получиться тренер «Спартака» на годы.

Но это все — в будущем. Сразу назначать эксвратаря главным тренером спартаковские боссы не рискнули. Если бы не пошло у Федотова, это могло произойти. Но у него — пошло. И убирать его в такой ситуации у Федуна не поднялась рука.

После того как Федотов сначала обыграл «Торпедо», а потом победил в полуфинале Кубка России «Сатурн», его вызвал к себе Федун и сообщил, что Владимир Григорьевич отныне — главный тренер без приставки и. о. Возможно, момент для встречи был выбран не самый удачный — за день до похорон Бескова, организацией которых Федотов занимался день и ночь. С другой стороны, вполне возможно, что владелец «Спартака», наоборот, хотел тем самым поддержать тренера в трудную минуту.

На прощание с великим тренером, кстати, спартаковцы явились в далеко не полном составе. В отличие, к примеру, от ЦСКА, футболисты которого по распоряжению Гинера пришли все до единого. Может, бразильцы Жо и Карвалью не до конца понимали, к гробу какого человека кладут красные гвоздики,— зато им стало ясно, что у этой страны есть своя футбольная история, и ее чтут.

Шавло играл у Бескова и до последних дней жизни Константина Ивановича находился в прекрасных отношениях с ним и с Валерией Николаевной. Почему же он не сделал все для того, чтобы на похоронах его учителя появился весь «Спартак»? Почему отлученный от команды Аленичев был на похоронах — а больше половины его действующих игроков не были? И не это ли — еще одна деталь, характеризующая разницу между организацией работы в ЦСКА и «Спартаке»?

...А несчастную Валерию Николаевну через два дня после похорон мужа ограбили цыганки-мошенницы. Звоня в осиротевшую квартиру на Маяковке под видом социальных работниц, эти недочеловеки наверняка знали, куда идут и в каком состоянии находится хозяйка. И кто-то их, несомненно, навел — таких совпадений не бывает.

Такая у нас страна.

Федотову же, который в марте потерял мать, а в мае — тестя, теперь приходилось чередовать проведение тренировок «Спартака» еще и с беседами со следователями. А до финала Кубка против ЦСКА оставалось всего ничего...

⚽⚽⚽

Четверо армейских бразильцев дурачились на глазах рекордных для российского клубного футбола 67 тысяч зрителей, устроив беззаботный карнавал вокруг Кубка России. Они вообще идут по жизни смеясь — вот и 20 мая превратили торжественный церемониал с участием министра спорта страны и президента РФС в шуточное представление, во время которого корчили рожицы одну потешнее другой, а Вагнер Лав на смеси русского с португальским вопил в телекамеры: «ЦСКА — кампеон!»

Отчего не повысовывать языки от удовольствия, если такой матч выигран со счетом 3:0?

А спартаковцы в большинстве своем даже не вышли на церемонию награждения. Только Титов, Йенчи, Тамаш, Ковальчук, Квинси и Штранцль не нарушили регламент Кубка и получили, опустив головы, свои серебряные медали. Остальным оставаться на поле и смотреть на радующихся армейцев оказалось невыносимо. На следующий день официальный сайт «Спартака» языком партсобраний сообщил: «Игрокам „Спартака”, не явившимся на церемонию награждения, было указано на необходимость уважительного отношения к сопернику, к болельщикам и традициям общества „Спартак"... Решением общего собрания за невыход на награждение виновные оштрафованы на 20% месячного оклада».

«Спартак» был мотивирован, думается, покруче армейцев — тут и четыре титула ЦСКА за последний календарный год, и 1873 дня с момента предыдущей очной победы 31 марта 2001 года. И сражались спартаковцы почти весь матч на совесть — и уж явно не на итоговые 0:3 (счет 0:1 куда адекватнее отражал бы ход игры). Но армейцы вновь оказались сильнее.

У них почти не было бездумных действий — они атаковали, может, и реже спартаковцев, но всякий раз четко знали, чего хотели. Красно-белые же то и дело отмечались «тяжелым наследием царского режима» Старкова — верховыми забросами на авось: а вдруг получится? Не получалось. Не тот соперник. Прав Федотов: трудно за три недели переделать игроков, которых два года учили совсем другому футболу.

А во-вторых, у «Спартака» не было Жо. 19-летний бразилец — штучный товар, человек, который способен все решить в одиночку. Он — немой укор спартаковской селекции, которая два года ждала, но так и не дождалась настоящего блеска от Кавенаги. В нашей послематчевой беседе Шавло признал, что футболист типажа Жо «Спартаку» необходим. Хватит ли профессионализма найти? И почему, обладая прекрасными финансовыми возможностями, за два года не нашли?

Разница между ЦСКА и «Спартаком» была еще в одном. Если у армейцев все до единого футболисты приобретались одним президентом — Гинером (началось все летом 2001 года с Рахимича), то в «Спартаке» — четырьмя (!) президентами и генеральными директорами, у каждого из которых свое видение футбола. Титов и Калиниченко играют в «Спартаке» со времен президента Романцева; Ковалевски, Павлюченко, Павленко, Пьянович, Йенчи, Тамаш пришли при президенте Червиченко; Кавенаги, Родригес, Йиранек, Ковальчук, Дедура, Бояринцев, Ковач, Хомич, Баженов, Быстров и опальный Аленичев — при гендиректоре Перваке; Моцарт, Штранцль и Овусу-Абейе — при гендиректоре Шавло. О какой планомерности поисков можно говорить при такой текучке даже не игроков и не тренеров, а руководителей?! Тем более что есть еще и хозяин, Федун, с собственным мнением о футболистах — в частности, о ветеранах!

В этом смысле позиция Шавло, высказанная мне в послематчевом интервью,— что в кубковом поражении виноваты в первую очередь футболисты,— кажется мне поверхностной. Виновата общая нестабильность. Отсутствие внятного курса на протяжении многих лет. Все это и приводит к тому, что игроки, купленные в разные времена, говорят на разных языках.

Хотя игроки, конечно, тоже не без греха. Возьмем Тамаша. Тренер Старков человеку не доверял, и тот после возвращения из аренды в бухарестское «Динамо» сидел в глухом запасе. Федотов доверил. Во-первых, больше некому было из-за травм, отъездов в сборные и дисквалификаций, а во-вторых, у Тамаша — единственный свежий опыт победы над ЦСКА: в осеннем матче Кубка УЕФА за команду из Бухареста. И что же? В момент удара Жо со штрафного румын отвернулся на 90 градусов — наверное, чтобы в случае попадания не было больно, бедняжке,— и от его повернувшейся стопы мяч срикошетил в ворота. Так был забит победный гол.

Небольшое лирическое отступление. По вторникам журналисты «Спорт-экспресса» играют в футбол в Лужниках, и периодически нам составляют компанию известные футболисты. На сей раз я пригласил Сергея Юрана. Играл он, кстати, в футболке «Кто мы? Мясо!», творил на поле чудеса и вообще, как показалось, был на несколько килограммов легче, чем во времена своего второго прихода в «Спартак» в 1999-м. Из всех профи, которые к нам приходили, равных Юрану не было и близко.

Так вот, Юран возмущался: «Да если бы я играл за „Спартак" в этом финале Кубка, в раздевалке разорвал бы Тамаша на части. Отвернуться от мяча в таком матче — за это убивать надо! Те, кто профессионально играл в футбол, меня поймут. А будь я на месте руководства клуба — сразу после матча вручил бы ему билет до Бухареста в один конец. Люди, которые так поступают, какими бы они ни были способными, могут подвести в любой момент».

А Квинси Овусу-Абейе? Вагнер Лав, которого армейские болельщики упрекают за лень, провел на поле все 90 минут — и на последней убежал от свеженького голландца к воротам Ковалевски, как от стоячего. При том что бывший игрок лондонского «Арсенала» считается одним из лучших спринтеров не российского даже — европейского футбола! Но едва Вагнер опередил Квинси на метр, как тот прекратил сопротивление. А пару минут спустя он же, Квинси, не сделал лишнего шага, чтобы помешать ударить Жо. Два раза молодой парень недобежал, недоработал — и получите два гола.

Так, как поступили в финале Кубка России Тамаш и Квинси, могут сделать только игроки, словно обитающие в безвоздушном пространстве. Не имеющие представления, что это такое — матч ЦСКА—«Спартак», да еще и на таком уровне. Если в нынешнем ЦСКА все живут по каким-то единым законам, то в «Спартаке», причем уже давно,— каждый по своим.

⚽ ⚽ ⚽

На 88-й минуте финала с поля выгнали Моцарта. С трибуны красная карточка сначала показалась непонятной. А после того, как уход бразильца повлек за собой «черную дыру» в центре поля, в которую от защитников убежали и забили сначала Вагнер, а потом Жо, спартаковские болельщики начали подозревать судью Валентина Иванова в «сплаве» любимой команды. Благо никто еще не забыл матч первого круга 2003 года, когда при счете 2:1 в пользу «Спартака» Иванов назначил крайне сомнительный пенальти в пользу ЦСКА после контакта Семака и Абрамидзе — и армейцы победили со счетом 3:2. Когда речь идет о противостоянии

«Спартака» и ЦСКА, такое не забывается. И когда по стадиону объявили, что памятный знак за участие в финале Кубка вручается судейской бригаде, со спартаковской трибуны «В» раздался оглушительный свист.

Не рад судейству Иванова был и сам «Спартак». После финального свистка руку арбитру из красно-белых пожал только... Тамаш. Ковалевски в смешанной зоне бросил: «Я вообще не понимаю, что Иванов хочет делать на чемпионате мира». А Федотов на пресс-конференции сказал, что у соперника было на одного человека — судью — больше. И резюмировал: «Все игры Иванова с участием нашей команды были с грубейшими ошибками. Судья не соответствовал уровню такого матча».

Это все были первые, эмоциональные оценки. А видеоповтор эпизода с Моцартом доказал правоту Иванова. Бразилец шипами наступил на бедро лежавшего Дуду — за что и был удален. Причем наступил умышленно. Дома я несколько раз в замедленном повторе прокрутил запись — и заметил, что в последний момент, когда Дуду уже лежал, Моцарт даже не сделал попытки затормозить. Последний его шаг, наоборот, был более длинным, чем предыдущие. Причем направлен он был не вверх, чтобы перепрыгнуть лежащего,— а вперед, «в тело».

Моцарт — классный игрок, ключевой для нынешнего «Спартака», боец без страха и упрека. С этой-то покупкой красно-белые как раз угадали на сто процентов. Но свои действия и эмоции он почему-то в критических обстоятельствах контролировать перестает.

Ведь это было уже второе удаление Моцарта в матчах против ЦСКА в этом сезоне! Грубость, которая ничем не была продиктована, говорит о том, что Моцарт — так же как Тамаш и Квинси, только в другом контексте — не понимает меру своей ответственности перед клубом.

Еще раз процитирую сообщение официального сайта «Спартака» о «партсобрании», которое появилось на следующий день после матча. Кто из моих читателей постарше и бывал на подобных собраниях — тот получит от нижеприведенного текста неизъяснимое наслаждение. Лучшей пародии на «совок» сыскать трудно — вплоть до инициалов вместо имен героев. И уж вовсе невозможно поверить, что писалось это не как стилизация, а как вполне серьезный текст!

«НА ПРОШЕДШЕМ ПО ОКОНЧАНИИ ФИНАЛЬНОГО МАТЧА КУБКА РОССИИ ОБЩЕМ СОБРАНИИ КОМАНДЫ „СПАРТАК" БЫЛИ ОБСУЖДЕНЫ ДВА ВОПРОСА: ГРУБАЯ ИГРА МОЦАРТА, ПОВЛЕКШАЯ ЗА СОБОЙ УДАЛЕНИЕ, И НЕЯВКА РЯДА ИГРОКОВ НА ЦЕРЕМОНИЮ НАГРАЖДЕНИЯ ПО ОКОНЧАНИИ МАТЧА.

ГЛАВНЫЙ ТРЕНЕР В. ФЕДОТОВ И КАПИТАН КОМАНДЫ Е. ТИТОВ УКАЗАЛИ МОЦАРТУ НА НЕДОПУСТИМОСТЬ ПОДОБНЫХ ПРОСТУПКОВ, В РЕЗУЛЬТАТЕ КОТОРЫХ ФУТБОЛИСТ КОМАНДЫ СОПЕРНИКОВ МОЖЕТ ПОЛУЧИТЬ ТРАВМУ, СОБСТВЕННАЯ КОМАНДА В РЕШАЮЩИЙ МОМЕНТ ОСТАЕТСЯ В МЕНЬШИНСТВЕ И ПРЕДСТАЕТ ПЕРЕД ФУТБОЛЬНОЙ ОБЩЕСТВЕННОСТЬЮ В НЕПРИГЛЯДНОМ СВЕТЕ.

МОЦАРТ ЗАВЕРИЛ, ЧТО НАСТУПИЛ НА СОПЕРНИКА НЕ-

УМЫШЛЕННО, ПРИНОСИТ САМЫЕ ИСКРЕННИЕ ИЗВИНЕ-
НИЯ СВОЕМУ СООТЕЧЕСТВЕННИКУ, ФУТБОЛИСТУ ЦСКА
ДУДУ. ДВА ПРОПУЩЕННЫХ КОМАНДОЙ МЯЧА ПОСЛЕ
УДАЛЕНИЯ МОЦАРТА СТАЛИ ДЛЯ НЕГО СЕРЬЕЗНЫМ УРО-
КОМ. „ДА, МЫ НЕ ИМЕЕМ ПРАВА РИСКОВАТЬ ЗДОРОВЬ-
ЕМ ТОВАРИЩЕЙ ПО РЕМЕСЛУ И ТАК ПОДВОДИТЬ СВОЮ
КОМАНДУ. ОБЕЩАЮ, ЧТО БОЛЬШЕ ТАКОЕ НЕ ПОВТОРИТ-
СЯ",— ЗАЯВИЛ МОЦАРТ.

ФК „СПАРТАК" ОБРАЩАЕТСЯ С ПРОСЬБОЙ К КДК РФС В
ПРОЦЕССЕ ПРИНЯТИЯ РЕШЕНИЯ ПО МОЦАРТУ УЧЕСТЬ
ФАКТ ГЛУБОКОГО РАСКАЯНИЯ ФУТБОЛИСТА И ЕГО УВЕРЕ-
НИЕ В НЕДОПУСТИМОСТИ ПОДОБНЫХ СЛУЧАЕВ ВПРЕДЬ».

Каково, а? Хотелось бы услышать, как Моцарт
произносил словосочетание «товарищи по ремеслу».
Ну, и так далее.

Зная, что пресс-атташе Шевченко — человек
все-таки творческий, я с трудом верю, что всю эту гали-
матью он сочинял на полном серьезе. Варианта два. Либо писал не он, либо, что скорее, эта «правдистская» заметка специально готовилась для заседания КДК РФС.
Председателем контрольно-дисциплинарного комитета
является Виктор Марущак — пожилой человек советских времен, к тому же еще и имевший высокий офицер-
ский чин. Этот язык для него родной. За свое удаление
Моцарт вполне заслужил пяти игр дисквалификации, но
для «Спартака» это была бы катастрофа. Получил он в
итоге две игры наказания, одна из которых — встреча
самой ранней стадии следующего Кубка России против

клуба низшего дивизиона. Фактически бразилец вышел сухим из воды, и если феерический текст на это как-то повлиял, перед автором затеи стоит снять шляпу.

Оценка судейства матча ЦСКА—«Спартак» стала одним из тех редких случаев, в которых я согласен не с Федотовым, а с Шавло. Гендиректор «Спартака» сказал мне о работе Иванова так: «Грубых ошибок не было. Думаю, судейство было нормальным». Не стал он и кивать на отсутствие уехавшего в сборную Чехии ключевого защитника Йиранека: «Одних игроков лишились мы, других — ЦСКА. Нечего искать причину на стороне. Мы проиграли матч — и все. Надо поздравить армейцев с победой». В сообщении же на клубном сайте Шавло осудил тех игроков, кто не вышел на церемонию награждения: «Вы проиграли на поле, но, что еще хуже, затем поставили под сомнение честь — свою и команды. Надо уметь проигрывать. Мы не собираемся мириться с нарушениями дисциплины и условий трудовых договоров»,— обратился Шавло к игрокам.

Несмотря на не очень уместный обличительный пафос (лучше бы его направили на Тамаша и Квинси), по сути, Шавло был прав. Подозреваю, правда, что занял он такую примирительную позицию из стратегических соображений,— потому что хотел добиться минимального срока дисквалификации Моцарта. В таких случаях махать шашкой, как поступил Червиченко после матча тех же соперников с тем же судьей в 2003-м,— себе дороже. Но в любом случае то, что Шавло адекватно оценил причины поражения в финале Кубка, — уже неплохой знак. Да и тот же Федотов, выступай он не сразу после матча, а через день-два, наверняка поступил бы так же.

Ну, а если «Спартак» был заранее негативно настроен по отношению к арбитру Иванову, почему же не отвел его кандидатуру, когда определялся арбитр финального матча? Неужели у клуба масштаба красно-белых недостаточно влияния, чтобы это сделать? Если же достаточно (что показывает и двухматчевая дисквалификация Моцарта), но «Спартак» промолчал — махать кулаками после драки его руководители морального права не имеют. Ошибки Иванов совершал, но я, просмотрев запись матча целиком ночью после игры, пришел к выводу: ни о каком сознательном «удушении» красно-белых говорить было нельзя.

За день до финала на базе в Тарасовке команда прошла компьютерное обследование. По его итогам Федотов отменил тренировку и отправил большинство игроков на прогулку в лес. Умная техника показала: почти вся команда истощена.

Самое выхолощенное состояние, по данным этого обследования, было у Титова. Тем не менее именно действующий капитан поучаствовал во всех четырех голевых и полуголевых моментах «Спартака». Потому что, в отличие от Тамаша или Квинси, Титов знал, что этот матч означает для «Спартака» и его фантастических болельщиков.

Знал и капитан, которого спартаковцы выбрали в межсезонье, — Дмитрий Аленичев. В мае 1994 года именно он, тогда — новичок «Спартака», в финальном матче Кубка России забил в ворота ЦСКА решающий послематчевый пенальти. И видел, какое буйство красно-белых красок началось в Лужниках.

Но Аленичев нынче изгой. И времена его молодого, когда ЦСКА восемь лет подряд — без малого три тысячи дней! — не мог обыграть «Спартак», кажутся неправдоподобно далекими. Неужели спартаковцы побьют тот армейский «рекорд». Осталось три года...

ЭПИЛОГ

⚽ ⚽ ⚽

20 МАЯ болельщики ЦСКА вывесили в Лужниках блестящий по своему остроумию транспарант. На нем в стилистике Маркса, Энгельса и Ленина в этакий полупрофиль были изображены... Старков, Червиченко и Романцев. Лозунг над их головами гласил: «Привет участникам пятилетки!»

Под пятилеткой подразумевались пять лет, которые «Спартак» не может обыграть ЦСКА. Издевка была столь находчивой, что даже многие поклонники красно-белых улыбнулись. Сквозь слезы.

Когда же этот бесконечный хаос в клубе закончится? Когда вновь, как в 1990-е, «Спартак» сможет не проигрывать ЦСКА по восемь лет подряд? Когда и победы будут добываться, и честь по завету братьев Старостиных не теряться? Когда красно-белые вернут репутацию благородных джентльменов, а скандальный имидж начала 2000-х будет восприниматься как страшный сон?

Эта книга написана с верой, что когда-нибудь такое обязательно произойдет. Если бы веры не было — не было бы смысла садиться за письменный стол и переживать заново все те удары, которые настигли мою любимую команду в последние годы.

Легенду о «Спартаке» жестоко и изощренно убивали, да и сейчас жизнь в ней еле теплится. Но за этой легендой — такая история и такая гордость, что до конца замарать ее не удастся никому и никогда.

Спартаковский дух жив, и никто не переубедит меня в обратном. Иначе не оставался бы «Спартак», несмотря на все свои беды, самой популярной командой страны. Иначе не жили бы люди в лос-анджелесах и сиднеях не своей собственной жизнью, а жизнью «Спартака». Иначе не перечитывали бы тысячи людей более чем 800-страничную энциклопедию клуба, как Библию.

Иначе не повалили бы «спартачи» на стадион, едва забрезжила хоть какая-то надежда. Увеличить за сезон посещаемость домашних матчей в два с половиной раза, как произошло со «Спартаком» в прошлом году,— на такое никакой ЦСКА не способен. Сколько бы Кубков УЕФА, извините, он ни выиграл.

Буду счастлив открыть эту книгу через десять лет и убедиться в том, что все кошмары и низости, которые пережил «Спартак» и я сам вместе со «Спартаком», остались в безвозвратном прошлом. Не сомневаюсь, что так и будет.

Мы все рано или поздно возвращаемся к корням.

А наши красно-белые корни — это братья Старостины. Это принципиальность, интеллигентность и порядочность. Все то, что у «Спартака» цинично украли. Но мы вернем, обязательно вернем.

«Стадион „Спартак" имени братьев Старостиных» — только так, и никак иначе, должна называться домашняя арена, о которой мечтали многие поколения болельщиков. Если нас не обманывают, этот стадион в ближайшие годы все-таки должен быть построен. Скорее всего, в Тушине, а может, где-то еще. Это будет великий день.

Но я верю, что еще до него десятки тысяч глоток вновь прореву клич: «„Спартак" — чемпион!»

И что это будет честное и красивое чемпионство, потому что другого «Спартаку» не надо.

Так мы воспитаны. А если кто-то воспитан по-другому, значит, он не настоящий спартаковец. Или я безнадежно отстал от жизни.

Она, эта жизнь, подарила мне любовь по имени «Спартак». Спасибо ей за одно лишь это. И когда я в газете или в этой книге говорю, даже кричу о «Спартаке» горькие и обидные слова — это оттого, что люблю. Только тот, кто любит, скажет правду. И не отведет взгляд, когда стыдно.

Смутное время «Спартака» еще не миновало. Но мы из всякого выбирались. Выберемся и теперь.

И станем крепче. Потому что будем знать, какие ошибки нам точно нельзя повторять. Каких пороков надо бояться. Какими искушениями чреват долгий и стабильный успех.

Мы перестанем быть высокомерными гордецами и смотреть на остальных свысока. Мы перестанем с дурацким пафосом называть нашу любимую команду «народной», видимо, подразумевая, что остальные — антинародные. Мы будем просто гордиться «Спартаком», все равно зная, что он — лучший. И наши дети будут это знать. Уважая и не унижая при этом других. Это ведь и есть — по-спартаковски.

Несбыточные мечты? Наверное. Но в жизни только и возможно добиться чего-то настоящего, если ты в это веришь.

В «Спартак» верят миллионы. И он не может, не должен, не имеет права нас подвести.

ФУТБОЛЬНЫЙ КЛУБ «СПАРТАК» (МОСКВА)

■ Основан в 1922 году. Под названием «Спартак» выступает с 1935 года. Цвета — красно-белые.

■ 12-кратный чемпион СССР: 1936 — осень, 1938, 1939, 1952, 1953, 1956, 1958, 1962, 1969, 1979, 1987, 1989. По этому показателю уступает только киевскому «Динамо», у которого 13 чемпионских титулов.

■ 10-кратный обладатель кубка СССР: 1938, 1939, 1946, 1947, 1950, 1958, 1963, 1965, 1971, 1992, что является рекордом страны.

■ 5-кратный финалист кубка СССР.

■ 12 кратный серебряный призёр и 9-кратный бронзовый призёр чемпионата СССР.

■ 33 попадания в число трех лучших команд союзного первенства — также высшее достижение в истории советского футбола.

■ С 1979 по 1987 год «Спартак» девять лет подряд завоевывал медали союзного первенства, что является еще одним рекордом Советского Союза.

■ 9-кратный чемпион России: 1992, 1993, 1994, 1996, 1997, 1998, 1999, 2000, 2001. У ближайших преследователей — «Локомотива» и ЦСКА — лишь по две золотые медали российского первенства.

■ 3-кратный обладатель кубка России: 1994, 1998, 2003.

■ 2-кратный финалист кубка России.

■ 2-кратный бронзовый призёр чемпионата России.

■ Единственный клуб бывшего СССР, которому удалось выйти в полуфинал всех трех европейских кубков: Кубка чемпионов (1991), ныне упраздненного Кубка обладателей кубков (1993) и Кубка УЕФА (1998).

■ В 1984 году стал первой командой из СССР, которой удалось достичь четвертьфинала Кубка УЕФА.

■ Осенью 1995 года выиграл шесть матчей из шести в групповом турнире лиги чемпионов УЕФА, тем самым став совладельцем европейского рекорда.

■ Футболисты «Спартака» составляли костяк сборной СССР, которая в 1956 году выиграла Олимпийские игры в австралийском Мельбурне.

■ Олимпийскими чемпионами— 1956 стали спартаковцы Анатолий Ильин, Анатолий Исаев, Анатолий Масленкин, Игорь Нетто, Михаил Огоньков, Алексей Парамонов, Сергей Сальников, Никита Симонян, Борис Татушин, Николай Тищенко. В финале из 11 игроков стартового состава восемь представляли «Спартак». Решающий гол забил Ильин с передачи Исаева.

■ Обладателями первого кубка Европы— 1960 (позже переименованного в чемпионат Европы) в составе сборной СССР стали спартаковцы Нетто, Масленкин и Анатолий Крутиков.

■ В 1988 году международная федерация футбола (ФИФА) признала вратаря «Спартака» и сборной СССР Рината Дасаева лучшим голкипером мира. В том же году Евгений Кузнецов завоевал «золото» в составе сборной СССР на Олимпиаде в Сеуле.

■ Титул лучшего футболиста СССР, введенный в 1964 году, завоевывали спартаковцы Евгений Ловчев (1972), Ринат Дасаев (1982), Федор Черенков (1983, 1989).

■ Титул лучшего футболиста России завоевывали спартаковцы Виктор Онопко (1992, 1993), Илья Цымбаларь (1995), Андрей Тихонов (1996), Дмитрий Аленичев (1997), Егор Титов (1998, 2000).

Игорь Рабинер

Лауреат приза имени Николая Озерова лучшему журналисту России, пишущему о футболе, за 2003 год (от Российского футбольного союза), лучшему спортивному журналисту страны 2003 года (от Федерации спортивных журналистов России), премии «Премьер» лучшему футбольному журналисту России за 2004 год (от Российской футбольной премьерлиги), а также приза Федерации спортивной борьбы России за лучший репортаж о дзюдо 2004 года.

Ведущий обозреватель газеты «Спорт-экспресс» и, согласно опросу, проведенному этой газетой в декабре 2005 года, самый популярный футбольный журналист этого крупнейшего спортивного периодического издания России, входящего в Ассоциацию европейской спортивной прессы (английский World Soccer, итальянская La Gazzetta dello Sport и др.).

Один из авторов более чем 800-страничной энциклопедии футбольного клуба «Спартак», увидевшей свет в 2002 году. Один из авторов энциклопедии «Короли льда» об истории и героях хоккея с шайбой, вышедшей в Северной Америке на английском языке. Автор статей в канадском еженедельнике The Hockey News и в других изданиях США и Канады. Автор книги «Футбол. Прощание с веком», опубликованной в 2001 году.

В качестве спецкора «Спорт-экспресса» освещал все главные спортивные соревнования последних лет: летние Олимпийские игры 2000 и 2004 годов, зимние Олимпийские игры 1998, 2002 и 2006 годов, чемпионаты мира по футболу 1998, 2002 и 2006 годов. С 1996 по 1998 год — собственный корреспондент «Спорт-экспресса» по Северной Америке, неоднократно освещавший «Матчи всех звезд» НХЛ и НБА, а также соревнования по теннису, боксу, легкой атлетике.

Специалист по английскому футболу и хоккею НХЛ, брал эксклюзивные интервью у лучших в мире представителей этих видов спорта: Карлоса Алберто Паррейры и Жозе Моуринью, Фрэнка Лэмпарда и Андрея Шевченко, Уэйна Гретцки и Яромира Ягра, Скотти Боумэна и Виктора Тихонова, Павла Буре и Александра Овечкина. Интервьюировал также других легендарных спортсменов: Майкла Джордана и Елену Исинбаеву, Константина Цзю и Алексея Немова, Евгения Кафельникова и Марата Сафина, Николая Валуева и Андрея Кириленко, Светлану Журову и Арвидаса Сабониса.

Родился в 1973 году. Выпускник факультета журналистики МГУ. В спортивной прессе — с 1990 года.

Мы разделяем вашу страсть к спорту!

нам**15**лет

— «Никогда не ссорься с журналистами: ты ему скажешь один на один, а он тебе ответит миллионным тиражом» — это сказал очень мудрый человек. Сейчас у меня полное впечатление, что это как раз ответ Романцеву за то, что тот журналиста как-то «погладил по голове на пресс-конференции». Я бы понял, если бы эта книга вышла, когда Романцев и другие руководители «Спартака», затронутые здесь, были в фаворе. А тут получилось — лягнуть лежачего. Что тогда клясться в любви к «Спартаку» и говорить о желании писать правду? Правда «по горячим следам» и правда, которая пишется через пятилетие,— это разные правды. Я человек со спартаковским сердцем, и я не могу понять: что эта публикация дает «Спартаку»? Да ничего хорошего!

После ухода Николая Петровича Старостина это уже другой «Спартак», он может нравиться или не нравиться, но он — другой. Рассказывать о негативе нужно для того, чтобы искоренять его. Причем так, как в Италии, когда ведущие клубы отправляют в низшие лиги, а не писать о том, что все уже забыли, дискредитируя и «Спартак», и многие поколения спартаковцев. Ибо как хочешь, но когда пишешь о «Спартаке», ты пишешь обо всех нас!

Евгений ЛОВЧЕВ,
президент и главный тренер МФК «Спартак»

— Объект любви нельзя назначить. Его нельзя переписать, как гимн, и перенести на новое место, как День Конституции. Это чувство вырастает само, прекрасное и совершенно иррациональное...

Больше полувека «Спартак» был народной любовью. Его победы были нашими победами. Его деградация больно ударила по душам миллионов людей.

Книга Игоря Рабинера — об истоках и этапах этой деградации — вызовет, безусловно, бурю эмоций. Скажут: вынес сор из избы... Вынес, и правильно сделал! Обязательно надо было вынести этот сор; теперь бы еще вымыть в этой избе полы и проветрить как следует, потому что — кто только не надышал там в последнее десятилетие!

Можно соглашаться или не соглашаться с оценками и выводами известного журналиста, но очевидно: книга написана человеком, болеющим за «Спартак» — за то человеческое лицо команды, которое она начала утрачивать на наших глазах.

Ибо лицо Андрея Тихонова и лицо, не при детях будь сказано, г-на Червиченко — это разные лица, не правда ли? И по праву своих сорока болельщицких лет, скажу, рискуя навлечь фанатский гнев: не так важно, чемпион «Спартак» или не чемпион — гораздо важнее, тот ли это «Спартак», который имеет отношение к нашим сердцам...

Книга Игоря Рабинера — шажок в сторону этого возвращения.

Виктор ШЕНДЕРОВИЧ,
БОЛЕЛЬЩИК «СПАРТАКА» С 40-ЛЕТНИМ СТАЖЕМ

Игорь Рабинер

Как убивали «Спартак»

Сенсационные подробности падения великого клуба
Отв. за выпуск И. Степачева-Бохенек
Художник А. Ирбит
Верстка Н. Якунинской
Корректоры: Е. Смирнова, Т. Королева

Подписано к печати 26.07.06. Формат 84 х 108/32. Бумага офсетная.
Гарнитура Text BookC. Печать офсетная. Усл. печ. л. 24,36.
Доп.тираж 30 000 экз.
Заказ № 2729
ЗАО Издательский дом «Секрет фирмы»
105066, Москва, Токмаков пер., д. 21/2, стр. 1
Интернет: www.sf-online.ru/books
E-mail: bookpublisher@sf-online.ru

Отпечатано в ОАО «Типография „Новости"»
105005, Москва, ул. Фридриха Энгельса, д. 46